Les comètes

de l'Antiquité à l'ère post-Halley

SÉRIE ALPHA

Les comètes

de l'Antiquité à l'ère post-Halley

Philippe Rousselot

Canada : 418, ch. des Frênes, L'Acadie, Qué, J2Y 1J1
France : 5, Impasse Mousset, B.P. 01, 75560 Paris Cedex 12

Données de catalogage avant publication (Canada)

Rousselot, Philippe

Les comètes : de l'Antiquité à l'ère post-Halley
(Alpha)

Comprend des réf. bibliogr. et un index.

ISBN 2-89000-438-4

1. Comètes. I. Titre. II Collection : Série Alpha
(Laprairie, Québec).

QB721.R69 1996 523.6 C96-940067-5

ÉDITIONS BROQUET

Canada : 418, ch. des Frênes, L'Acadie, Qué, J2Y 1J1
Tél. : (514) 357-9626 Fax : (514) 357-9625
France : 5, Impasse Mousset, B.P. 01, 75560 Paris Cedex 12
Tél. : (1) 40 01 09 49 Fax : (1) 40 01 09 94

Photographies de la couverture :

Montage photographique présentant la comète P/Shoemaker-Levy 9 percutant l'atmosphère de la planète Jupiter. *(Comet Team et Nasa) et (Dr. H. A. Weaver and Mr. T. E. Smith, STScI NASA).*

Noyau de la comète de Halley. *ESA/Max-Plank-Institut für Aeronomie (Courtesy H.U. Keller)*

La comète de Halley. *JPL for ESA*

Infographie : Antoine Broquet

Dépôt légal — Bibliothèque nationale du Québec
1er trimestre 1996

ISBN 2-89000-438-4

Table des matières

Introduction

Les comètes, de par leur aspect spectaculaire et imprévisible, ont toujours beaucoup attiré l'attention du grand public : autrefois, on y associait toute sorte de présages, presque toujours funestes, et de superstitions. Aujourd'hui, même si ces croyances n'ont pas totalement disparu, c'est plutôt leur côté spectaculaire qui continue d'attirer l'attention. C'est ainsi qu'en 1986, le dernier passage de la comète de Halley, la plus célèbre des comètes, a suscité un intérêt médiatique considérable, sans doute sans précédent.

L'intérêt qu'a porté le grand public au passage de Halley était pourtant plus lié au prestige historique de cette comète et aux moyens très importants déployés par les scientifiques pour l'étudier (en particulier avec l'envoi inédit de cinq sondes spatiales) qu'à son aspect dans le ciel. Celui-ci fut en effet plutôt décevant pour la plupart des observateurs, attirés par l'intérêt médiatique qu'avait suscité la comète.

L'information scientifique sur les comètes connu également un fort regain, caractérisé en particulier par la publication de nombreux ouvrages dans de multiples langues. C'est ainsi qu'en France, plusieurs livres furent publiés juste avant le passage tant attendu de la comète de Halley, donnant un panorama complet de l'état des sciences cométaires avant l'événement. Il semble pourtant qu'une fois passé les feux de l'actualité, et même si les scientifiques tenaient des rencontres et écrivaient nombre d'articles pour analyser les résultats obtenus par l'étude de Halley, relativement peu d'auteurs, du moins en France, aient tenté de publier une synthèse de notre nouvelle vision des comètes s'adressant au grand public.

Presque dix ans après la rencontre historique avec Halley, alors que la plupart des données scientifiques qu'elle a générées sont maintenant bien «digérées», il semblait donc opportun d'essayer de faire une nouvelle synthèse, accessible au plus grand nombre, de l'état de nos connaissances en la matière. C'est la raison d'être de ce modeste ouvrage, que son auteur espère être aussi clair et complet que possible.

Ce livre est organisé principalement autour de la dernière rencontre avec Halley. C'est ainsi qu'après la présentation historique, nécessaire pour replacer l'étude des comètes dans leur contexte général, les connaissance cométaires avant et après le dernier passage de Halley ont été clairement séparées. Comme les moyens d'observation et d'études déployés lors de ce passage sont également décrits en détail, l'auteur de cet ouvrage espère que le lecteur aura une juste vision de l'avancée effectuée par les sciences cométaires au cours des dix dernières années. À vous de juger si le but est atteint !

Chapitre 1

De l'Antiquité au XVIIe siècle

Quelques éléments sur l'histoire des comètes

Si, de nos jours, peu d'entre nous se montrent attentifs au spectacle nocturne de la voûte céleste, trop souvent noyée dans les lumières et les brumes citadines, il n'en était pas ainsi durant la plus grande partie de l'histoire de l'humanité. Jusqu'à une période récente, en effet, la relation entre les hommes et la nature était beaucoup plus profonde, la vie quotidienne étant plus directement influencée par celle-ci. Il est ainsi paradoxal de constater que plus notre compréhension scientifique de l'Univers s'améliore, moins celui-ci est observé au quotidien par l'ensemble de la population.

L'histoire de notre compréhension des comètes et de nos relations avec celles-ci illustre parfaitement ce phénomène. En effet, ces astres étranges semblent avoir grandement marqué les esprits en des temps fort reculés, d'autant plus grandement que l'on ignorait à peu près tout de leur véritable nature physique. Il faut dire qu'il s'agit d'un des rares phénomènes célestes à être totalement imprévisibles (du moins dans la plupart des cas). En moyenne, on compte environ une comète brillante visible à l'œil nu tous les dix ans. Cette périodicité rend ce phénomène à la fois suffisamment fréquent pour que chaque individu puisse espérer en voir plusieurs au cours de sa vie, et suffisamment rare pour qu'il le remarque particulièrement et en garde longtemps le souvenir.

S'il est difficile de savoir ce que les hommes préhistoriques pensaient de ces astres, il existe par contre des témoignages d'observations cométaires dès l'apparition des documents écrits. En fait, la plupart des vieilles civilisations en ont laissé au moins quelques traces. Nous possédons en effet des documents montrant que, plusieurs siècles avant notre ère, voire plusieurs millénaires, en Babylonie, en Égypte, puis en Grèce, mais également en Chine et en Amérique précolombienne, des comètes avaient été observées par les hommes.

Si, parmi ces différentes cultures, la Grèce antique est probablement la seule, comme nous le verrons plus loin, à avoir véritablement essayé de comprendre la nature physique des comètes, avec la pensée scientifique de l'époque, les témoignages laissés par les autres civilisations sont également extrêmement intéressants.

La Mésopotamie

Pour la civilisation occidentale, l'astronomie est née dans cette région du monde appelée la Mésopotamie, entre le Tigre et l'Euphrate (zone actuellement englobée par l'Irak), voici maintenant quelque quatre millénaires. Le temps aidant, le savoir astronomique prêté aux civilisations qui s'y sont développées, c'est-à-dire principalement celle de Babylone, devint presque mythique. Toutes sortes de connaissances furent en effet attribuées à cette civilisation, en particulier celles concernant la prédiction des éclipses solaires.

La réalité est en fait beaucoup plus nuancée, mais il fallut du temps pour qu'elle puisse être mise à jour. Ce n'est en effet qu'au XVIIIe siècle que les vestiges de cette civilisation commencèrent à faire l'objet d'une redécouverte sérieuse. Tout d'abord, l'écriture utilisée, retrouvée sur de multiples supports (briques, cylindres d'argile séchée, lames de pierres, roches etc.), était incompréhensible. Son aspect particulier, en forme de coins, lui valut le qualificatif de cunéiforme, et il fallut attendre jusqu'au milieu du XIXe siècle pour réussir à la déchiffrer.

L'étude de l'astronomie babylonienne ne commença vraiment qu'avec le long et minutieux travail effectué par trois jésuites : Strassmaier, Epping et Kugler. Ceux-ci furent les premiers, à la fin du XIXe siècle, à étudier de près les tablettes cunéiformes faisant référence à la plus ancienne des sciences, grâce à la très riche collection du British Museum de Londres.

Que nous apprirent ces textes ? Tout d'abord, presque rien sur la civilisation sumérienne, qui se développa dans la basse vallée de l'Euphrate entre le IVe et le début du IIe millénaire av. J.-C., si ce n'est quelques noms d'étoiles et de constellations et quelques mythes cosmogoniques. Il semble que l'astronomie y était encore embryonnaire.

Les premières connaissances sérieuses apparaissent avec la période appelée paléobabylonienne, qui débute avec l'ascension de Babylone vers 1800 av. J.-C. et s'achève en 1530 av. J.-C. lors du sac de la ville par les Hittites. Après cette période, les spécialistes de la civilisation babylonienne distinguent encore trois époques importantes de l'histoire de Babylone : de 1530 à 612 av. J.-C. (lorsque la ville tombe aux mains des Mèdes et que la grande bibliothèque de Ninive est détruite), de 611 à 540 av. J.-C. durant le règne de Nabuchodonosor, et enfin, de 539 av. J.-C. à 75 ap. J.-C. durant la domination perse.

Parmi toutes ces périodes, la dernière est bien sûr la plus achevée au niveau des connaissances astronomiques. L'accumulation d'observations durant environ 1500 ans avait permis de faire une bonne description du mouvement apparent des principaux astres — la Lune, le Soleil et les planètes — ainsi que de la variation des jours et des nuits.

La révolution synodique des planètes, c'est-à-dire le temps nécessaire pour qu'une planète retrouve la même position par rapport à la Terre, était connue avec une grande précision, de l'ordre du centième de jour (ceci concerne, bien sûr, les planètes connues à l'époque, car visibles à l'œil nu : Mercure, Vénus, Mars, Jupiter et Saturne). Il semble que la périodicité des éclipses solaires et lunaires était également connue, grâce à la découverte du cycle de Saros (de 18 ans et 11,3 jours). De plus, la plupart des constellations avaient reçu un nom, qui a d'ailleurs souvent été conservé, notamment pour celles du zodiaque, par les astronomes d'aujourd'hui.

En ce qui concerne plus particulièrement les comètes, seules trois tablettes *cunéiformes* y faisant référence sont parvenues jusqu'à nos jours. La plus ancienne d'entre elles date de l'an 687 av. J.-C., mais son texte est probablement beaucoup plus ancien, remontant sans doute au IIe ou IIIe millénaire avant notre ère. Le dernier des chapitres composant cette tablette (qui en compte dix-huit) est consacré aux présages associés aux étoiles fixes et aux comètes, le reste de la tablette étant une espèce de recueil des connaissances astronomiques de l'époque. En ce temps-là, en effet, les comètes étaient d'abord considérées sous leur aspect astrologique et la principale préoccupation de ceux qui les étudiaient était de savoir ce qu'elles annonçaient. La lecture des textes babyloniens nous renseigne donc surtout sur la civilisation babylonienne elle-même, mais elle peut également apporter des informations sur des passages particulièrement anciens de comètes. Un des plus anciens de ceux mentionnés par les astronomes de cette époque date de l'an 1140 av. J.-C. : «Une comète apparue dont le corps était aussi brillant que le jour, tandis qu'une queue s'étendait de son corps lumineux, semblable au dard d'un scorpion.» Les observations ainsi mentionnées manquent malheureusement de la précision requise pour pouvoir nous apporter aujourd'hui de véritables informations scientifiques.

Les Babyloniens interprétaient les comètes comme étant des astres semblables aux planètes, avec des orbites, et produites par de violents tourbillons d'air créant des boules de feu. S'il est vrai qu'il s'agit effectivement d'astres en orbite autour du Soleil (même s'il peut s'agir parfois d'orbites avec un passage unique), ce fait ne reposait cependant sur aucune démonstration scientifique réelle et nous verrons que cette théorie sera vite oubliée par l'Occident.

L'Égypte

Les Égyptiens, pour leur part, avaient également un certain nombre de connaissances astronomiques, même si celles-ci ont peut-être eu tendance à être également surestimées par la suite. Ils avaient développé un savoir astronomique essentiellement utilitaire. Par exemple, le rythme des saisons, responsable de celui des crues du Nil, d'une importance vitale pour la civilisation égyptienne, avait été étudié de près. Ils avaient donc suivi attentivement les levers et couchers du Soleil ainsi que ceux de l'étoile Sirius, la plus brillante du ciel (appelée «Sothis» par les Égyptiens). Le calendrier égyptien était en effet basé sur une année de 365 jours, débutant le premier jour de visibilité de Sirius.

En ce qui concerne les observations des autres astres, les travaux des astronomes égyptiens étaient beaucoup plus limités. Ainsi, les constellations du zodiaque (zone du ciel où semble se déplacer le Soleil) employées par ces derniers étaient importées de Babylone. En ce qui concerne les comètes, aucune référence explicite à ces astres ne semble avoir été découverte dans la littérature égyptienne. Il est cependant probable que les Égyptiens sont à l'origine de l'expression «étoile chevelue» qui les désigne, cette expression nous étant parvenue par l'intermédiaire des Grecs et des Romains pour former le mot actuel «comète». En effet, le mot latin «cometa», lui-même issu du mot grec «kométês», veut dire «chevelu».

Les Chinois : des observateurs infatigables

Pour trouver de véritables observations cométaires à la fois systématiques et suffisamment précises pour pouvoir apporter aujourd'hui des informations scientifiques, il faut se tourner vers la lointaine civilisation chinoise. Les astronomes, ou plutôt astrologues, chinois ont en effet contribué durant une période exceptionnellement longue, environ trois millénaires, à l'enregistrement des passages de comètes. De 1400 av. J.-C. à 1600 ap. J.-C., ce sont en effet au moins 338 apparitions distinctes qui ont été méticuleusement reportées par écrit, pour le plus grand bonheur des astronomes d'aujourd'hui.

Il convient d'ailleurs de remarquer que cette passion pour l'observation du ciel dépasse le cadre restreint des comètes. L'origine de la fameuse nébuleuse du Crabe, par exemple, bien connue de tous les astronomes amateurs, a en effet été découverte grâce aux astrologues chinois qui n'ont pas manqué de noter l'apparition d'une étoile exceptionnellement brillante en 1054, à l'endroit même où se situe cette nébuleuse. L'astronomie moderne a rapidement fait le lien entre ces deux éléments en identifiant l'étoile nouvelle observée par les Chinois comme étant le résultat de l'explosion d'une supernova, dont les restes demeurent aujourd'hui sous la forme d'un pulsar et d'une nébuleuse diffuse en expansion rapide, conformément à la théorie moderne de l'évolution stellaire.

Dans un but purement astrologique, donc, les apparitions des comètes étant considérées comme de funestes présages que tous les empereurs voulaient suivre de très près, les Chinois ont patiemment enregistré le passage de toutes les comètes visibles dans le ciel. Pour chacune d'elles, ils notèrent la date de son apparition (dans l'année du règne d'un empereur), son type (suivant une nomenclature précise figurant dans un catalogue écrit), la constellation où elle était apparue, sa couleur et sa longueur apparente, ainsi que sa durée de visibilité. On découvrit dans les années soixante-dix, lors des fouilles dans la «tombe numéro trois» de Mawangdui, près de Changsha, un véritable atlas cométaire, datant d'environ 300 av. J.-C. Les peintures sur soie de cet ouvrage répertorient vingt-neuf formes cométaires différentes, précisant chaque fois le type de catastrophe qu'elles annoncent. Les représentations proprement dites de ces comètes sont particulièrement remarquables par leur aspect «réaliste» très différent de celui des comètes dessinées au Moyen Âge, souvent «embellies» par des vues d'artistes qui dessinaient plus selon leur imagination que pour reproduire la réalité...

L'étude des observations chinoises apporte de précieux renseignements sur les passages antérieurs de comètes périodiques que nous continuons à observer de nos jours. Ceci est particulièrement vrai en ce qui concerne la plus célèbre d'entre elles, la comète de Halley. Dès 1057 av. J.-C., les annales chinoises rapportent en effet l'apparition d'une comète qui pourrait bien être celle de Halley, mais cette identification, si elle est plausible, est cependant incertaine. En revanche, ils semblent qu'ils n'aient raté aucune de ses apparitions à partir de 240 av. J.-C., sauf, semble-t-il, celle de 164 av. J.-C.

Il convient également de souligner une remarque importante faite par les observateurs chinois. En effet, on trouve, dans les annales de la dynastie Tang, à propos d'une comète apparue en 837 (il s'agissait de la comète de Halley), une observation intéressante : «Lorsqu'une comète apparaît le matin, sa queue est dirigée vers l'ouest; quand elle apparaît le soir sa queue est dirigée vers l'est. Cela est une règle constante.» Dit autrement cela signifie que la queue d'une comète est toujours dirigée à l'opposé de la direction du Soleil. Ce fait fondamental pour les comètes, dont l'explication théorique était évidemment hors de portée de la science chinoise, ne sera remarqué en Occident que sept cents ans plus tard.

En définitive, donc, la civilisation chinoise nous a fourni des observations sur les comètes d'une qualité absolument unique à des époques où elle était souvent la seule à le faire de façon sérieuse. Les Chinois n'ont cependant pas élaboré de véritables théories sur la nature physique des comètes, leurs préoccupations n'étant pas d'ordre scientifique. Il faudra par ailleurs attendre longtemps avant que l'Occident puisse véritablement profiter d'une telle source d'informations, les échanges culturels avec une civilisation aussi éloignée et différente de la nôtre étant longtemps restés extrêmement limités.

La Grèce et la Rome antiques

Mais revenons en Occident, tout d'abord dans la Grèce antique. L'observation et l'étude des comètes vont prendre une tournure tout à fait différente. En effet, même si les observations proprement dites des astronomes grecs sont beaucoup moins précises que celles des Chinois, le processus de raisonnement est totalement différent. Pour la première fois, en effet, nous allons assister aux balbutiements initiaux de la science et même si certaines des conclusions auxquelles étaient arrivés les hommes de cette époque peuvent aujourd'hui prêter à sourire, il ne faut pas oublier le caractère fondamentalement novateur de leur démarche intellectuelle. C'est de ce type de démarches qu'est née la science moderne occidentale.

Il y eut certainement beaucoup de théories avancées par les différents savants de cette époque pour expliquer le phénomène des comètes, mais leurs idées nous sont connues aujourd'hui principalement par deux auteurs : Aristote (384-322 av. J.-C.) et, chez les Romains, Sénèque (v. 4 av. J.-C. - 65 ap. J.-C.).

Sans entrer dans le détail de toutes les théories précédant celle d'Aristote, on peut, grosso modo, distinguer deux types de conceptions. Selon le premier, les comètes seraient des astres semblables aux planètes, mais ne s'élevant que rarement au-dessus de l'horizon, ce qui expliquerait pourquoi beaucoup de leurs passages échappent à l'homme. Telle était l'opinion des pythagoriciens, vers le VIe siècle av. J.-C. Ce type de théorie subit quelques variantes, en particulier au siècle suivant avec Hippocrate de Chios et Eschyle. Ceux-ci pensaient, en effet, que le phénomène si caractéristique de la chevelure n'était pas propre à la comète mais simplement dû, à certains moments, à la réflexion du Soleil sur de la «vapeur cométaire». L'autre grand type de théorie développée avant Aristote expliquait le phénomène cométaire comme étant une simple illusion d'optique provoquée par le rapprochement serré de deux planètes dans le ciel. Dans cette dernière théorie, la conjugaison des deux faisceaux lumineux était censée donner l'illusion d'un astre unique allongé. Ce genre de théorie avait été défendu en particulier par Démocrite (v. 460 av. J.-C. - v. 370 av. J.-C.), auteur prolixe plus connu pour être l'un des premiers à avoir évoqué le concept d'atome (bien qu'aucun de ses ouvrages ne nous soient parvenus, sa pensée étant connue aujourd'hui en grande partie grâce à Aristote).

Avec Aristote, qui cite lui-même ces deux types de théories dans son œuvre, l'interprétation du phénomène des comètes devient complètement différente. Après avoir présenté ces deux théories, il les réfute sur la base de deux arguments. Tout d'abord, il remarque qu'on observe fréquemment des comètes en dehors des constellations du zodiaque, ce qui n'est jamais le cas pour les planètes. Ensuite, il note que la plupart des comètes disparaissent sans qu'on observe le moindre astre à leur emplacement, ce qui contredit la seconde hypothèse.

La théorie développée par Aristote, en réaction aux théories antérieures, est expliquée dans sa *Météorologie*. Il lie les comètes à de simples phénomènes météorologiques prenant naissance dans l'atmosphère terrestre. Selon sa théorie, les comètes naîtraient lors de la rencontre de deux masses d'air, l'une ascendante et l'autre descendante. Ces deux masses d'air formeraient alors une sorte de tourbillon s'enflammant au contact d'un feu externe (par exemple, une étoile filante). La lumière émise par les comètes, selon Aristote, est donc purement interne et indépendante du Soleil.

Cette théorie explique le caractère imprévisible des apparitions cométaires et, surtout, cadre parfaitement avec la conception générale de l'Univers développée par Aristote. Pour celui-ci, en effet, il fallait distinguer deux zones célestes fondamentalement différentes : celle du monde «sublunaire», s'étendant jusqu'à la Lune, et incluant, bien sûr, la Terre, et le monde céleste «extralunaire», situé au-delà.

Le monde sublunaire est entaché de vulgarité, c'est là que s'entassent les horreurs du changement, alors qu'au-delà de la Lune, il s'agit du monde du divin où les cieux se maintiennent inaltérables et éternels. La cosmologie d'Aristote repose sur neuf sphères transparentes et concentriques, la plus proche étant celle de la Lune, l'avant dernière, celle des étoiles fixes et la dernière, celle qui fait tourner l'ensemble : Dieu. Citons Arthur Koestler[1], parlant du système d'Aristote : «Le Dieu d'Aristote ne gouverne plus le monde de l'intérieur, mais de l'extérieur [...]. Le déplacement de la demeure divine du centre à la périphérie transformait automatiquement la région centrale, occupée par la Terre et la Lune, en la plus éloignée de Dieu : la plus humble, la plus basse de l'Univers.» Dans cette vision du monde, les comètes, astres imprévisibles par excellence, et donc à l'opposé de la pureté éternelle du monde divin, trouvent tout naturellement leur place dans le monde sublunaire.

Notons également que cette explication atmosphérique du phénomène des comètes permet à Aristote de disserter de façon cohérente sur les présages associés aux comètes. En effet, si celles-ci prennent naissance dans des tourbillons d'air enflammés, on peut logiquement en déduire des conséquences climatiques. Aristote pense ainsi pouvoir affirmer que l'apparition d'une comète est signe de vents et de sécheresse.

La pensée aristotélicienne, incluant cette division fondamentale de l'Univers, perdurera durant toute la longue nuit du Moyen Âge, comme le rappelle encore Arthur Koestler[2] : «Cette division de l'Univers en deux régions, l'une vile, l'autre exaltée, l'une soumise aux changements, l'autre non, devait devenir aussi une doctrine fondamentale de la philosophie et de la cosmographie médiévale. Elle rassurait, rendait une sérénité cosmique au monde épouvanté en affirmant sa stabilité et sa permanence essentielles, mais sans aller jusqu'à prétendre que tout changement n'était qu'illusion, sans nier la réalité de la croissance et du déclin, de l'enfantement et de la mort. Le temporel et l'éternel n'étaient point conciliés, seulement confrontés; mais cela consolait un peu, de pouvoir les considérer pour ainsi dire ensemble, d'un coup d'oeil». La conception aristotélicienne des comètes, comme le reste de sa pensée, domina donc également tout le Moyen Âge et il faudra attendre la Renaissance pour que son emprise commence à disparaître.

Mais nous anticipons un peu sur la suite de notre histoire, car l'Antiquité a produit encore d'autres conceptions du phénomène

[1] «Les somnambules», Presses Pocket, p.60
[2] *Ibid.*, p.61

des comètes. En effet, en Grèce même, si les idées d'Aristote eurent rapidement un certain succès, surtout auprès des stoïciens (en particulier chez Posidonius, né en 135 av. J.-C., qui eut une influence importante à son époque), tout le monde n'y adhérait pas nécessairement sans restriction. Zénon de Citium (335-264 av. J.-C.), par exemple, reprenait toujours l'idée d'un phénomène d'optique dû à une conjonction planétaire serrée. Mais c'est surtout chez les Romains, avec Sénèque, que d'autres idées furent développées.

Né vers 4 av. J.-C. à Cordoue, en Espagne, dans une famille riche et aisée, Sénèque se rendit encore jeune à Rome afin d'y faire des études. Il y devint honorablement connu en tant qu'écrivain et orateur, mais fut exilé en Corse, à l'âge de quarante-quatre ans, à la suite de ses relations intimes avec la sœur de Caligula. Ce fut lors de cet exil qu'il prit le temps d'étudier, entre autres, l'astronomie. Rappelé à Rome à cinquante-trois ans, il y devint le précepteur de Néron, puis son conseiller politique lorsque ce dernier devint empereur. Après huit années passées dans les cercles du pouvoir politique, il se retira de la vie publique et rédigea ses œuvres les plus célèbres. Son activité politique avec Néron finit cependant par le perdre : tombé en disgrâce auprès de ce dernier, il fut finalement contraint de se suicider en s'ouvrant les veines pour avoir participé à un complot contre l'Empire.

Parmi les ouvrages rédigés à la fin de sa vie figure les *Questions naturelles*. Dans cet ouvrage, rédigé d'une façon étonnamment scientifique pour l'époque, le livre VII est intitulé «Des comètes» et fait le point sur la conception de Sénèque de ces astres.

Pour lui, les comètes font partie des planètes et, comme telles, doivent avoir des orbites régulières qui devraient permettre, un jour futur, de prévoir avec précision leur retour. Si toutes les conceptions énoncées par cet auteur ne sont pas nouvelles, puisqu'on a vu que d'autres savants avant lui assimilaient les comètes à des planètes, il ne faut pas sous-estimer l'influence des idées d'Aristote, déjà présentes à l'époque de Sénèque. Par ailleurs, ce qui est nouveau, ce sont, d'une part une façon de raisonner particulièrement rigoureuse et, d'autre part, une prémonition extrêmement juste de ce que réservait l'avenir en ce qui concerne l'étude des comètes.

Dans son argumentation contre Aristote, Sénèque fait remarquer un certain nombre d'éléments. Tout d'abord, il note que les comètes ne se dispersent pas lorsque le vent se lève, ce à quoi l'on pourrait s'attendre s'il s'agissait de phénomènes purement météorologiques; de plus, leur trajectoire est étonnamment régulière dans le ciel. Ensuite, il s'interroge sur «l'interdiction» pour un astre semblable aux planètes de sortir de l'étroite bande du zodiaque; en effet, il s'agit là d'une sorte de supposition «gratuite» qui ne repose sur aucune démonstration sérieuse (en cela il avait raison puisque l'avenir montrera que la légèreté même des comètes leur fait subir des perturbations les plaçant sur des orbites fortement inclinées par rapport à l'écliptique, ce qui n'est pas le cas des planètes). Enfin, à l'argument selon lequel on peut distinguer des étoiles à travers les comètes, preuve que celles-ci doivent être semblables aux nuages, il répond que ce phénomène ne concerne que la queue de la comète et non la tête (il était évidemment difficile à l'époque de soupçonner l'énorme différence de taille existant entre la chevelure de la comète [plusieurs dizaines de milliers de kilomètres de diamètre] et le noyau proprement dit [quelques kilomètres environ]).

Sénèque écrit, dans ce livre VII : «L'homme viendra un jour, qui expliquera dans quelles régions courent les comètes, pourquoi elles s'écartent autant des autres astres, quelles sont leur grandeur et leur nature...» Même si ce travail occupera plus d'un individu par la suite (et le travail n'est pas encore fini !), certains personnages illustres, en particulier Halley, comme nous le verrons au chapitre suivant, rendront parfaitement juste la prédiction de Sénèque.

Malheureusement, l'esprit scientifique remarquable de ce dernier ne fit guère d'émules, dans un Empire romain bientôt en décadence. Dès la génération suivante, par exemple avec Lucain (39-65), le propre neveu de Sénèque, ou avec Pline l'Ancien (23-79), adepte de la théorie aristotélicienne des comètes, nous retrouvons des textes relatifs aux comètes empreints de superstition et où tout esprit critique est absent. Ceux-ci laissaient augurer malheureusement de la longue nuit du Moyen Âge, dominée par de stériles croyances dogmatiques en la physique aristotélicienne et par une crainte irraisonnée des comètes auxquelles les pires présages seront associés. En fait, entre la mort de Sénèque et le XVIe siècle, aucune théorie nouvelle ne fut élaborée concernant la véritable nature des comètes.

Le Moyen Âge

Pendant près de mille trois cents ans, de Ptolémée à Copernic, l'astronomie va donc stagner en Occident, comme d'ailleurs toutes les autres sciences. Rappelons que Claude Ptolémée fut l'auteur, en 140 ap. J.-C., d'un ouvrage magistral synthétisant toutes les connaissances astronomiques grecques (dont sa contribution) : l'*Almageste*. Dans cet ouvrage, l'Univers était présenté avec, au centre, la Terre, sphérique mais fixe, et, tournant autour d'elle, les différents astres : la Lune, Mercure, Vénus, le Soleil, Mars, Jupiter, Saturne, et la sphère des fixes (les étoiles). Le mouvement compliqué des planètes était expliqué par une combinaison de deux mouvements circulaires, l'axe de rotation du premier mouvement ayant comme centre la Terre, et le second tournant autour de celle-ci avec le premier mouvement (système des épicycles). C'est ce système compliqué qui expliquera, durant toute cette longue nuit du Moyen Âge, les mouvements des planètes.

En ce qui concerne les comètes, de nombreux écrits nous sont parvenus de cette époque. Malheureusement, ils ne contiennent que mysticisme et superstition, et ne font qu'associer des malheurs (ou d'heureux événements, mais c'est plus rare) à ces astres. Un des malheurs «classiques», si l'on peut dire, qui y fut associé, fut la mort de personnages illustres. Cette superstition semble remonter à l'époque romaine.

La mort de Jules César, en 44 av. J.-C., fut en effet suivie par l'apparition d'une brillante comète l'année suivante. Cette apparition fut interprétée comme étant l'âme de César qui montait au ciel. Par exemple, voici ce qu'en dit Suétone dans sa *Vies des douze Césars* : «César mourut dans la cinquante-sixième année de son âge et fut mis au nombre des Dieux, non seulement en paroles et par ceux qui en firent le décret, mais aussi dans la croyance de la foule. Ainsi, aux jeux que célébrait en son honneur son héritier Auguste, pour la première fois après l'apothéose de César, une comète brilla pendant sept jours de suite : elle se levait aux environs de la onzième heure et l'on fut persuadé que c'était l'âme de César qui avait été accueillie au ciel. C'est la raison pour laquelle, sur la tête de ses statues, on met une étoile.» Il faut dire, pour être honnête, que cette interprétation «arrangeait», politiquement parlant, certains personnages, en particulier Auguste, qui avait tout intérêt à grandir un César assassiné dont on poursuivait les meurtriers...

La liste de tous ceux dont la mort fut précédée, ou parfois suivie, d'une comète brillante (parfois avec trois ans de décalage !) est tellement longue qu'il serait difficile de l'établir de façon exhaustive. On peut citer cependant quelques exemples : la mort d'Attila, de Pépin le Bref ou encore de Charles le Téméraire. Même la mort de Mahomet, en 632, aurait ainsi été «annoncée» !

Parfois, l'apparition d'une comète fut interprétée de façon divergente suivant les pays... Ainsi, en avril 1066 alors que Guillaume le Conquérant s'apprêtait à envahir l'Angleterre, une comète brillante fit son apparition. Celle-ci, visible des deux cotés de la Manche, ne manqua pas de susciter des interrogations sur le présage qu'elle annonçait concernant la bataille à venir. Le résultat de ce présage fut connu quelques mois plus tard, en octobre, lorsque Harold II fut battu à Hastings : bon présage pour les Normands, mais mauvais présage pour les Anglais !

Certains auteurs racontent même qu'il y a eu un pape qui excommunia une comète. Il s'agissait de Calixte III, en 1456, qui craignait la défaite contre les Turcs... et de la comète de Halley. Il semble que l'initiative ait été efficace puisque, au terme d'une sanglante bataille de deux jours, la ville de Belgrade, alors chrétienne mais assiégée par les Turcs, fut libérée de son siège.

La Renaissance

Au terme de cette longue nuit du Moyen Âge, l'Occident commença enfin à sortir de sa léthargie intellectuelle avec une période magnifique dans l'histoire des sciences en général et de l'astronomie en particulier. Celle qui, trouvant sa source dans la Renaissance, s'étend du milieu du XVIe siècle jusqu'à la fin du XVIIe. Deux années clés encadrent plus précisément cette période : 1543, année de la publication du livre de Nicolas Copernic, *De revolutionibus orbium cælestium*, qui ouvre la voie à la révolution copernicienne, et 1687, année de la publication par Newton de *Philosophiae naturalis principia mathematica*, faisant une synthèse majeure de toute cette période avec l'énoncé du principe de la gravitation universelle.

La fin de cette période, la révolution newtonienne, fut en fait liée à l'histoire des comètes, grâce à ce fameux Edmund Halley, auquel sera consacré le chapitre suivant en entier. Mais avant d'en arriver à ce dernier, il faut savoir que plusieurs grands personnages ont jalonné le chemin de la connaissance en astronomie. En particulier Tycho Brahé, Johannes Kepler et Galilée, mais d'abord Copernic.

Nicolas Copernic est né en 1473 à Torun, en Pologne. Il commença ses études universitaires à l'université de Cracovie, en 1491 (où il suivit le cursus classique de l'époque pour les étudiants, le trivium puis le quadrivium), puis se rendit à l'université de Bologne, en 1496, où il devint l'assistant de Domenico Maria Novara, astronome relativement connu de l'époque. C'est là qu'il fit sa première observation astronomique connue, le 9 mars 1497 : une conjonction entre la Lune et Aldébaran. En 1500, il quitta Bologne pour Rome où il donna probablement plusieurs conférences d'astronomie et observa une éclipse de Lune.

En 1501, il arriva à Padoue où, profitant d'une bourse d'études du chapitre de Frombork, il s'attaqua à des études de médecine. En 1503, il rentra en Pologne avec un doctorat en droit canon de l'université de Ferrare, le seul diplôme universitaire qu'il ait réussi, en fait, à obtenir. Après avoir accompagné son oncle Lucas, évêque de Warmie, durant quelques années, en tant que médecin et secrétaire, il s'installa dans la solitude de la ville de Frombork, pour participer à la gestion du chapitre et, surtout, pour se consacrer à l'œuvre de sa vie, le *De revolutionibus*.

Ce livre fut finalement publié en 1543 à Nuremberg, quelques mois seulement avant la mort de son auteur. Ce dernier différa longtemps en effet la publication de son livre et ne se décida finalement que sur l'insistance de Georg Joachim Rheticus, son condisciple, et d'un ami évêque, Tiedemann Giese. Les avis divergent sur les raisons qui poussaient Copernic à différer cette publication. Pour certains, c'était la crainte d'une réaction négative de la hiérarchie catholique, pour d'autres, c'était l'état d'inachèvement des livres V et VI. Quoi qu'il en soit, le livre fut publié et la rupture qu'il marqua avec le système géocentrique dominant depuis l'Antiquité fut, *a posteriori*, entamée à cet instant précis.

Dans le *De revolutionibus*, Copernic présente sa description cosmologique générale du monde en confrontant en permanence ses idées au couple formé de la physique d'Aristote et de l'astronomie de Ptolémée. Cette façon de procéder, naturelle compte tenu de l'emprise du discours de ces deux personnages à l'époque de Copernic, ne rend l'œuvre de ce dernier que plus explosive.

En effet, après un début parfaitement conforme à la physique aristotélicienne, Copernic utilise les propres arguments de celle-ci pour appuyer son système héliocentrique, en essayant de prendre Aristote à son propre piège. Sa conclusion est que l'ordre des orbes n'est pas celui que l'on croit : c'est le Soleil qui est fixe et les planètes qui tournent autour, en suivant des cercles centrés sur un axe proche du Soleil (pour expliquer la réalité des observations et utiliser des orbites circulaires, alors qu'elles sont en réalité elliptiques, il était encore nécessaire de raffiner un peu le système avec des épicycles, à la manière du système ptoléméen). On trouve tout d'abord Mercure, puis Vénus, la Terre, avec la Lune qui tourne autour, Mars, Jupiter et, enfin, Saturne. Même si Copernic ne se prononçait pas sur la séparation fondamentale de la physique aristotélicienne entre le monde sublunaire et extra-lunaire, il est clair que cette dichotomie devenait insoutenable. Un des piliers théoriques fondamentaux de l'explication faisant des comètes de simples exhalaisons atmosphériques venait donc de s'écrouler.

À cette première révolution théorique allait s'ajouter de nouvelles tentatives pour faire des observations à caractère scientifique. Tout d'abord, celles-ci eurent pour objectif de mesurer ce qu'on appelle la parallaxe, donc la distance. Il s'agit de percevoir une différence dans la position d'une comète, par rapport au fond de ciel étoilé, entre deux observateurs situés à une certaine distance l'un de l'autre. Le principe est le même que lorsqu'on regarde son doigt, placé devant ses yeux, et qu'on observe sa position alternativement avec l'œil gauche et l'œil droit. L'angle duquel il se déplace, lié à l'écart entre les deux yeux et à la distance à laquelle on a placé le doigt, permet de calculer facilement l'un ou l'autre de ces deux paramètres si on connaît le deuxième. Dans le cas de la mesure d'une parallaxe de comète, il faut bien évidemment connaître la distance séparant les deux observateurs au sol, qui doivent effectuer l'observation simultanément (la comète se déplaçant assez vite dans le ciel), car le but est de déterminer la distance entre la comète et le sol terrestre.

Aujourd'hui, il est facile de montrer, par un calcul trigonométrique élémentaire, que l'angle séparant les deux positions d'une même comète vue par deux observateurs distants de mille kilomètres ne peut guère atteindre, dans les cas très favorables où la comète est proche de la Terre, que quelques minutes d'angle. De telles mesures sont donc à la limite de ce qu'il était possible de mesurer à l'époque, compte tenu de l'absence d'instruments d'optique.

Mais, bien sûr, les premiers observateurs qui tentèrent cette expérience n'avaient aucune idée du résultat. Le premier d'entre eux vécut en fait plusieurs décennies avant Nicolas Copernic. Il s'appelait Johannes Müller (1436-1476) mais était plus connu sous son nom latin de Regiomontanus (nom signifiant «mont royal» et désignant sa ville natale, Königsberg en allemand). Elève de Georg von Peuerbach (1423-1461), astronome renommé de l'époque (qui fut peut-être, en fait, le premier à tenter une mesure de parallaxe sur une comète visible en 1456), il était réputé pour être un observateur habile.

S'intéressant aux comètes, qu'il considérait comme des astres à part entière au mouvement déterminé, il chercha donc, entre autres choses, à déterminer la distance d'une comète visible en 1472. En utilisant la rotation de la Terre sur elle-même (pour simuler des observations à deux endroits différents) il trouva une parallaxe d'au plus six degrés, soit une distance minimale de neuf rayons terrestres seulement, ce qui rendait ses observations beaucoup trop imprécises pour lui permettre de conclure quant à la distance réelle des comètes — en deçà ou au-delà de la Lune — la distance de la Terre à la Lune étant nettement supérieure à neuf rayons terrestres.

Le problème de la détermination exacte d'une parallaxe de comète devait perdurer encore un certain temps, mais d'autres observations intéressantes furent faites entre-temps. En effet, deux astronomes annoncèrent, presque simultanément, avoir remarqué un phénomène constant sur toutes les comètes : leur queue s'étendait à l'opposé du Soleil. Cette remarque pertinente avait déjà été faite sept cents ans plus tôt dans la lointaine Chine mais, bien sûr, l'Occident ignorait totalement, à cette époque, les observations des Chinois.

Le premier observateur européen à noter ce fait intéressant fut un astronome et mathématicien allemand, Pieter Bienewitz (1495-1552), plus connu sous le nom d'Apian. Celui-ci fit sa découverte en observant le passage d'une comète en 1531 (il s'agissait, encore une fois, de la comète de Halley) et la mentionna pour la première fois en 1532. Cette année-là, il publia en effet un ouvrage appelé *Practica* où, faisant le compte-rendu de la comète de 1531, il exhibait une gravure, sur la première page, représentant différentes positions de la comète dans le ciel avec sa queue toujours dirigée à l'opposé du Soleil. Il confirma explicitement cette découverte en 1540 dans son *Astronomicum Caesarum*, ouvrage plus connu décrivant des observations portant sur plusieurs comètes des années 1530.

Le deuxième observateur à avoir associé son nom à cette découverte fut un astronome et médecin italien, Jérôme Fracastor (1480-1553). Celui-ci publia un ouvrage appelé *Homocentrica* en 1538 où il rapportait, entre autres, plusieurs observations de comètes (celle de 1531 et deux autres apparues en 1532) et notait explicitement que leur queue était toujours orientée à l'opposé du Soleil : «Il est à remarquer que la queue de ces trois comètes était dans une direction opposée à celle du Soleil. On dit la même chose de la comète de 1472.» Le but principal de son ouvrage était en fait d'améliorer la connaissance du mouvement des planètes en revenant aux idées des premiers penseurs grecs. Ce travail fut en fait rapidement occulté par la publication de l'ouvrage de Copernic, mais cette remarque «secondaire» sur l'orientation des queues de comète resta finalement dans les annales de l'histoire de l'astronomie.

Tycho Brahé

Pour aller plus loin dans l'étude des comètes, et en particulier pour trancher la délicate question de leur distance réelle à la Terre, il fallait un observateur exceptionnel pour l'époque. Cet observateur, ce fut Tycho Brahé.

Né en 1546 à Knudstrup, en Scanie, alors terre danoise (mais aujourd'hui suédoise, en face de Copenhague), ce dernier était issu d'une famille danoise influente. Son père avait été gouverneur du château d'Elsingborg, mais c'est son oncle qui l'éleva. En effet, celui-ci, prénommé Joergen, avait arraché la promesse à son frère, le père de Tycho, que si celui-ci avait un fils, lui, Joergen pourrait l'adopter et l'élever. Au premier accouchement de sa femme, qui mit au monde des jumeaux, en 1546, dont l'un mourut tout de suite, le père de Tycho se rétracta. Cependant, à la naissance d'un deuxième garçon, l'oncle décida d'enlever le premier, Tycho, contre la volonté de son père. Ce dernier finit par se résigner et par se consoler en pensant que Tycho serait bien élevé et qu'il hériterait de son oncle à la mort de celui-ci. Cette mort survint d'ailleurs de façon prématurée et glorieuse lorsque, au retour d'un combat naval contre les Suédois, le roi Frédéric II tomba dans l'eau glacée en franchissant un pont entre Copenhague et le château royal. Joergen, en se précipitant à son secours, contracta une pneumonie dans les jours qui suivirent, qui bientôt l'emporta alors que Tycho était encore étudiant.

À treize ans, après avoir appris le latin, le jeune Tycho s'inscrivit à l'université de Copenhague, très aristotélicienne. C'est là, le 21 août 1560, qu'il observa une éclipse partielle de Soleil. Impressionné par le fait que des hommes aient put prédire le phénomène, il se mit à s'intéresser de près à l'astronomie (alors qu'il étudiait la rhétorique et la philosophie). Après trois années passées à Copenhague, il se rendit à l'université de Leipzig, flanqué d'un précepteur ayant pour mission de le maintenir dans le droit chemin devant le mener à une carrière politico-administrative, conformément aux traditions familiales, peu compatibles avec l'étude des astres. Ce précepteur, qui n'avait lui-même que vingt ans et devait devenir célèbre par la suite en tant qu'historien, ne mit guère qu'une année avant d'abandonner toute idée de ramener Tycho dans le droit chemin. Le jeune Tycho était déjà trop passionné par l'astronomie pour en abandonner l'étude.

Pendant quelques années, Tycho parcourut l'Europe, d'université en université : après Leipzig, ce fut Wittenberg, Rostock, Bâle, puis Augsbourg. Ce fut à Rostock que lui arriva une fâcheuse mésaventure, qui devait plus tard parfaire sa renommée. Il se battit en effet en duel avec un autre étudiant à la suite d'une querelle sur les mathématiques, combat dans lequel il perdit le nez, tranché par l'épée de son adversaire. Après ce duel, il fut obligé de porter un nez artificiel fait d'un mélange d'or et d'argent qu'il devait régulièrement frotter avec un onguent.

Dès cette période, Tycho montra sa préférence pour l'observation, fait rare à une époque où les astronomes faisaient plutôt référence aux observations des anciens, tels Hipparque et

Ptolémée. Il passait donc son temps non seulement à acquérir de nouveaux livres, mais également de nouveaux instruments, qu'il concevait parfois lui-même. Il fit sa première observation personnelle en août 1563, en suivant, jour après jour, la position de Jupiter et de Saturne, qui furent en conjonction le 17 août. À cette occasion il découvrit, non sans étonnement, que les tables en vigueur à l'époque pour prédire ce genre d'événement, les tables alphonsines et les tables de Copernic, se trompaient respectivement d'un mois et de plusieurs jours. Cependant, durant cette période de formation intense, il ne fit aucune découverte importante; les découvertes devaient venir plus tard.

À vingt-six ans, Tycho Brahé décida de rentrer au Danemark. Après avoir vécu sur les terres familiales, il s'installa chez un oncle, Steen Bille, le seul parent qui approuvât la passion de Tycho pour l'astronomie. Cet oncle s'occupait, entre autres, d'alchimie, ce qui ne déplaisait pas à Tycho, lui-même s'y intéressant, ainsi d'ailleurs qu'à l'astrologie (il devint par la suite astrologue officiel). Ce fut en sortant de l'antre où son oncle pratiquait l'alchimie, le soir du 11 novembre 1572, qu'il eut une surprise de taille. En regardant le ciel, il se rendit compte qu'une étoile exceptionnellement brillante, puisque dépassant l'éclat de Vénus, la plus brillante des planètes, était apparue dans le ciel. Cette étoile apparaissait clairement dans une région proche du zénith, près de la constellation bien connue de Cassiopée, en forme de W. Tycho Brahé en fut tellement stupéfait qu'il appela des valets et des paysans pour qu'ils lui confirment ce que voyaient ses propres yeux.

Cette étoile nouvelle était une supernova, phénomène très rarement visible à l'œil nu (même s'il s'agit d'un phénomène relativement courant à l'échelle de la Galaxie). Les astronomes chinois avaient observé un phénomène semblable en 1054, la supernova à l'origine de la nébuleuse du Crabe, mais ce genre de phénomène était totalement absent des archives occidentales. La seule étoile nouvelle mentionnée en Occident le fut en 1006. Elle apparut cependant au sud, très près de l'horizon, et personne ne semble avoir vraiment fait attention aux rares archives qui mentionnent son existence (principalement les *Annales Hepidanni* de l'abbaye bénédictine de Saint-Gall, en Suisse).

Cette fois-ci, par contre, l'Occident était mûr pour saisir toute la portée scientifique et philosophique d'un tel phénomène. Ce fut même certainement une chance exceptionnelle pour Tycho Brahé d'être le témoin de cette apparition subite, alors qu'il était à la fois encore jeune et suffisamment mature pour exercer ses talents uniques d'observateur. Cette étoile devait en effet rester visible environ dix-huit mois, perdant peu à peu de son éclat, laissant ainsi tout le temps nécessaire aux savants de l'époque pour l'observer.

Brahé en profita pour utiliser son dernier appareil : un sextant à bras de 1,70 m. Celui-ci était certainement le plus précis de son époque et servit à en arriver à une conclusion capitale : l'étoile nouvelle était fixe par rapport aux autres étoiles. Connaissant aujourd'hui l'explication d'un tel phénomène, et surtout les véritables échelles de distance de notre galaxie, nous savons qu'une telle conclusion est évidente. À l'époque, cependant, c'était bien sûr loin d'être le cas et, parmi les différents observateurs qui tentèrent de mesurer un déplacement de la supernova par rapport aux autres étoiles, avec des moyens plus rudimentaires que ceux de Tycho Brahé, sans instruments de mesures avec systèmes d'optique grossissant, plusieurs furent ceux qui décelèrent un léger déplacement.

L'enjeu scientifique contenu dans le fait de savoir si cet astre étrange bougeait consistait à déterminer s'il s'agissait véritablement d'une étoile, donc d'un astre situé dans la sphère des fixes où chacun savait, depuis Aristote, que tout est immuable et éternel, et sans aucun changement possible. La conclusion à laquelle parvint Tycho Brahé, grâce aux mesures qu'il répéta patiemment, nuit après nuit, durant les dix-huit mois de visibilité de l'astre, fut sans appel pour le dogme aristotélicien.

Ses conclusions furent publiées en 1573 dans un petit ouvrage baptisé *De stella nova*, alors que l'étoile était encore visible. Dans cet ouvrage, cependant, considérant l'apparition de cette étoile nouvelle comme un miracle, il n'osa pas véritablement remettre directement en cause la théorie d'Aristote.

Voici donc Tycho Brahé devenu célèbre et le dogme aristotélicien, celui qui assimile les comètes à de simples exhalaisons atmosphériques du monde sublunaire, encore un peu plus affaibli. Le coup de grâce devait venir cinq ans plus tard, toujours de la part de Tycho Brahé. Ce dernier, se remit à voyager à travers l'Europe et à rencontrer d'autres astronomes. Il revint finalement s'installer au

Danemark répondant ainsi à l'insistance du roi Frédéric II, celui-là même qui avait été sauvé de la noyade par le père adoptif de Tycho, qui, il faut le dire, sut se montrer persuasif : il offrit à Tycho Brahé une île longue de cinq kilomètres, à son entière disposition, et tous les moyens nécessaires pour y construire l'observatoire de ses rêves.

Cette île, dénommée Hveen, allait devenir un haut lieu de l'astronomie durant vingt ans. Tycho Brahé, qui y régnait en maître absolu, y compris sur les paysans qui y habitaient, fit construire le fameux observatoire d'Uraniborg avec tous les instruments nécessaires pour observer le ciel, les meilleurs de son époque. Écoutons Arthur Koestler[1] décrire cet observatoire : «Uraniborg, l'observatoire, construit par un architecte allemand sur les directives du maître, fut le symbole du caractère de Tycho : la précision méticuleuse s'y combinait avec une extravagance fantasque. C'était une espèce de forteresse qui [...], d'après les gravures, ressemblait plutôt à un croisement entre le Palazzo Vecchio et le Kremlin, avec une façade Renaissance surmontée d'une coupole en forme d'oignon, flanquée de tours cylindriques à toiture mobiles pour abriter les instruments, et entourée de galeries ornées de pendules, de cadrans solaires, de globes et de figures allégoriques.»

C'est donc dans cet observatoire, unique en son temps, que Tycho Brahé observa une comète qui fit son apparition le soir du 13 novembre 1577. Il observa celle-ci jusqu'au 26 janvier 1578, notant patiemment sa position parmi les étoiles ainsi que l'amplitude et l'orientation de sa queue.

Ces observations précises furent utilisées par Tycho Brahé pour essayer de calculer la parallaxe de la comète, donc sa distance. Il calcula que celle-ci était au minimum de 230 rayons terrestres, soit bien au-delà de la Lune. Ce résultat, basé à la fois sur ses propres mesures (en tenant compte de la parallaxe attendue à cause de la rotation de la Terre sur elle-même) et sur une comparaison de celles-ci avec des mesures faites simultanément par son collègue Hagecius, observant le même phénomène à 600 kilomètres d'Uraniborg, fut d'abord publié en 1578 dans son *Traité allemand*.

Un ouvrage beaucoup plus approfondi reprendra également ces observations en 1588 : *De mundi aetheri recentioribus*

[1] *Ibid.*, p.308-309

phaenomenis. Dans cet ouvrage, qui reprend aussi des observations de comètes apparues en 1580, 1582 et 1585, Tycho Brahé présente son propre système cosmologique qui n'est ni celui de Ptolémée ni celui de Copernic. Il y place une Terre fixe mais fait tourner les planètes autour du Soleil. Il déclare que les orbes solides n'existent pas et que l'univers n'est pas rempli de sphères réelles «comme cela a été cru jusqu'à présent par la plupart des gens».

Cette fois-ci, la physique aristotélicienne venait de prendre un coup fatal et il n'était plus possible de considérer les comètes comme de simples exhalaisons atmosphériques situées dans un monde sublunaire imparfait et changeant. Il faudra néanmoins attendre jusqu'à la seconde moitié du XVIIe siècle pour que cette vérité soit définitivement acceptée par l'ensemble des savants.

Mais l'histoire de Tycho Brahé n'est pas finie. En effet, après vingt années passées à observer le ciel sur son île, il choisit brutalement l'exil. Il faut dire que son protecteur était mort et que son fils, le jeune roi Christian IV, finit par se montrer moins tolérant à l'égard de l'attitude despotique de Tycho Brahé envers les habitants de son île.

Après deux années d'errance, Tycho Brahé et sa suite finirent par élire domicile à Prague, sous la protection de l'empereur Rodolphe II. Ce dernier le nomma *mathematicus* impérial et lui offrit une pension confortable. C'est ainsi que Tycho Brahé, dans la dernière partie de sa vie, fit une rencontre décisive dans l'histoire des sciences : celle de Johannes Kepler.

La rencontre entre Tycho Brahé et Kepler

Né en 1571 dans une petite ville allemande du Wurtemberg, Weil der Stadt, Johannes Kepler était tout le contraire de Tycho Brahé. Il était issu d'un milieu pauvre et d'une famille désunie, avait une santé fragile, et se révélera surtout théoricien. Enfant intellectuellement doué, il eut la chance de bénéficier du système d'éducation mis en place par les ducs de Wurtemberg qui accordait des bourses d'études aux enfants pauvres. Il parvint ainsi à l'université de Tübingen, où il entra en septembre 1589. En 1591, étant promu maître ès arts, il entra à la faculté de théologie qu'il quitta en avril 1594 avant d'avoir achevé ses études, à l'âge de vingt-trois ans, pour accepter une place de *mathematicus* à Graz. Là, il enseigna les rudiments de l'astronomie à de jeunes nobles protestants.

Ce fut lors d'un de ses cours, en traçant des figures géométriques au tableau noir, un jour de juillet 1595, que le jeune Kepler eut une révélation. Il pensa avoir compris, d'un seul coup, la logique cachée de l'arrangement des planètes. Il travailla sur son idée fiévreusement durant six mois et publia le résultat de ses pensées dans son premier ouvrage, baptisé *Mysterium cosmographicum*, publié en 1596.

Il ne s'agissait, en fait, que de spéculations erronées sur l'arrangement des orbites planétaires, en utilisant un système compliqué de «solides parfaits» s'emboîtant les uns dans les autres. Le résultat ne collait d'ailleurs pas tout à fait à la réalité (et pour cause !), ce qui ne découragea nullement Kepler, qui se crut autorisé à critiquer les données observationnelles de Copernic (il convient cependant de remarquer, fait important, que Kepler était un partisan de sa théorie). L'histoire des sciences n'aurait sans doute guère retenu l'existence de ce livre s'il n'avait été écrit par un des plus grands génies scientifique de son temps : il est parfois des erreurs fécondes...

Malheureusement (ou plutôt heureusement en fin de compte !) les conflits religieux qui secouaient cette époque finirent par obliger Kepler, luthérien, à l'exil (après avoir bénéficié d'un traitement de faveur, eu égard à sa renommée). Pour cet exil, il profita du voyage d'un certain baron Hoffman, de Graz à Prague, pour venir s'installer auprès de Tycho Brahé, avec qui il entretenait déjà des relations épistolaires. Ce départ eut lieu à une date facile à retenir : le 1er janvier 1600.

Ce fut en février de la même année qu'il arriva au château de Benatek, à trente-cinq kilomètres au nord-est de Prague, alors la nouvelle demeure de Tycho Brahé depuis six mois. Ce dernier devait mourir dix-huit mois seulement après leur rencontre, d'une façon assez stupide : il se retint d'uriner durant un repas chez un hôte de marque, tout en buvant beaucoup, ce qui provoqua un éclatement de la vessie, dans les jours qui suivirent, qui lui fut fatale.

Quoi qu'il en soit, la vessie de Tycho Brahé fut peut-être très bénéfique à la science, car ses relations avec Kepler étaient assez orageuses. Tycho Brahé reconnaissait sans doute la valeur de

Kepler mais, peut-être justement par jalousie, il s'était refusé jusque-là à lui ouvrir sans réserve ses trésors d'observations. D'autre part, il lui fit jurer, sur son lit de mort, de construire un modèle d'Univers selon son modèle à lui (Brahé) et non selon celui de Copernic...

Dans les jours qui suivirent la disparition de Tycho Brahé, Kepler fut nommé *mathematicus* impérial, ce qui lui offrit à la fois une situation matérielle confortable, après des années de misère, et, surtout, l'accès aux observations de Tycho Brahé... qu'il dut en fait dérober à ses héritiers, ceux-ci étant menés par un gendre plutôt rapace, du nom de Tengnagel. Quelques années plus tard, à la suite d'un labeur acharné sur les observations de la planète Mars, il publia son *Astronomia Nova*, en 1609.

Cet ouvrage contient les deux lois suivantes, que l'on appellera par la suite les deux premières lois de Kepler : (i) les planètes décrivent autour du Soleil non point des cercles, mais des ellipses dont le Soleil occupe un des foyers; (ii) les planètes ne se déplacent pas sur leurs orbites à une vitesse uniforme, mais d'une manière telle que le rayon vecteur qui joint le Soleil à la planète balaie des aires égales en des temps égaux. Cette fois-ci, le système solaire a trouvé sa véritable interprétation, débarrassée de tous les épicycles ptoléméens.

Au début de 1612, après la mort de l'empereur Rodolphe, contraint d'abdiquer l'année précédente, de sa femme et de son enfant préféré, Kepler accepta un emploi de *mathematicus* provincial à Linz, capital de la Haute-Autriche.

C'est là qu'il publia, en 1619, malgré tous ses ennuis personnels et les troubles de son époque, un ouvrage baptisé *Harmonices mundi*, l'«Harmonie du monde», où il livrait sa troisième loi : les carrés des temps de révolution des planètes sont proportionnels aux cubes des grands axes des orbites. Les mouvements planétaires étaient donc enfin décrits correctement, même si la cause de ces mouvements restait encore à trouver.

Ce fut la même année, en 1619, que Kepler trouva le temps de s'intéresser aux comètes, en publiant un ouvrage baptisé *De cometis*, basé sur l'apparition de trois comètes l'année précédente. Dans cet ouvrage, il fit preuve d'une clairvoyance certaine même s'il ne comprit pas que les comètes, elles aussi, du moins pour certaine, avaient une orbite elliptique s'accordant parfaitement avec ses propres lois (mais, contrairement aux planètes, avec une excentricité très marquée).

Pour Kepler, en effet, les comètes sont constituées d'une substance nébulaire progressivement dispersée par l'action permanente des rayons solaires, ce que montre bien le fait que leurs queues s'étendent toujours dans la direction opposée au Soleil. Il pense également qu'il en existe un nombre très élevé, autant que les poissons dans la mer, mais que nous ne voyons que celles qui passent à proximité de la Terre. Par contre, en ce qui concerne leur mouvement, il le voit simplement rectiligne, à vitesse variable, alors que Tycho Brahé avait suggéré une orbite ovale ou elliptique. Il se rend bien compte que ce type de mouvement ne réussit pas à expliquer parfaitement les observations, mais il ne voit guère l'utilité d'essayer de calculer la trajectoire d'un corps qui ne reviendra pas...

Kepler mourut en 1630, à Ratisbonne, terrassé par une fièvre, au terme d'une vie bien remplie mais souvent difficile. Son œuvre allait cependant ouvrir la voie, indirectement, à une découverte majeure concernant les comètes. Cette découverte, ce fut un autre homme, Edmund Halley, qui allait en être l'artisan, mais cette partie de l'histoire cométaire est tellement passionnante qu'elle justifie un chapitre entier à elle seule.

Avant d'aborder ce chapitre, il convient cependant de mentionner un autre grand personnage de cette époque qui n'a, par contre, guère brillé par sa clairvoyance en ce qui concerne les comètes, malgré tout son apport à l'astronomie et à la physique. Ce personnage est Galilée.

Contemporain de Kepler, avec qui il correspondit à deux reprises mais sans jamais le rencontrer, Galilée observa également les trois comètes apparues en 1618. Comme la plupart des astronomes de l'époque en avaient fait autant, il s'ensuivit des discussions passionnées, par écrits interposés. C'est ainsi que Galilée, en se dissimulant derrière un de ses anciens élèves, Mario Guiducci, publia le *Discorso delle cometa* en 1619.

Dans cet ouvrage, qui se voulait surtout une réponse à celui d'un jésuite, Orazio Grassi, professeur de mathématiques au Collège romain, Galilée donne son opinion sur les comètes. Il affirme que ce ne sont pas des objets réels, mais de simples effets d'optique de la lumière solaire éclairant des exhalaisons de l'atmosphère terrestre. Cette opinion fut confirmée quatre ans plus tard lors de la publication d'*Il Saggiatore*, l'«Essayeur».

Cette attitude, plutôt rétrograde de la part d'un savant qui, par ailleurs, fit tant avancer la science de son temps, est révélatrice des barrières intellectuelles avec lesquelles les idées neuves sur les comètes devaient composer pour se développer.

Chapitre 2

Edmund Halley

Dans la deuxième moitié du XVIIe siècle l'histoire de l'étude des comètes sera dominée par deux Anglais : Edmund Halley et Isaac Newton, le premier s'appuyant sur les travaux géniaux du second. À cette époque, l'étude des comètes suivait d'assez près les progrès de la physique. En effet, les principaux éléments qui meneront éventuellement au triomphe de la mécanique classique sont en place : la remise en cause progressive de la physique aristotélicienne, les observations méthodiques et très précises de Tycho Brahé, l'utilisation empirique qu'en fit Johannes Kepler pour énoncer ses trois lois sur le mouvement des planètes et, parallèlement (bien que nous n'ayons pas abordé le personnage, son œuvre n'étant pas liée aux comètes), les premiers fondements de la mécanique posés par Galilée. La physique naissante était mûre pour une révolution faisant la synthèse des connaissances nouvellement acquises.

La jeunesse de Halley

Edmund Halley naquit en 1656, soit vingt-six ans après la mort de Kepler, un peu moins de quinze ans après celle de Galilée, et un peu moins de quatorze ans après la naissance de Newton, qui jouera un rôle majeur dans son existence. Si on se réfère à notre actuel calendrier grégorien, qui est une modification du calendrier julien (modification effectuée dès octobre 1582 dans certains pays, mais qui ne fut appliquée en Angleterre qu'en 1752), Halley est né le 29 octobre. Cette date de naissance est cependant incertaine; elle correspond pourtant à celle acceptée par Halley lui-même.

Halley a vu le jour dans un village de la banlieue de Londres, appelé Haggerston. Son père, également prénommé Edmund, était un homme d'affaires prospère dont le commerce reposait essentiellement sur la vente du savon et du sel, produits fort en vogue à cette époque. On sait relativement peu de choses sur les premières années de la vie de Halley fils. Il semble toutefois qu'il ait manifesté très tôt un goût marqué pour l'astronomie ainsi que pour la science en général. Quand il eut huit ans, deux comètes brillantes se manifestèrent à quelques mois d'intervalle. La première, à la fin de 1664, fut associée, dans l'imaginaire populaire, à la grande peste de Londres (laquelle favorisa les affaires de Halley père en donnant le goût de l'hygiène et du savon aux Londoniens...). La seconde, visible au printemps de 1665, à un grand incendie qui ravagea la ville. On ne sait pas avec certitude, aucun témoignage écrit n'ayant été retrouvé, si le jeune Halley vit effectivement ces comètes, mais le contraire serait étonnant.

Les revenus confortables du père lui permirent de donner une bonne éducation à son fils. Celui-ci commença ainsi ses études dans une des meilleures institution de l'Angleterre de l'époque, l'école Saint-Paul. Dès cette époque, il fit preuve d'une grande intelligence et obtint de brillants résultats scolaires, ce qui ne l'empêcha pas, en plus, d'être apprécié de ses condisciples, qui l'élirent capitaine de l'école en 1671.

En 1672, il entra au Queen's College d'Oxford, également d'excellente réputation. Lorsqu'il s'y rendit, à l'âge de quinze ans, il emportait déjà avec lui de nombreux instruments astronomiques payés par son père dont... un télescope de huit mètres de long. Rapidement, le jeune Halley confirma ses aptitudes pour les études et révéla aussi un caractère entreprenant. En effet, le 10 mars 1675, à l'âge de dix-huit ans, il écrivit une lettre à John Flamsteed, qui était alors rien de moins qu'astronome royal d'Angleterre, le premier du nom. Le contenu de cette lettre est extrêmement intéressante, autant sur le fond que par la forme. Sur le fond, le jeune homme relevait avec pertinence des erreurs sur les tables officielles donnant la position de Jupiter et de Saturne ainsi que certaines positions stellaires pourtant notées par Tycho Brahé lui-même. Par la forme, cette lettre révélait également un grand enthousiasme pour l'astronomie et la science, ainsi qu'une intense curiosité et une grande soif de découvertes.

Devant cette lettre inattendue, John Flamsteed, malgré la jeunesse de son auteur, eut une attitude positive. Il aida en effet Halley à publier son premier «papier», dès l'année suivante, à l'âge de dix-neuf ans. Cet article fut publié dans la revue scientifique qui faisait autorité à l'époque, les *Philosophical Transactions* de la très fameuse, et alors très jeune, *Royal Society* de Londres. On peut traduire le titre de cet article par «Méthode directe et géométrique pour découvrir les aphélies, les excentricités et les proportions des planètes primaires, sans égalité supposé du mouvement angulaire».

Le titre lui-même donne le ton : il s'agit vraiment d'un article scientifique, rédigé de façon précise et rigoureuse sur un sujet parfaitement ciblé, à l'intention des spécialistes. Il décrit une nouvelle méthode, originale et précise, de calcul des orbites planétaires, dont Kepler avait montré le caractère elliptique. Il n'est peut-être pas inutile de préciser que le jeune Halley dut accepter de réécrire l'article à plusieurs reprises pour ne pas froisser la susceptibilité de l'évêque de Salisbury, en désaccord avec le sujet traité. Comme de nombreux scientifiques de son époque, en Angleterre ou ailleurs, Halley pouvait difficilement se permettre d'affronter l'institution religieuse aux pouvoir temporels et moral alors si puissants. Deux siècles après lui, d'ailleurs, un scientifique comme Darwin devra composer difficilement avec cette institution religieuse (sur un point plus sensible, il est vrai, de la doctrine chrétienne).

La Royal Society, qui accepta de publier le manuscrit de Halley, est une véritable institution dans le monde scientifique britannique, dont la réputation est d'ailleurs toujours aussi prestigieuse. Elle joua un rôle important tout au long de la vie de Halley, tout comme pour celle de Newton. Au moment ou Halley publia son premier article, sa création était assez récente puisque datant de 1662. Son origine remonte cependant au 28 mars 1660, lorsqu'un groupe de savants anglais s'était réuni à Gresham College, sous le patronage du roi Charles II, dans le but de fonder une nouvelle académie pour le progrès des sciences. Le président de cette nouvelle société était John Wilkins, alors doyen de la cathédrale d'York. C'est en 1662 que Charles II conféra à cette société le titre officiel de Royal Society. John Wilkins en fut le premier secrétaire, mais Charles II nomma également un deuxième secrétaire qui s'avéra ultérieurement particulièrement actif pour aider au développement de la toute jeune société : un Allemand nommé Henry Oldenburg. Ce deuxième secrétaire n'était pas lui-même un grand scientifique, mais il avait le don d'organiser et de stimuler les grands esprits. De plus, il possédait la qualité fort importante d'être polyglotte (outre l'allemand, il parlait le français, l'italien et l'anglais, ainsi que le latin, le grec et l'hébreu) ayant beaucoup voyagé en Europe et rencontré nombre de savants.

À une époque de développement intense de la pensée scientifique, le rôle de la Royal Society répondait à un besoin logique et important d'organiser l'activité scientifique et intellectuelle issue des quatre coins de l'Europe. Le foisonnement des activités de recherches scientifiques isolées ne peut en effet déboucher sur une avancée significative de la science que s'il existe des moyens adéquats de communication des idées. Jusqu'au XVIe siècle, les progrès étaient lents, et la publication de traités ou de lettres destinés à un cercle restreint de personnes pouvait encore suffire. Le développement de l'activité scientifique au XVIIe démontra cependant de plus en plus le besoin d'institutions spécialisées pour permettre à l'information de circuler et orienter les nouvelles recherches. D'où la création de la Royal Society qui fut certainement une des institutions les plus réputées, sinon la plus réputée, de son temps, cette réputation existant encore aujourd'hui.

Pour Halley, le coup d'audace de la lettre à Flamsteed et la publication qui s'ensuivit dans les *Philosophical Transactions*, lui permirent d'entrer par la grande porte dans l'establishment scientifique de l'époque. À l'âge de dix-neuf ans, il pouvait déjà compter sur l'aide d'amis influents. Ceux-ci furent rapidement utiles au jeune Halley. En effet, il décida de quitter Oxford sans obtenir son diplôme pour se consacrer à un projet de cartographie du ciel austral. Ce projet était ambitieux, car il nécessitait un long et coûteux voyage dans l'hémisphère Sud.

Il faut rappeler que le ciel étoilé visible d'un point quelconque de la surface du globe est toujours une demi-sphère. Celle-ci, si on est au pôle Nord, ne couvre exactement que l'hémisphère céleste Nord, les étoiles situées sur l'équateur céleste frôlant alors l'horizon en restant à hauteur constante. Plus bas en latitude, comme en Angleterre, on découvre certaines étoiles de l'hémisphère Sud lorsqu'elles passent au méridien, mais on ne dépasse guère 40° dans la «latitude céleste Sud» (dans la sphère céleste, on parle de déclinaison Sud). À l'équateur, on voit, en théorie, toutes les étoiles (en laissant tourner la demi-sphère visible avec la nuit et les saisons), mais celles proches des pôles Nord et Sud sont toujours au ras de l'horizon. Il vaut donc mieux «descendre» encore un peu en latitude si on veut pouvoir observer à loisir les étoiles de l'hémisphère Sud. À l'époque, l'endroit le plus méridional de l'Empire britannique était la petite île de Sainte-Hélène, perdue dans l'océan Atlantique au large de ce qui est actuellement l'Angola, à une quinzaine de degrés de latitude Sud (n'oublions pas que l'histoire se passe au XVIIe siècle, l'Afrique du Sud n'était donc pas encore colonie britannique).

L'intrépide Halley, ayant localisé le lieu d'observation de ses rêves sur la carte (lieu qui avait de plus l'avantage, selon les voyageurs, de bénéficier d'un climat doux), entreprit d'y organiser une expédition. Ce fut chose faite en novembre 1676, alors que le jeune Halley n'avait que vingt ans. Pour un tel projet, l'aide des membres de la Royal Society fut capitale, ceux-ci réussissant à convaincre Charles II de soutenir le projet et d'user de son influence auprès de la puissante Compagnie des Indes orientales, la véritable maîtresse des lieux. En novembre 1676, donc, Halley s'embarqua sur un navire de cette compagnie, le *Unity*, pour un voyage d'une durée de trois mois. Arrivé à pied d'œuvre, il réussit, malgré un temps en fait très médiocre et un gouverneur dément qui se mit rapidement à le haïr, à mener à bien son projet.

À son retour, il ramena dans ses bagages la première carte du ciel austral établie avec soin, indiquant la position de 350 étoiles. Accessoirement, Halley nota l'existence d'un certain nombre de nébuleuses encore inconnues, le passage du transit de Mercure devant le Soleil (ce qui lui donnera plus tard, des idées pour mesurer avec plus de précision les dimensions du système solaire), et la légère variation de la période d'un pendule qu'il avait amené d'Angleterre (phénomène dont on se rendit compte ultérieurement qu'il était causé par un changement de latitude et donc de la force centrifuge due à la rotation de la Terre). Bref, après avoir pris le risque de quitter ses études avant terme et de solliciter de nombreux appuis de gens hauts placés, Halley avait gagné son pari.

À son retour en Angleterre, en 1678, son travail fut très bien reçu par les éminents membres de la Royal Society. Il réussit même à obtenir son diplôme, malgré l'opposition du vice-chancelier d'Oxford qui n'avait pas apprécié son grave manquement au règlement. Il fallut en fait un décret spécial du roi Charles II en personne pour que Halley obtienne son diplôme. Dans la foulée, il fut également élu membre de la Royal Society, à l'âge de vingt-deux ans, ce qui était (et est toujours !) exceptionnel pour quelqu'un d'aussi jeune.

Les débuts de la carrière scientifique de Halley

Une des premières occupations de Halley à la Royal Society fut plutôt d'ordre diplomatique. Il servit en effet d'arbitre dans une querelle entre plusieurs membres de cette société : les deux Anglais Robert Hooke et John Flamsteed contre le Polonais Johann Hewelcke, plus connu sous son nom latin d'Hevelius. La dispute entre les deux parties portait sur la meilleure manière de relever des positions d'étoiles. Pour le vieil Hevelius, qui approchait alors les soixante-dix ans, les méthodes utilisées par Tycho Brahé avaient fait leurs preuves. Il utilisait donc des instruments anciens, même si, depuis la construction d'une lunette par Galilée en 1609 on connaissait l'apport que pouvait fournir les instruments d'optique à l'astronomie.

Pour Hooke et Flamsteed, plus jeunes d'une génération, une telle attitude était absurde et passéiste. Sur le principe, ces derniers avaient certainement raison. Le problème, c'est que la science de l'optique était alors toute nouvelle et qu'en fait, un observateur expérimenté comme Hevelius arrivait encore à obtenir de meilleurs résultats sans utiliser de viseurs équipés de lunettes. Viseurs que Hooke et Flamsteed utilisaient pourtant.

L'éloignement géographique aidant (Hevelius résidait à Dantzig), cette querelle s'envenima. Hooke et Flamsteed, sûrs de leurs convictions, dénigraient l'œuvre d'Hevelius dans les cercles savants de Londres. Hevelius se plaignit officiellement d'une telle attitude, qui n'était même pas basée sur une comparaison objective des résultats obtenus. La Royal Society, qui ne voulait froisser personne, assura Hevelius de sa confiance et demanda à Hooke et Flamsteed des arguments plus rigoureux pour appuyer leurs critiques des travaux d'Hevelius, chose que ceux-ci ne se donnèrent pas la peine de faire.

que celle de 1665, étaient apparues dans la même région du ciel tout en évoluant apparemment à la même vitesse. La remarque était intéressante mais, à l'époque, elle n'eut pas de suite. En effet, lorsque Halley tenta de calculer la trajectoire de la comète, à partir des observations que lui avait fournies Cassini, il n'y parvint pas.

Cette comète brillante avait été observée par beaucoup de monde. Il y eut même un disciple d'Hevelius, l'Allemand George-Samuel Doerfel, curé de son état, pour avancer l'hypothèse qui correspondait à la réalité. Il publia un petit ouvrage en 1681 où il étudiait la question du mouvement de la comète de 1680. Tout d'abord, il concluait qu'il ne s'agissait que d'un seul et même objet, et ensuite il montrait, par une belle construction géométrique, que l'hypothèse d'Hevelius d'un mouvement parabolique pouvait très bien expliquer la trajectoire observée. Il extrapolait même en supposant que toutes les comètes devaient suivre des trajectoires semblables. Cette découverte aurait pu rendre célèbre son auteur, mais elle passa cependant relativement inaperçue à l'époque et Doerfel resta méconnu. Peut-être que s'il s'était agi d'un brillant scientifique de la Royal Society, l'impact de l'ouvrage aurait été différent.

Les conclusions de Doerfel étaient d'autant plus pertinentes que le seul fait de considérer les deux apparitions cométaires (celle du matin et celle du soir) comme étant liées à un seul et même objet n'était pas évident pour tout le monde. Pour preuve, on peut citer le cas de deux esprits brillants : Jean-Dominique Cassini et Isaac Newton. Ni l'un ni l'autre, en effet, du moins à cette époque, n'acceptèrent de faire la liaison entre ces deux objets. À l'opposé, Flamsteed soutint dès le départ qu'il devait s'agir d'une seule et même comète. Pour expliquer l'impossibilité pour une comète, selon Halley, de suivre une droite à une vitesse constante, Flamsteed supposa qu'une mystérieuse force de répulsion émise par le Soleil pourrait courber la trajectoire de la comète lors de son passage à proximité de cet astre. Comme on le voit, le problème des orbites cométaires constituait alors un débat intense et controversé entre les meilleurs scientifiques de l'époque. Comme souvent dans ce type de situation, il finira par en sortir une grande découverte.

Peu de temps après ces discussions sur les orbites cométaires Halley séjourna six mois en Italie. À son retour, il rencontra celle qui allait devenir son épouse. Elle s'appelait Mary Tooke. Fille de l'équivalent du ministre des Finances de notre époque (le chef comptable de l'Échiquier), elle se maria avec Halley le 20 avril 1682 à l'église Saint-James. Le couple s'installa dans un village de la banlieue de Londres, appelé Islington. Halley y fit rapidement construire son propre observatoire, qu'il équipa notamment d'un sextant de 1,65 m de rayon et d'une lunette de 7 m de long.

C'est de cet observatoire qu'il eut le loisir d'observer une comète apparue en 1682. Cette comète fut signalée le 26 août par Picard et La Hire, qui l'observèrent à Paris. Elle fut également observée en Angleterre, à Greenwich, par Flamsteed, ainsi que par Hevelius à Dantzig. Halley put voir cette comète durant quelques jours et faire les relevés de position habituels. Dans l'ensemble, cependant, il n'y prêta guère attention, ce en quoi il eut tort car ce fut la seule fois qu'il eut le loisir d'observer la comète qui devait par la suite porter son nom...

Moins de deux ans plus tard eut lieu un événement douloureux dans la vie de Halley. Son père mourut brutalement et, de surcroît dans des circonstances peu claires. Sa mère était morte peu avant ses seize ans, alors qu'il venait d'entrer au Queen's College d'Oxford. Son père s'était remarié quelques années plus tard, mais il semble que ce mariage n'ait pas été, contrairement à celui d'Edmund, très heureux. Quoi qu'il en soit, sa deuxième femme le vit vivant pour la dernière fois le 5 mars 1684 au matin. Ce jour-là, il sortit de chez lui en disant qu'il ne rentrerait pas avant la tombée de la nuit : en fait, il ne rentra jamais.

Le soir venu, ne le voyant pas revenir, sa femme s'inquiéta. Dans les jours qui suivirent, elle le cherchea partout où il pouvait être, mais sans succès. Elle fit ensuite passer une petite annonce dans le journal local. C'est cette annonce qui permit de retrouver le corps de Halley père. Un corps avait en effet été retrouvé, presque nu, le visage arraché, au bord d'une rivière. Le cadavre put être identifié principalement par les bas et ses souliers qu'il portait, la doublure de ces derniers ayant été arrachée par un neveu du défunt le matin du 5 mars (dans le but de soulager les pieds trop serrés de Halley), celui-là même qui alla identifier le corps.

Les autorités qui s'occupèrent de l'affaire conclurent au meurtre. Elles furent cependant incapables d'en retrouver le coupable et l'affaire en resta là. Beaucoup plus tard, un biographe de Halley parla d'un suicide, mais son argumentation était bien mince. Bref, le décès de Halley père reste en grande partie un mystère. Les biographe de Halley fils notent également avec surprise l'attitude de celui-ci relativement à de la mort de son père. Pour un homme à l'esprit aussi curieux, qui semblait entretenir de bonnes relations avec son père qui l'avait toujours généreusement soutenu dans ses entreprises, en particulier sur le plan financier, il est étrange qu'il n'ait apparemment pas essayé d'en savoir plus.

Détail sordide : l'homme qui avait prévenu la femme de Halley père qu'un jeune garçon avait trouvé le corps de son mari traîna celle-ci en justice pour le non-paiement des cent livres de récompense promises dans l'annonce du journal. Elle dut finalement accepter de payer quatre-vingts livres au garçon auteur de la découverte et vingt livres à l'homme qui lui avait apporté la nouvelle.

Il semble que la fortune du père de Halley fut rapidement dilapidée par sa deuxième femme, à tel point que ce fut le fils lui-même qui finit, quelques années plus tard, par traîner sa propre belle-mère en justice pour défendre son héritage.

Halley fils, en ce début d'année 1684, avait également des préoccupations d'ordre scientifique. En janvier, lui et deux autres collègues de la Royal Society : Robert Hooke, dont il a déjà été fait mention, et Christopher Wren, à la fois mathématicien, astronome et architecte réunis dans un café à la sortie d'une réunion de la Royal Society, se lancèrent un défi de taille : comment expliquer le mouvement des planètes ? Bien sûr, Kepler avait réussi, plusieurs décennies auparavant, à décrire le mouvement des planètes dans le système solaire. Ses trois lois permettaient en effet de représenter avec précision les orbites planétaires, aussi bien dans leur nature (une ellipse dont le Soleil occupe un des foyers), que dans leur aspect dynamique (la vitesse de la planète augmente lorsqu'elle s'approche du Soleil [loi des aires] et la taille de l'orbite est liée de façon mathématique au temps total qu'il faut à la planète pour la parcourir [troisième loi]).

Mais le problème majeur des lois de Kepler est qu'elles demeuraient purement empiriques. Leur auteur s'était servi des précieuses observations de Tycho Brahé pour vérifier que les planètes décrivaient bien le mouvement observé. En soi, ces loi ne contiennent aucune explication. Pourquoi une ellipse et, surtout, pourquoi le mouvement des planètes est-il d'autant plus lent qu'elles sont plus éloignées du Soleil ?

Halley, Hooke et Wren, en analysant le problème, se rendirent compte qu'il fallait nécessairement qu'une force émane du Soleil pour permettre aux planètes d'orbiter selon les lois de Kepler. Ils supposaient logiquement que cette force devait décroître avec la distance. En allant encore plus loin, et sans doute par intuition, ils étaient tous les trois arrivés à la conclusion qu'une telle force décroissait de façon proportionnelle au carré de la distance. Ainsi si elle avait une certaine valeur au niveau de l'orbite de la Terre, par exemple, elle serait quatre fois plus faible deux fois plus loin, neuf fois plus faible trois fois plus loin, etc. L'enjeu du défi que se lancèrent les trois hommes portait sur la façon de faire le lien entre cette force supposée émanant du Soleil et les lois de Kepler. Il fallait en effet un traitement mathématique subtil pour pouvoir vérifier l'exactitude de l'hypothèse, en particulier en ce qui concernait l'aspect elliptique des orbites planétaires.

Bien que Hooke, sans doute dans un excès de vantardise, affirmât détenir la solution du problème, tout en refusant de la donner tout de suite, Halley se mit à travailler sérieusement sur le problème. C'est à cette occasion qu'il découvrit un personnage qui allait jouer un rôle majeur dans sa vie : Isaac Newton.

Isaac Newton

Sur le plan de la personnalité, Newton était certainement autant à l'opposé qu'on pouvait l'être de quelqu'un comme Halley; autant ce dernier était sociable et ouvert sur le monde, autant Newton était taciturne et réservé. Il était de quatorze ans l'aine de Halley, étant né le 4 janvier 1643 (selon notre actuel calendrier grégorien), à peine un an après la mort de Galilée (survenue le 8 janvier 1642).

Le lieu de naissance de celui qui devint par la suite un des plus grands génie de la physique se situe à environ deux cents kilomètres au nord de Londres, dans un hameau nommé Woolsthorpe, près de la ville de Grantham. On ne peut pas dire que son enfance fut particulièrement heureuse. En effet, il naquit prématuré et orphelin de père, celui-ci étant mort trois mois avant sa naissance. Dès l'âge de deux ans, il fut délaissé par sa mère qui, remariée, préféra partir avec son nouvel époux et laisser la garde de l'enfant à sa grand-mère et à son oncle. Son éducation, contrairement à celle de Halley, se fit dans une école ordinaire, à Grantham, tout d'abord à l'école primaire, puis à l'école secondaire qu'il quitta à seize ans sans laisser de trace particulière d'une intelligence brillante.

De nouveau veuve, sa mère revint au pays et récupera le jeune Isaac. Elle souhaitait le voir devenir fermier sur l'exploitation agricole que son deuxième mari lui avait laissée, mais Isaac eut la bonne idée de demander, avec succès, à continuer ses études. C'est ainsi qu'il arriva à dix-sept ans à Cambridge, la rivale d'Oxford, à environ quatre-vingt-dix kilomètres au nord de Londres. Là, il reçut un enseignement de qualité, extrêmement formateur pour sa vie scientifique ultérieure. Il y suivit en particulier les cours de mathématiques d'un certain Isaac Barrow, particulièrement renommé à l'époque. Il étudia également un certain nombre d'ouvrages de référence pour les mathématiciens et les physiciens, écrits, entre autres, par Euclide, Descartes et Galilée.

Newton dut quitter une première fois Cambridge pour fuir les horreurs de la peste. Il avait néanmoins obtenu son diplôme à ce moment-là (à vingt-trois ans) et sa retraite dans son hameau natal ne l'empêchait pas de faire de courts séjours à Cambridge de temps à autre. Cette période lui permit également de se consacrer à ses premiers travaux en optique, en mécanique et dans le calcul infinitésimal.

Le fameux épisode de la pomme eut lieu également lors de sa retraite forcée : assis sous un pommier au clair de lune, le jeune homme aurait vu une pomme tomber. Chez tout un chacun, cette chute naturelle n'aurait sans doute guère éveillé d'intérêt. Chez Newton, elle suscita une question fondamentale : pourquoi la Lune ne tombait-t-elle pas comme cette pomme ? Cette question aurait provoqué une intense réflexion chez son auteur, qui aurait assez vite pensé que le mouvement de la Lune devait en fait être une chute permanente vers la Terre, mais que sa tendance à continuer son mouvement tout droit la faisait, par défaut, tourner autour de la Terre. C'est de cette réflexion que serait sortie la fameuse loi de la gravitation universelle, vingt ans plus tard. Sur le moment, Newton pensa déjà à une loi de force d'intensité inversement proportionnelle à la distance. À cette époque, cependant, certaines données numériques et certains outils de calcul lui manquaient encore.

C'est pourquoi lorsque Halley rencontra Newton, presque une vingtaine d'années plus tard, le sujet de leur conversation ne le prit guère au dépourvu. Cette rencontre historique eut lieu au Trinity College, à Cambridge, où Newton était devenu professeur, son principal titre de gloire étant alors ses travaux sur la nature de la lumière et de la couleur. Halley, qui avait fait spécialement le voyage depuis Londres, un matin d'août 1684, demanda à Newton quelle serait la courbe que suivraient les planètes si on supposait que la force d'attraction du Soleil était inversement proportionnelle au carré de la distance des planètes. À la grande surprise de Halley, Newton répondit immédiatement qu'il s'agirait d'une ellipse.

Non seulement Newton fut capable de répondre immédiatement à Halley, mais il lui expliqua en plus qu'il avait déjà fait le calcul détaillé. Halley demanda à voir ses calculs, mais le pauvre Newton, fouillant dans ses papiers, fut incapable de retrouver ses notes. Devant l'insistance de Halley, il promit alors d'en refaire une copie et de la lui envoyer.

Cette promesse fut tenue et Halley reçut en novembre un texte de Newton de neuf pages rédigé en latin. Ce texte était baptisé *De motu corporum in gyrum* («Du mouvement des corps en orbite»). Il répondait clairement au problème que se posaient Halley, Hooke et Wren. En effet, il démontrait qu'un corps soumis à une force centrale unique, comme une planète subissant une force issue du Soleil, suit nécessairement la deuxième loi de Kepler, dite loi des aires. De plus Newton démontrait que si cette force est inversement proportionnelle au carré de la distance, la trajectoire du corps est nécessairement une conique dont la source de la force est située dans un des foyers.

Le génie de Halley fut de réaliser tout de suite l'immense valeur du texte qu'il avait entre les mains. Il rendit immédiatement une deuxième visite à Newton et lui demanda instamment de rédiger un ouvrage aussi vite que possible où ses idées seraient développées. Newton, qui commençait enfin à réaliser l'importance de ses travaux, se mit à travailler comme un forcené, ne pensant plus qu'à son futur ouvrage. Le texte expédié à Halley fut répertorié dans les registres de la Royal Society. Cette manœuvre, imaginée par le secrétaire de la société, Oldenburg, avait esssentiellement pour objectif d'assurer à l'auteur d'une découverte l'antériorité de celle-ci, avant qu'il ne puisse publier intégralement les détails.

Pendant que Newton se plongeait dans ce qui allait devenir l'œuvre de sa vie, Halley s'engageait davantage dans les activités de la Royal Society. Il en fut élu secrétaire en 1686. Il devenait ainsi un permanent de la société, rémunéré par elle (ce qui arrangeait bien sa situation financière, périclitant depuis la mort de son père), et était amené à s'occuper de tous les sujets scientifiques auxquels la société s'intéressait, dépassant ainsi largement le cadre de la seule astronomie. Cette nouvelle position permit à Halley de jouer un rôle clé dans la publication de l'œuvre de Newton. Il y eut cependant deux problèmes à résoudre.

Le premier était d'ordre financier. Les ressources financières de la Royal Society étaient assez limitées et, bien qu'elle fut tout à fait favorable à la publication de l'ouvrage de Newton, les crédits qu'elle pouvait allouer à l'édition d'un ouvrage venaient d'être épuisés par une *Histoire des poissons*. Cet ouvrage n'avait pas trouvé le nombre d'acheteurs escompté et il restait plusieurs exemplaires invendus. Halley, qui considérait la publication du livre de Newton comme une priorité absolue (et il avait bien raison !), alla jusqu'à proposer que les frais de publication soient pris sur son salaire. La Royal Society lui répondit en lui donnant soixante-quinze exemplaires invendus de l'*Histoire des poissons*, en guise de rétribution...

Le deuxième problème était d'une nature tout à fait différente, à la fois psychologique et diplomatique. Robert Hooke, qui faisait partie du trio qui s'était lancé le défi que Newton avait en fait résolu, se mit à revendiquer l'antériorité de la découverte. Pire : il accusa ouvertement Newton de plagiat. Il fallut vraiment tous les talents de diplomate de Halley pour limiter les effets du conflit. Tout d'abord, alors même que le livre était toujours en rédaction, Halley dut informer Newton de l'attitude de Hooke, craignant qu'il ne l'apprît d'une façon moins diplomatique. Le principal résultat de cette nouvelle fut une colère noire de Newton contre Hooke. Dans une lettre adressée à Oldenburg en 1686, alors que le manuscrit du livre I de son ouvrage était déjà envoyé, il écrivit : «N'est-ce pas extraordinaire ? Les mathématiciens qui découvrent, mettent au point et font tout le travail doivent se contenter de n'être que des comptables et des hommes de peine; tandis qu'un autre qui ne fait rien, sinon prétendre saisir toutes choses, devrait s'arroger le mérite de toutes les inventions, celles de ceux qui le suivront comme de ceux qui l'ont précédé.»

La colère de Newton alla plus loin : il retira du reste du manuscrit encore en préparation toute référence à l'œuvre de Hooke. Pire : il finit par menacer de supprimer purement et simplement le livre III de son ouvrage (livre qui s'avérera très important). Ce dernier projet, heureusement, ne fut pas mis à exécution, en partie sans doute grâce aux efforts de Halley. La querelle entre Newton et Hooke devait cependant compliquer la vie de la Royal Society jusqu'à la mort de Hooke, en 1703. Aujourd'hui, les biographes de Newton les plus honnêtes reconnaissent que les revendications de Hooke n'étaient sans doute pas totalement dénuées de fondement. Il appartient cependant sans conteste à Newton d'être allé aussi loin dans les calculs et de les avoir livrés d'une façon aussi complète et magistrale au monde entier, ce qui, en définitive, est le plus important.

Finalement, donc, l'ouvrage majeur de Newton fut publié en juillet 1687. Il était écrit en latin et portait le titre *Philosophiae naturalis principia mathematica* («Principes mathématiques de philosophie naturelle»). Cette première édition, financée par Halley, fut tirée à deux cent cinquante exemplaires. Elle fut suivie d'une deuxième édition en 1713 et d'une troisième en 1726. L'ouvrage fut également traduit en anglais en 1729. Il n'est pas exagéré de dire que les *Principia* constituent un des textes fondateurs majeurs de la science moderne. Newton y faisait une vaste synthèse, à la fois de la mécanique galiléenne et des lois de Kepler, et livrait au monde, entre autres choses, la loi de la gravitation universelle.

Les *Principia* se composent de deux courtes sections suivies de trois livres. La première section présente les définitions utiles à la nouvelle mécanique que Newton entendait définir. La seconde expose trois principes fondamentaux de la mécanique, connus maintenant sous le nom des trois lois de Newton (même si la première était déjà connue par Galilée) : (i) le principe d'inertie (un corps est au repos ou en mouvement, mais il ne change pas d'état de mouvement tant qu'aucune force n'agit sur lui); (ii) la relation fondamentale de la dynamique (le changement de vitesse d'un corps est proportionnel à la force qu'on lui applique, le coefficient de proportionnalité étant sa «masse inertielle»); (iii) le principe de l'action et de la réaction.

Le livre I des *Principia* s'intéresse au mouvement des corps soumis à une force centrale. Newton y examine tout d'abord le cas simplifié d'un mouvement circulaire avec une force centrale, il montre qu'elle entraîne la deuxième loi de Kepler (dite loi des aires), ainsi que la troisième (liant le rayon de l'orbite à la période de révolution). Au passage, Nexton donne également la valeur de l'accélération centripète d'un corps suivant un mouvement circulaire. Dans le livre II, Newton examine le même type de mouvements, mais lorsque les corps sont plongés dans un fluide plus ou moins résistant à leur déplacement.

Dans le livre III, sans doute le plus intéressant, surtout en ce qui concerne les comètes, Newton présente la loi de la gravitation universelle (les corps s'attirent en proportion du produit de leur masse et en proportion inverse du carré de la distance qui les sépare). Il montre surtout qu'elle explique parfaitement les lois de Kepler, notamment le fait qu'un corps en mouvement gravitationnel autour d'un autre suit une conique (ellipse, parabole ou hyperbole). Dans le cas particulier du mouvement des planètes autour du Soleil, cette conique est une ellipse, mais Newton va plus loin et s'intéresse aussi au mouvement des comètes. En vertu de ce qui précède, et des observations, il dit que les comètes décrivent soit des ellipses très allongées soit des paraboles (ce qui est tout à fait exact, même s'il existe également des mouvements hyperboliques). Newton ajoute même, conséquence logique, que dans le cas des comètes décrivant une ellipse, les observations effectuées lorsqu'elles passent près du Soleil devraient permettre de calculer une orbite et de prédire la date de leur retour. On voit qu'il eut vraiment été dommage que les querelles stériles de Hooke aient empêché la publication du livre III, grâce en soit rendu à Halley...

La partie consacrée aux comètes dans l'ouvrage de Newton est assez complète. Sans doute faut-il y voir l'influence de la comète de 1680 qui marqua tant les esprits et entraîna de nombreuses discussions parmi les spécialistes. Ce sont en effet ses propres observations de la comète ainsi que celles de nombreux autres observateurs, dont Halley et Flamsteed, que Newton utilisa pour démontrer ses idées sur le mouvement des comètes. Il développa une méthode permettant de calculer, à partir de trois observations, l'orbite parabolique d'une comète en dérivant éventuellement, ensuite, les paramètres de l'orbite elliptique si elle est elliptique (c'est toujours le même type de méthode qu'on utilise aujourd'hui).

En plus de son étude du côté strictement dynamique des comètes l'auteur des *Principia* évoque ses idées sur la nature physique de ces astres. Il les considère comme des corps solides émettant des jets de vapeur lorsqu'ils passent près du Soleil et qu'ils sont chauffés par lui. Ce sont ces jets de vapeurs qui, en réfléchissant la lumière du Soleil, créent le phénomène lumineux spectaculaire des comètes actives. On voit qu'il s'agit là de conceptions particulièrement modernes et que Newton, depuis ses observations des différentes apparitions de la comète de 1680, qu'il considérait alors comme des objets distincts, avait fait bien des progrès dans sa conception des comètes et de leur mouvement.

La publication des *Principia* de Newton ravit Halley, qui vit son intuition et ses efforts récompensés par la portée et la valeur révolutionnaire de l'ouvrage. Cependant, les années qui suivirent immédiatement le publication de ce livre le virent avoir bien d'autres préoccupations. Personnelles, tout d'abord, avec la naissance de deux petites filles, puis scientifiques.

Ces préoccupations scientifiques furent de nature diverses. Elles allèrent de considérations sur le Déluge, vu sous un angle scientifique (par exemple, en imaginant un effet de marée catastrophique sur les océans, causé par le passage rapproché d'une comète), aux dimensions de l'atome, en passant, par exemple, par les cartes météorologiques, le magnétisme ou les coquillages. Il fonda même une société de récupération utilisant une cloche à plongeur de son invention.

Au plan astronomique, il s'intéressa au délicat problème des dimensions du système solaire, par le biais de la détermination de la distance Terre-Soleil (en effet, même si seule cette distance est connue, les lois de Kepler, à partir des temps de révolution des autres planètes, permettent de déterminer les distances entre le Soleil et toutes les autres planètes). En 1691, il publia un exposé où ce problème était résolu en mesurant le temps de transit de Vénus devant le disque solaire. Cette méthode lui avait été inspirée par ses propres observations effectuées sur l'île de Sainte-Hélène, quatorze ans plus tôt. Halley y avait en effet observé le passage de Mercure devant le disque solaire. En réfléchissant, il se rendit compte que Vénus, plus proche de la Terre, permettait des mesures beaucoup plus précises.

Ces mesures consistaient à déterminer avec précision, en deux endroits aussi éloignés que possible à la surface de la Terre, l'instant de début et de fin du passage de Vénus devant le disque solaire. Halley démontrait qu'il était possible de recalculer les deux trajectoires en fonction du temps et de mettre ainsi en évidence une différence dans les trajectoires observées sur le disque du Soleil, à cause de la distance finie de Vénus à la Terre. En utilisant les lois de Kepler (qui donnent la valeur du rapport des distances Soleil-Vénus et Vénus-Terre), l'angle projeté des deux trajectoires de Vénus sur le disque solaire, et la distance entre les deux points d'observation à la surface de la Terre, il est possible de calculer le diamètre du Soleil en kilomètres (si on utilise les unités de notre époque). Une fois ce diamètre connu, il est élémentaire de calculer, connaissant l'angle sous lequel on voit le disque solaire depuis la Terre, la distance de celui-ci en kilomètres.

La méthode proposée par Halley était soignée et précise. Elle était également fondamentale pour connaître les dimensions réelles du système solaire. Elle demeurait, par contre, très délicate à mettre en œuvre. En effet, les passages de Vénus devant le disque solaire sont rares. À l'époque où Halley rédigea sa communication (1691), il n'y en avait aucun de prévu avant 1761 et 1769 (les suivants étant prévus à la fin du XIXe siècle). Ainsi, la grande distance nécessaire entre les différents observateurs, la brièveté du phénomène (environ six heures), et la nécessité d'observer d'un point où le Soleil est visible au bon moment (et sans nuages), imposaient des contraintes considérables et des expéditions lointaines. C'est pourquoi Halley publia un autre article relatif au même problème en 1716 où il demandait avec insistance à la communauté astronomique internationale de ne pas rater les prochains passages de Vénus devant le Soleil.

Il est remarquable de constater que les appels de Halley furent entendus et que, aux moments opportuns, il y eut effectivement de nombreux observateurs, partis parfois en expédition lointaine (comme Pingré, Le Gentil, ou Cook), pour assister à l'événement (on en dénombra cent vingt répartis en soixante-deux stations pour le passage de 1761 et cent trente-huit répartis en soixante-trois stations pour celui de 1769). La méthode proposée par Halley avait été entre-temps légèrement améliorée par l'astronome français Joseph Nicolas Delisle (1688-1768). Celui-ci suggéra en effet de calculer la longitude de chaque point d'observation, ce qui permettait de n'avoir besoin d'observer que l'instant de début ou de fin du passage de Vénus devant le Soleil (éliminant ainsi la nécessité d'avoir un Soleil visible six heures d'affilée et un temps dégagé au moins au début et à la fin). Ce sont finalement ces observations qui permirent de fixer pour la première fois la valeur de la distance Terre-Soleil (appelée Unité Astronomique, UA) à près de 150 millions de kilomètres.

La même année où Halley faisait sa première communication sur la mesure du transit de Vénus (1691), il eut à faire face à une désagréable polémique sur sa personne. Il se heurta en effet à la toute puissance de l'Église anglicane. Le conflit survint lorsqu'on envisagea d'offrir à Halley la chaire d'astronomie de l'université d'Oxford. Une telle nomination devait en effet être approuvée par l'Église anglicane, ce qui ne constituait pas une simple formalité. Les autorités ecclésiastiques reprochèrent à Halley de s'être penché de façon un peu trop sacrilège sur les causes du Déluge. Les avis émis par Halley sur la question étaient pourtant bien peu dangereux pour l'acceptation littérale de la Bible. L'affaire se déroula cependant assez mal pour lui. L'idée que les autorités ecclésiastiques avaient de ses opinions était déformée par le travail de certaines mauvaises langues, au nombre desquelles figurait celle de Flamsteed. Ce dernier, vexé par un désaccord avec Halley à propos de ses recherches sur les marées océanes, fit tout son possible pour le discréditer. Il essaya même de se faire aider par Newton qui, bien que réputé pour sa ferveur religieuse, eut le bon goût de refuser. Le comportement de Halley lui-même à l'égard de son inquisiteur ne fut guère conciliant, il est vrai, Halley appréciant peu le traitement dont il était l'objet. Le résultat de ces désagréments fut qu'il n'obtint pas le poste à Oxford.

L'esprit scientifique toujours en éveil, Halley poursuivit ensuite ses recherches sur l'âge de la Terre. La science de l'époque ne permettait pas encore de faire un tel calcul. Pourtant, Halley, à partir de considérations sur la salinité de l'eau de mer, trouva le chiffre fort intéressant de 100 millions d'années au minimum. Même si cette valeur était nettement inférieure à la réalité (4,5 milliards d'années), elle était tout de même beaucoup plus réaliste que les 6000 ans prônés par l'Église.

La comète de Halley

Peu de temps après, en 1695, Halley revint à des études cométaires, celles qui allaient lui procurer une gloire éternelle. Le problème de la nature exacte des orbites cométaires, s'il avait fait un bond en avant avec les travaux de Newton, restait encore assez mystérieux. La discussion portait principalement sur la nature exacte du conique décrit par les orbites cométaires : ellipse, parabole ou même hyperbole comme le prétendait certains ? Pour tenter de lever le doute, Halley s'attaqua à un travail d'envergure. En effet, il eut l'idée d'essayer d'utiliser toutes les observations de positions de comètes alors disponibles, pour calculer leurs éléments orbitaux. Il fit un intense travail de recherches bibliographiques, allant même jusqu'à s'intéresser à des témoignages aussi anciens que ceux de Pline ou de Sénèque. Mais les observations les plus intéressantes, car les plus précises, concernaient évidemment les comètes observées à son époque. Pour celle de 1682, Halley utilisa les observations de Flamsteed, qu'il estimait être les meilleures... et qu'il obtint par Newton, n'osant demander lui-même ces observations à leur auteur à cause de la regrettable histoire de la chaire d'astronomie d'Oxford.

Au terme d'un immense travail qui s'étala sur une dizaine d'années, et qui fut entrecoupé de bien d'autres activités, comme nous le verrons plus loin, Halley réussit à établir (à une époque où tous les calculs se faisaient à la main !) les éléments orbitaux de vingt-quatre comètes apparues à des moments différents entre 1337 et 1698. Les éléments orbitaux utilisés par Halley étaient au nombre de cinq : (i) l'instant du passage au périhélie (à une minute près); (ii) la longitude du périhélie; (iii) la longitude du nœud ascendant; (iv) l'inclinaison de l'orbite par rapport au plan de l'écliptique; et (v) la distance au Soleil lors du passage au périhélie. Il sera question au chapitre quatre de la signification de ces différents termes. Il faut simplement noter ici qu'ils sont légèrement différents des six éléments qu'on utilise actuellement.

Le résultat final des années de travail de Halley est résumé dans une forme très concise, soit un tableau de vingt-quatre lignes et de cinq colonnes. Lorsqu'on examine ce tableau, on peut facilement et rapidement se rendre compte que certaines comètes présentent des similitudes frappantes dans leurs éléments orbitaux. Il s'agit des comètes suivantes : celle de 1531 (observée par Apian et Fracastor), de 1607 et de 1682 (que Halley avait lui-même observé peu de temps après son mariage).

Halley, bien sûr, ne manqua pas de faire cette observation pertinente et conclut qu'il s'agissait d'une même comète observée à trois passages différents. Mais il alla plus loin. Il se rendit également compte que la période séparant le passage de 1531 de celui de 1607 (76,2 ans) était très proche de celle séparant le passage de 1607 de celui de 1682 (74,9 ans). Le seul détail troublant, en fait, était constitué des petites différences caractérisant les éléments orbitaux (ainsi d'ailleurs que les deux périodes que nous venons de mentionner). Ces différences, bien que minimes, étaient supérieures à la précision des mesures (par exemple, pour la longitude du périhélie, il y avait une différence de 1°14' entre le passage de 1531 et celui de 1682, alors qu'il s'agit d'un paramètre connu à quelques minutes d'angle près).

Dans sa géniale intuition, Halley se dit que les comètes devaient subir, lors du trajet le long de leur orbite, des perturbations gravitationnelles. En réfléchissant davantage, il pensa assez vite aux planètes géantes et massives, Jupiter et Saturne, qui perturbent effectivement le passage des minuscules noyaux cométaires, même s'ils ne passent pas à proximité immédiate de celles-ci. Il convient de rappeler que, à l'époque, on ne connaissait pas encore les planètes situées au-delà de Saturne, c'est-à-dire Uranus, Neptune et Pluton. Les deux premières, également très massives, sont aussi susceptibles de perturber l'orbite de Halley, dont la distance maximale au Soleil (35 UA) se situe entre les orbites de Neptune et Pluton. Halley alla même jusqu'à tenter de faire une estimation approximative des effets de l'attraction de Jupiter et de Saturne sur une comète et trouva un ordre de grandeur en accord avec les petites différences relevées.

Les résultats du long travail de Halley furent finalement publiés en 1705, dans un ouvrage ayant pour titre *A synopsis of the astro-*

nomy of comets («Synopsis de l'astronomie des comètes»). Outre les éléments déjà mentionnés, il contenait une prophétie capitale : la comète apparue en 1531, 1607 et 1682 devait réapparaître à Noël 1758, avec les mêmes éléments orbitaux. La valeur d'un travail scientifique, aussi solide soit-il lors de sa présentation, se trouve toujours considérablement rehaussée si celui-ci jouit d'un pouvoir de prédiction. La prophétie de Halley, bien sûr, se réalisa (sinon il ne lui aurait pas été consacré tout un chapitre de cet ouvrage). C'est cette comète qui devait immortaliser le nom de Halley, qui serait certainement resté beaucoup moins célèbre autrement.

En ces lignes fut rapidement décrite une décennie de la vie de Halley avec l'œuvre qui, certes, fut sans conteste l'œuvre majeure de sa vie, mais qui ne constitua pourtant pas sa seule activité durant cette période. On peut mentionner, par exemple, les deux années que Halley passa dans la ville de Chester, non loin de Liverpool. Ces deux années furent consacrées à une tache bien éloignée de l'activité scientifique, puisque Halley occupait la fonction de contrôleur adjoint de la Monnaie.

Il obtint cette place grâce à son ami Newton, qui avait lui-même été nommé gardien de la Monnaie royale, à la tour de Londres (fonction qui ne devait d'ailleurs pas améliorer sa réputation d'être de caractère austère). Pour Halley, ce ne fut pas un travail de tout repos, car il se trouva confronté à un problème de détournement de fonds dans lequel son propre supérieur, le maître de la Monnaie de Chester, se trouvait impliqué. Les ateliers de la Monnaie ayant fermé leurs portes en 1698, Halley put, enfin, revenir à Londres et se consacrer à des tâches plus intéressantes.

Parmi celles-ci figurèrent le rôle de conseiller scientifique et de compagnon du tsar de Russie alors en séjour en Angleterre (lorsque Halley fit sa connaissance, le tsar était agé de vingt-six ans et fut connu ultérieurement sous le nom de Pierre le Grand), le rôle de père à la suite de la naissance d'un fils et, surtout, le rôle d'explorateur du champ magnétique.

En août 1698, le roi Guillaume III nomma en effet Halley commandant d'un bâteau, le *Paramoor*. Le but du voyage était l'étude des variations du champ magnétique terrestre sur l'océan Atlantique (dans l'espoir d'améliorer les moyens de localisation des bateaux, surtout en longitude). Ainsi, Halley dut changer encore une fois de métier et se transformer en commandant de bateau...

Il s'acquitta très honorablement de cette tâche et, de surcroît, dans des conditions difficiles. La vie pleine d'imprévus de Halley rencontra encore un obstacle qui aurait bien pu cette fois lui être fatal (ce qui aurait sans doute changé le cours de l'histoire des comètes et, en tout cas, le nom de «sa» comète). En effet, après une traversée jusqu'aux Antilles, via l'Espagne, les îles Canaries, les côtes africaines et brésiliennes, une mutinerie éclata à bord. Le plus étrange fut le motif de cette mutinerie, fomentée par le lieutenant en second : ce dernier avait vu ses propres recherches sur le magnétisme rejetées par la Royal Society et ne pouvait supporter de servir sous les ordres de Halley, par ailleurs étranger à la marine royale. Halley, fort heureusement, réussit à résister à la mutinerie, mais dut ramener aussitôt le navire en Angleterre et débarquer l'officier mutin.

Après cette première tentative, Halley repartit une seconde fois en mer, avec deux navires cette fois-ci, et put effectuer ses relevés du champ magnétique terrestre à travers l'Atlantique, poussant jusqu'à 52° de latitude Sud. Il repartit ensuite une troisième fois. À la fin de ces longs périples, Halley avait atteint l'objectif fixé. Il publia une carte des lignes du champ magnétique terrestre observé dans l'océan Atlantique austral et boréal, carte qui connut des rééditions et des développements durant un siècle. Ce fut la première fois qu'on utilisa les courbes d'égale déclinaison magnétique (lignes isogones). Le problème de la détermination de la longitude en mer, qui avait motivé en bonne partie ces expéditions, ne fut pour autant pas résolu par ce travail. Pour le résoudre il fallut attendre l'année 1764, lorsqu'un certain John Harrison réussit enfin à gagner le prix offert depuis 1714 par le parlement britannique, en inventant une horloge suffisamment précise pour n'accuser que cinq secondes de retard lors d'un voyage à la Jamaïque.

Après s'être transformé en capitaine de navire, Halley, continuant toujours ses travaux sur les calculs d'orbites cométaires, se mit à parcourir l'Europe en missions diplomatiques au service de la reine Anne Stuart. Le but de ces missions ressemblait fort, en fait, à de l'espionnage dans le but de renseigner la reine d'Angleterre sur les fortifications de certains ports stratégiques...

Après ces pérégrinations, Halley réussit à obtenir, en 1704, la chaire de géométrie de l'université d'Oxford. Cette nomination fut obtenue malgré les efforts, encore une fois, de Flamsteed, toujours acharné contre Halley mais qui, cette fois-ci, ne réussit pas à le discréditer. Ce fut dans le cadre serein de l'université d'Oxford qu'il put enfin achever ses calculs sur les orbites cométaires et publier l'ouvrage qui leur était consacré en 1705.

La suite de la vie de Halley fut moins mouvementée. Il continua d'avoir une activité scientifique intense dont un travail de correction et de surveillance attentive de l'ouvrage majeur de Flamsteed, l'*Historia caelestis britannica* («Histoire britannique du ciel»). Cet ouvrage fut finalement publié après la mort de Flamsteed (survenu en 1719), en 1725.

La Royal Society, à l'occasion de la publication de l'ouvrage de Flamsteed, fut encore une fois secouée par un important conflit. Newton, d'abord conseiller de la société, en était devenu son président en 1703 et le resta jusqu'à sa mort, qui survint vingt-cinq ans plus tard. Certains auteurs préfèrent parler de dictateur plutôt que de président de la Royal Society tant Newton, de caractère austère, imposa une autorité stricte à son seul profit. C'est dans ce contexte qu'éclata une dispute avec Flamsteed. Ce dernier était un observateur expérimenté et avait, durant douze ans, accumulé environ 20 000 observations de positions d'étoiles avec le meilleur matériel de son temps, qu'il avait souvent lui-même mis au point ou perfectionné. Pour Newton, la publication d'une telle somme d'observations était urgente mais, pour Flamsteed, il fallait toujours attendre davantage et faire d'autres calculs. La querelle dégénéra dangereusement et une haine féroce et réciproque finit par animer les deux hommes, Newton n'hésitant pas à abuser de son autorité et n'ayant que faire de l'état de santé déclinant de Flamsteed.

Ainsi Newton finit par éditer, d'autorité, une première publication des données brutes de Flamsteed que celui-ci, horrifié, se dépêcha de racheter en grande partie (il réussit à racheter trois cents exemplaires sur les quatre cents édités). L'ouvrage définitif, auquel Halley avait contribué, honnête et loyal malgré tout envers Flamsteed, fut publié en 1725 et fut longtemps un outil de base pour les astronomes, avec ses 3000 étoiles dont certaines n'étaient même pas visibles à l'œil nu. Ironie du sort pour le pauvre Flamsteed, après son décès, ce fut Halley qui prit sa succession en tant qu'astronome royal à l'observatoire de Greenwich.

Halley continua jusqu'à sa mort à s'intéresser à l'astronomie et travailla sur des sujets très variés. On peut citer, entre autres, un mémoire sur un météore particulièrement brillant aperçu au-dessus de l'Angleterre en mars 1719, une étude sur le cycle des éclipses solaires, ou encore ses travaux sur les étoiles (dont il annonça leur mouvement propre en ayant l'idée de comparer des relevés de position contemporains effectués sur des étoiles brillantes avec des relevés effectués dans l'Antiquité par Hipparque et Ptolémée).

Les dernières années de sa vie, cependant, furent difficiles. Sa femme Mary mourut alors qu'il avait quatre-vingts ans, bientôt suivie de son fils. Sa santé devint également mauvaise et il fit une attaque, ce qui ne l'empêcha pas de continuer presque jusqu'à la fin son activité astronomique. Sa mort survint le 14 janvier 1742, quinze ans après celle de Newton, à l'âge avancé de quatre-vingt-cinq ans. Celle-ci fut très digne puisqu'il s'éteignit tranquillement assis dans un fauteuil, après avoir bu un verre de vin.

Bien qu'ayant fait preuve d'une remarquable longévité, Halley mourut avant d'avoir put vérifier la prophétie de sa vie, annoncée pour 1758. D'autres savants n'oublièrent cependant pas de prendre le relais. C'est ainsi qu'en 1758, trois habiles calculateurs français reprirent le travail de Halley et l'affinèrent autant que possible en tenant compte de toutes les perturbations gravitationnelles connues à l'époque qu'avait dû subir la comète. Il s'agissait d'un travail particulièrement long et fastidieux qui demanda six mois à ses auteurs, soucieux de terminer leurs calculs avant le retour de la comète. Ces calculateurs étaient Alexis Clairaut, Joseph-Jérôme Lalande et une femme, Nicole-Reine Étable de La Brière Lepaute (plus connue sous le nom de Mme Lepaute, et dont la responsabilité importante dans les calculs, fait très inhabituel pour une femme à l'époque, fut occultée longtemps par ses collègues masculins).

Au terme de leur gigantesque travail, les trois calculateurs, épuisés, purent annoncer que la comète passerait au périhélie le 13 avril 1759, à un mois près, et qu'on pouvait s'attendre à la voir plusieurs mois auparavant (communication faite par Clairaut et Lalande à l'Académie des sciences, le 14 novembre 1758). Leurs calculs avaient montré que l'attraction gravitationnelle de Saturne avait dû causer un retard de 100 jours et celle de Jupiter, d'au moins 518 jours.

Peu de temps après cette prédiction précise, dans la nuit de Noël 1758, une comète fut effectivement aperçue par un fermier allemand du nom de Johann Palitzsch, habitant non loin de Dresde. Peu de temps après, Charles Messier, dont il sera bientôt question, l'observa également, le 21 janvier 1759. Son suivi attentif montra qu'elle passa finalement à son périhélie le 13 mars 1759, juste à la limite de la date calculée par Clairaut, Lalande et Mme Lepaute (compte-tenu de la marge d'erreur annoncée).

L'événement eut bien sûr un retentissement considérable dans le monde scientifique de l'époque. En effet, non seulement modifiait-il radicalement la vision qu'on avait des comètes, en confirmant sans ambiguïté possible les travaux de Halley, mais il confirmait du même coup de façon éclatante l'œuvre de Newton. À partir du retour de la comète de Halley, les derniers récalcitrants à admettre la théorie de la gravitation universelle durent s'incliner. L'ère nouvelle ouverte par Newton dans l'histoire de la physique pouvait maintenant s'épanouir pleinement, faisant triompher pour longtemps la mécanique céleste et la mécanique dite aujourd'hui classique.

Chapitre 3

Le triomphe de la mécanique céleste

Après la mort de Halley, l'histoire des comètes et même de l'astronomie en général fut dominée par le triomphe de la mécanique céleste. Pendant presque deux siècles, les découvertes de Newton semblèrent infaillibles et imposèrent partout leurs succès. L'astronomie resta longtemps principalement une astronomie de position. Ce n'est qu'au cours du XIXe siècle et surtout du XXe que l'astrophysique proprement dite émergea et s'imposa face à l'astrométrie «pure et dure». Les comètes n'échappent pas à cette règle.

Au XVIIIe siècle, dans les années qui suivirent le retour de la comète de Halley, deux priorités émergèrent pour les astronomes de l'époque, alors particulièrement sensibilisés au problème des comètes : le calcul de leur orbite et leur détection. Un certain nombre de grandes figures de l'astronomie se distinguèrent alors à ce «jeu».

Charles Messier

Ce Lorrain de naissance (il est né à Badonviller le 26 juin 1730) fut un des premiers grands chasseurs de comètes. Uniquement observateur, il ne laissa aucun souvenir dans l'art suprême de l'époque : le calcul d'orbite. Son nom est resté associé, en fait, à un «sous-produit» de ses observations cométaires : le catalogue d'objets célestes diffus qui comportait, initialement, cent trois objets.

D'origine modeste (il était le dixième enfant d'une famille de douze et perdit son père quand il avait seulement onze ans), le jeune Charles Messier, venu à Paris, eut la chance d'être engagé par Joseph Nicolas Delisle. Ce dernier, alors directeur de l'Observatoire de Paris, astronome de la Marine, et professeur au Collège royal (le futur Collège de France), chargea le jeune Messier, alors âgé de vingt ans, de tenir ses registres d'observation. Son secrétaire, Libour, forma également Messier aux observations astronomiques, en particulier pour les éclipses et les comètes. Le jeune Messier, qui avait déjà observé avec intérêt une comète en 1744 et une éclipse en 1748, s'intéressa de près à son travail, avant tout fasciné par le plaisir de l'observation et sans attraction particulière pour les calculs. Peu de temps après, il obtint, grâce à Delisle, le titre de commis du dépôt des cartes de la marine, avec un modeste appointement et l'hébergement assuré.

Le premier travail cométaire important que lui confia Delisle, fut l'observation de la comète de la Nux apparue en 1758, quelques mois avant celle de Halley. Ses observations, effectuées du 15 août au 2 novembre, furent cependant gardées secrètes par Delisle. Celui-ci demanda également à Messier de rechercher la comète de Halley, là où il pensait qu'elle allait apparaître. Malheureusement pour Messier, cette recherche, qui dura dix-huit mois, fut infructueuse, Delisle lui ayant sans doute donné des instructions erronées. Ce fut finalement l'Allemand Palitzsch qui découvrit la comète de Halley, le 25 décembre 1758, Messier ne l'observant que le 21 janvier 1759 (ses observations, arrêtées le 14 février lorsque la comète se rapprocha du Soleil, furent encore gardées secrètes par Delisle).

La première découverte de Messier eut lieu en 1759 (comète Messier 1759 III), et la deuxième en janvier 1760, qui fut cependant tenue secrète par Delisle. Heureusement pour Messier, son patron décida peu de temps après, en 1762, de délaisser ses activités scientifiques pour mieux se consacrer à la religion. Ce fut la chance de Messier, qui put alors se libérer d'une tutelle devenue gênante et observer les comètes à sa façon.

Ce fut alors une longue série de découvertes qui dura jusqu'en 1801. Au total, Messier observa quarante et une comètes dans sa vie, et on lui attribue aujourd'hui la découverte d'environ seize d'entre elles. Sa réputation grandissait au fur et à mesure qu'il accumulait les découvertes. Louis XV l'appela le «furet des comètes» et il devint astronome de la Marine. Il fut rapidement admis dans plusieurs académies étrangères et, finalement, à l'Académie de Paris (en 1770), qui lui avait pourtant longtemps reproché de n'être qu'un simple observateur éloigné de la grande théorie...

C'est en tant qu'académicien qu'il publia, en 1771, la première version de son célèbre catalogue d'objets diffus. Cette version ne comportait alors que quarante-cinq objets et la motivation principale de Messier, en publiant ce catalogue, était essentiellement de faciliter le travail de recherche des comètes en identifiant tous les objets diffus qu'on pouvait éventuellement confondre avec elles. C'est pourtant ce catalogue, étendu par la suite jusqu'à cent trois objets, en 1784 (les objets Messier 104 à Messier 110 ayant été rajoutés par d'autres après sa mort), qui lui valut à lui seul la célébrité. Peut-être que le fait qu'il n'ait découvert aucune comète périodique y est-il aussi pour quelque chose.

Messier réussit à traverser sans trop de dommages la période troublée de la Révolution. Devenu académicien pensionnaire en 1793, il eut la malchance de voir l'Académie supprimée quelques jours après, ainsi que ses pensions et son traitement de la Marine, qui cessa également de payer le loyer de son observatoire (situé à l'hôtel de Cluny). Ces revers ne l'empêchèrent pas, infatigable, de continuer à observer et il découvrit une comète en septembre (comète Messier 1793 I). Pour calculer l'orbite de celle-ci, il réussit à trouver quelqu'un encore plus passionné que lui : Jean-Baptiste-Gaspard de Saron, qui fit les calculs d'orbite dans sa prison, en attendant la guillotine ! En remerciement, Messier, ayant réussi à retrouver la comète après qu'elle fut masquée par le Soleil, parvint à en informer secrètement Saron juste avant son exécution...

La période postrévolutionnaire fut cependant plus favorable à Messier, qui devint membre de l'Institut puis du Bureau des Longitudes, avant de recevoir la Légion d'honneur. Ce n'est que lorsque sa vue devint trop faible qu'il abandonna les observations, à l'âge de quatre-vingt-deux ans. Il mourut cinq ans plus tard, le 12 avril 1817. Pour la petite histoire, on peut signaler qu'il existe à Paris une petite rue, située près de l'esplanade des Invalides, dans le 7e arrondissement, qui porte le nom étrange de «rue de la Comète». Or, il se trouve que la comète à laquelle cette rue fait référence est la comète Messier (1763), qui causa une grande frayeur dans la population car le calcul de son orbite montra qu'elle devait passer tout près de la Terre.

Il est important de souligner que Messier fut le premier découvreur de comètes à utiliser systématiquement une lunette (même si la comète de 1680, par exemple, avait été identifiée avec une lunette, la plupart des découvertes faites au début du XVIIIe siècle se faisaient encore à l'œil nu). Cette pratique, due à l'amélioration de la qualité de l'optique, ouvrit une ère nouvelle dans la détection des comètes, dont les découvertes devinrent de plus en plus fréquentes.

Si Messier resta toute sa vie un observateur passionné des comètes, sans intérêt marqué pour les calculs d'orbite, ceci n'empêcha pas certaines de ses découvertes d'être des objets d'étude de choix pour les théoriciens. Ce fut en particulier le cas pour une comète qu'il découvrit le 14 juin 1770. Celle-ci devint rapidement très brillante, la taille de sa chevelure atteignant presque cinq fois le diamètre de la Lune dès le 1er juillet. Comme à l'accoutumée, les calculateurs d'orbite, dès qu'ils eurent trois bonnes observations de position disponibles, se mirent au travail et essayèrent de calculer son orbite.

Comme à l'accoutumée également, le résultat des calculs obtenus (basés sur la méthode de Newton assimilant, au départ, toutes les orbites cométaires à des paraboles lorsqu'elles passent près du Soleil) fut confronté à la trajectoire de la comète, observée ultérieurement. Cette comparaison créa rapidement la surprise. La comète, restant visible jusqu'en octobre et permettant de nombreux relevés de position, dévia notablement des prédictions. Les calculateurs essayèrent alors d'autres types de parabole, mais sans succès. Ils durent finalement se rendre à l'évidence : pour la première fois depuis qu'on essayait de calculer une orbite cométaire, celle-ci ne pouvait être considérée par une parabole; ce devait donc être une ellipse d'une excentricité relativement faible.

Ce fut Anders Lexell, un astronome suédois qui travaillait à l'Académie des sciences de Saint-Pétersbourg, qui put montrer en 1778, en reprenant les calculs, que l'orbite réelle de la comète était une ellipse dont le grand axe était seulement de 6,2 UA, ce qui plaçait le périhélie à 0,7 UA et l'aphélie (point de l'orbite le plus éloigné du Soleil) à 5,5 UA environ. La période induite par ce type d'orbite était de cinq ans et sept mois.

En faisant ces calculs, Lexell, qui devait sans doute penser résoudre un problème, souleva en fait une question fort embarrassante. En effet, si la comète découverte par Messier était à la fois aussi brillante et périodique avec une aussi courte période, comment se faisait-il qu'elle n'ait jamais été aperçue auparavant ? De plus, lorsque Lexell acheva ses calculs, on était déjà sensiblement au-delà du délai nécessaire à la comète de 1770 pour revenir, or on n'avait observé aucune comète au moment opportun. Plus grave encore, on ne la revit pas davantage lors de ce qui aurait dû être ses passages suivants.

Les champions de la mécanique céleste, mus par une foi inébranlable dans les succès de la physique newtonienne naissante, furent quelque peu troublés par cette comète, qui semblait défier les lois qu'ils appliquaient avec tant de zèle. C'est pourquoi des efforts particuliers furent déployés pour résoudre le problème. Ce ne fut qu'en 1806, trente-six ans après la découverte de la comète, qu'une explication détaillée fut trouvée par un mathématicien et astronome français du nom de Burckhardt, qui remporta ainsi le prix offert par l'Institut pour résoudre l'énigme.

Burckhardt montra que la coupable de tant de soucis pour les astronomes était tout simplement Jupiter. En effet, il réussit à calculer qu'avant 1767, la comète avait une période de 11,4 ans et surtout un périhélie situé trop loin du Soleil pour qu'elle puisse être active et donc visible depuis la Terre. Entre janvier et mai 1767, le hasard des mouvements orbitaux avait amené la comète à passer tout près de Jupiter, qui put exercer des forces de perturbations gravitationnelles sur la comète, qui se retrouva ainsi avec l'orbite déterminée par Lexell. Les perturbations avaient eu pour principal effet de réduire la période de 2050 jours et de rapprocher le périhélie à seulement 0,7 UA du Soleil, ce qui permit à Messier de la détecter à son arrivée près du Soleil. Mais les perturbations de Jupiter se firent également sentir entre juin et octobre 1779, lorsque la comète repassa à proximité immédiate de cette planète (son aphélie était de 5,7 UA alors que la distance entre Jupiter et le Soleil et de 5,2 UA). Le résultat de ce deuxième passage près de la planète géante eut l'effet inverse du premier en plaçant la comète sur une orbite à longue période (179 ans) et avec un périhélie de nouveau suffisamment éloigné du Soleil pour qu'elle reste inactive (il est situé à environ 5 UA). Burckhardt avait, en fait, sous-estimé la période et la distance finales au périhélie (il avait trouvé 16 ans et 3,5 UA), mais sa description d'ensemble du phénomène était néanmoins exacte.

Dernière remarque concernant le mystère de cette comète. Il y eut bien un deuxième passage de la comète près du Soleil après

1770, puisque sa période était alors de 5,6 ans et que la deuxième perturbation eut lieu en 1779. L'explication de sa non-détection à ce moment-là tient tout simplement au fait que le hasard des positions respectives de la Terre et de la comète par rapport au Soleil la rendit masquée en permanence par la lumière solaire lorsqu'elle fut active.

En définitive, donc, les lois de la mécanique céleste sortirent renforcées de cette confrontation avec une comète récalcitrante. Quant à celle-ci, bien que découverte par Messier, elle fut finalement baptisée du nom de celui qui avait réussi à calculer son orbite elliptique, c'est-à-dire Lexell (sa désignation officielle est aujourd'hui P/Lexell (1770 I)). Il faut toutefois noter que sa distance actuelle au périhélie pourrait très bien l'amener un jour futur à repasser tout près de Jupiter. Plusieurs siècles après il serait alors envisageable qu'elle revienne briller dans notre ciel nocturne.

On peut également noter que les théoriciens de la mécanique céleste eurent un autre calcul intéressant à effectuer avec la comète P/Lexell. En effet, son unique passage observé en 1770 l'avait amenée à passer tout près de la Terre, à seulement 2,3 millions de kilomètres (six fois la distance entre la Terre et la Lune). La géométrie de ce passage rapproché aurait dû avoir pour effet d'allonger légèrement la durée de notre année si la masse de la comète n'avait pas été aussi ridicule devant celle de la Terre. À l'époque, cependant, comme on ignorait presque tout de la masse des comètes, Laplace (dont il sera question plus loin) profita de cette rencontre pour essayer de détecter un accroissement de la durée de l'année. Comme les observations montrèrent que celle-ci n'avait pas varié, en tout cas pas de plus d'une seconde, Laplace, en 1805, put en déduire que la limite supérieure de la masse de la comète par rapport à celle de la Terre était de un cinq-millièmes. On sait aujourd'hui que l'ordre de grandeur exacte de ce rapport serait plutôt de un dix-milliardième. On voit donc qu'on ne risquait pas de pouvoir mesurer la masse d'une comète avec ce genre de méthode.

Parmi les différents chasseurs de comètes «purs» qui se manifestèrent à partir de l'époque de Messier, et dont quelques exemples seront examinés dans le chapitre suivant (tels Pons, Tempel, Barnard ou Brooks), il convient de signaler une présence féminine qui est une exception notable dans une activité alors dominée par les hommes. Il s'agit de la sœur d'un astronome célèbre pour avoir découvert Uranus, William Herschel. Elle s'appelait Caroline Herschel.

Fille d'un musicien militaire allemand, elle naquit à Hanovre en 1750, mais émigra en Angleterre à l'âge de vingt ans pour rejoindre son frère William, alors titulaire de l'orgue d'une église de Bath. Elle le suivit alors dans ses activités. D'abord chanteuse, elle abandonna plus tard la musique pour servir de collaboratrice à son frère lorsque lui-même décida de se consacrer exclusivement à l'astronomie.

C'est en 1781 qu'il découvrit, par hasard, Uranus, devenant du même coup célèbre, ce qui lui permit de toucher une pension du roi George III et d'arrêter son travail d'organiste. La carrière de sa sœur Caroline, qui effectuait de multiples tâches pour l'assister, continua dans l'ombre de son frère, même si le roi George III lui accorda officiellement un salaire dès 1787. C'est en fait lorsqu'elle se mit à rechercher systématiquement les comètes, à l'aide d'un télescope de 15 cm construit spécialement par son frère, qu'elle acquit une certaine notoriété par elle-même.

Entre 1786 et 1797, elle découvrit huit comètes. Aujourd'hui, les catalogues de comètes ont souvent l'obligeance de mette un «C.» devant le nom attribué aux comètes qu'elle a découvertes, pour la distinguer de son frère (l'usage habituel étant de ne mettre que le nom). Les activités de Caroline Herschel consistèrent aussi à réviser le catalogue d'étoiles de Flamsteed, mais elle revint à Hanovre après la mort de son frère, survenue en 1822. C'est là qu'elle mourut, en 1848.

La comète d'Encke

Si la comète de Lexell, découverte par Messier, posa une énigme aux calculateurs d'orbite de l'époque, qui finit par renforcer assez vite la notoriété de la mécanique céleste, il y eut presque simultanément un autre cas célèbre qui se montra encore plus difficile. Ironie de l'histoire, cette comète fut aussi découverte à l'époque où Messier était actif, mais par son principal rival, Pierre Méchain, également astronome à l'Observatoire de Paris. Celui-ci découvrit en effet une comète, d'éclat assez faible, le 17 janvier 1786. Elle n'était visible qu'au télescope et apparaissait dans le constellation du Verseau. À l'annonce de la découverte de cette comète, d'autres astronomes parisiens l'observèrent rapidement, en particulier Messier et Cassini (Dominique, l'arrière-petit-fils de Jean Dominique Cassini, qui avait accueilli Halley à Paris, un siècle plus tôt). Malheureusement, les mauvaises conditions météorologiques qui dominèrent alors empêchèrent d'avoir suffisamment d'observations pour faire le calcul d'orbite.

Ce n'est que neuf ans plus tard que cette comète fut retrouvée, de façon tout à fait indépendante, par Caroline Herschel. Lorsque celle-ci la découvrit, le 7 novembre 1795, la comète se situait dans la constellation du Cygne et était également assez faible, à la limite de visibilité à l'œil nu. Rapidement, la comète découverte par Herschel fut observée par d'autres astronomes, tels Bode, Bouvard et Olbers, et les calculateurs s'empressèrent, bien sûr, d'essayer d'en déterminer l'orbite. Cependant, comme pour la comète découverte par Messier en 1770, il s'avéra impossible de considérer la section observée comme une parabole.

L'orbite de cette comète resta encore inexpliquée pendant plusieurs années. Il fallut attendre des observations effectuées lors d'un passage en 1805. Cette année-là, en effet, une comète fut aperçue en octobre dans la constellation de la Grande Ourse, par trois observateurs indépendants (d'abord Pons à Marseille, puis Huth à Francfort et Bouvard à Paris). Cette fois-ci, il y eut un calculateur, un Allemand nommé Johann Encke, pour calculer une orbite elliptique, avec une période de 12,127 ans. Ce calcul, beaucoup plus près de la vérité que les orbites paraboliques qu'on avait jusque-là essayé d'attribuer à la comète, était cependant encore largement inexact.

C'est seulement quatorze ans plus tard, en 1819, que le même Encke, alors assistant à l'observatoire Seeberg, réussit enfin à établir l'orbite exacte de la comète qui allait porter son nom. Deux éléments nouveaux, depuis les précédents passages, favorisèrent le succès de ce calcul. Tout d'abord, les conditions d'observation furent assez favorables. Découverte le 26 novembre 1818 par Pons, alors qu'elle était encore invisible à l'œil nu, dans la constellation de Pégase, la comète resta visible jusqu'au 12 janvier 1819, soit pendant presque sept semaines (elle passa au périhélie le 27 janvier). Ensuite, les méthodes de calcul d'orbite avaient fait des progrès. En effet, l'astronome, mathématicien et physicien allemand Carl Friedrich Gauss avait développé, dans une publication éditée en 1809 dont le titre était *Theoria motus corporum coelestium* («Théorie du mouvement des corps célestes»), une nouvelle méthode de calcul des éléments orbitaux. Cette méthode avait déjà obtenu, au moment où Encke l'utilisa, un succès important puisqu'elle avait permis de calculer l'orbite du premier astéroïde, découvert dans la nuit du jour de l'An 1801, nommé Cérès (lequel astéroïde, perdu peu de temps après sa découverte, avait pu être retrouvé grâce à la méthode de Gauss).

Au terme de ses calculs, Encke put montrer que la comète découverte en novembre 1818 avait en fait une orbite elliptique de taille particulièrement réduite. En effet, le périhélie de celle-ci se situait à 0,34 UA du Soleil et l'aphélie à 4,1 UA, ce qui donnait une période de 3,3 ans. Mais Encke alla encore plus loin. Tel Halley plus d'un siècle avant lui, il eut l'idée de consulter un catalogue contenant les éléments orbitaux des comètes déjà observées. Il se rendit compte alors de la similitude entre les éléments orbitaux de la comète qu'il venait d'étudier et ceux des comètes apparues en 1786, 1795 et 1805, dont il a été question ci-dessus. Logiquement, il supposa qu'il s'agissait du même astre mais approfondit encore la question en se livrant à tous les calculs des perturbations planétaires passées (calcul qu'il fit dans le délai record de six semaines), ce qui confirma tout à fait son hypothèse.

Après avoir vérifié les retours passés, Encke se livra au même jeu que Halley et prédit le retour de la comète de Pons, comme il l'appelait lui-même, pour 1822. Il annonça la date exacte de passage au périhélie pour le 24 mai 1822, ayant calculé que les perturbations gravitationnelles apportées par Jupiter créeraient un retard de neuf jours. Encke fut plus chanceux que Halley, car «sa» comète avait une période beaucoup plus courte, ce qui lui permit d'assister de son vivant à la vérification de sa prédiction. C'est ainsi qu'il fut le deuxième à prédire le retour d'une comète périodique (il est vrai qu'il y avait déjà eu le cas de la comète P/Lexell, mais Anders Lexell avait eu la malchance de tomber sur un cas très particulier), qui fut baptisée de son nom, P/Encke.

Le retour de cette comète en 1822 ne fut cependant pas visible pour les observateurs de l'hémisphère Nord et dut être confirmé par un certain Rümker, installé près de Sydney, en Australie. Rümker put suivre la comète du 2 au 23 juin, ce qui permit non seulement de confirmer les calculs précédents d'Encke, mais aussi de prédire le retour suivant pour le 16 septembre 1825. Cette prédiction sera également réalisée et, de fait, on ne rata plus de retour de la comète d'Encke depuis cette époque (sauf en 1944), alors même que la faiblesse de son éclat avait fait rater de nombreux passages précédents.

Pour Encke, ce furent rapidement les honneurs. La Société astronomique royale d'Angleterre, par exemple, lui attribua une médaille d'or en 1824 (ainsi qu'une médaille d'argent à Pons). L'année suivante, il succéda à Bode au poste de directeur de l'observatoire de Berlin. Pourtant, la comète d'Encke n'avait pas fini de poser des problèmes aux calculateurs d'orbites, alors même que ceux-ci pensaient avoir encore triomphé.

En effet, en continuant à suivre de près «sa» comète, Encke finit par se rendre compte d'un étrange phénomène. Malgré tout le soin apporté au calcul des perturbations gravitationnelles induites par les différentes planètes, la comète était systématiquement en avance de 2,5 heures sur l'instant de son passage au périhélie. Cette avance était faible, ce qui incita Encke à se montrer prudent et à attendre 1838 pour annoncer ce résultat, mais elle était cependant fiable vu sa répétition sur plusieurs orbites.

La mécanique céleste triomphante venait de tomber sur un problème sérieux. Encke ne trouva rien de mieux en effet que d'imaginer des effets physiques assez inhabituels (et qui devaient se révéler faux). Il parla en effet d'un milieu résistant, baptisé éther, qui remplirait l'espace où se meuvent les comètes (dans le système solaire) et aurait pour conséquence directe de les freiner légèrement par frottement. Il fallait en effet envisager, paradoxalement, un frottement, car la subtilité des lois de la mécanique céleste est telle que c'est en freinant un corps en orbite qu'on accélère son mouvement orbital puisque celui-ci se rétrécit.

L'hypothèse émise par Encke se révéla assez vite peu crédible. Elle n'expliquait pas, par exemple, pourquoi on observait pas de phénomène similaire sur les astéroïdes, dont on connaissait déjà quatre objets en 1838. De plus, les années qui suivirent compliquèrent encore le problème. On réalisa tout d'abord que l'avance du passage au périhélie de la comète d'Encke n'était pas constante, mais avait tendance à diminuer avec le temps. Puis, d'autres comètes périodiques furent découvertes et présentèrent des comportement différents. Soit elles ne montraient ni avance ni retard, soit, comme la comète P/Brorsen (découverte une première fois en 1846 et qui a une période de 5,5 ans), elle montraient un retard lors du passage au périhélie.

Cette fois-ci, le mystère dura beaucoup plus longtemps. Il faut dire qu'il était inexplicable par le seul usage des calculs de mécanique céleste, car reposant sur la nature physique réelle des comètes. Cette nature physique était encore très mal connue au XIXe siècle malgré la clairvoyance, par exemple, de l'astronome allemand Friedrich Bessel, qui nota la présence de structures en forme de jets du côté exposé au Soleil sur la comète de Halley lors de son passage en 1835 et conclut que, quelle que fut leur composition, elles devaient pouvoir influencer le mouvement de la comète. Les idées de Bessel n'eurent cependant guère d'écho et il fallut attendre 1950 et les travaux de Fred Whipple pour pouvoir expliquer complètement le phénomène des forces non gravitationnelles, par l'éjection de particules du noyau dans une direction privilégiée. Mais ceci est une autre histoire qui sera étudiée plus en détail au chapitre suivant.

Pierre Simon Laplace

Parmi les théoriciens brillants de la mécanique céleste qui dominèrent la période de la fin du XVIIIe siècle, il en est un qui mérite une mention particulière, de par la clairvoyance de sa vision des comètes. Il s'agit de Pierre Simon Laplace, par ailleurs connu pour une œuvre scientifique assez considérable en mathématiques, physique et astronomie.

Né le 23 mars 1749 dans un petit bourg de Normandie du nom de Beaumont-en-Auge, Laplace manifesta très jeune un esprit brillant et put être admis dans un collège dirigé par les bénédictins. C'est à l'âge de vingt ans qu'il arriva à Paris où il entama rapidement une brillante carrière scientifique après avoir été nommé professeur de mathématiques à l'école royale militaire, grâce à l'appui de d'Alembert. Il présenta ainsi son premier mémoire à l'Académie des sciences, baptisé *Sur le principe de la gravitation universelle et sur les inégalités des planètes qui en dépendent*, en 1773.

Ce scientifique connut également une carrière publique digne de mention. À une époque pourtant assez troublée, Laplace parvint toujours à cumuler les honneurs. Au lendemain du 18 Brumaire, il réussit, quelques semaines seulement il est vrai, à se retrouver ministre de l'Intérieur. Il fut également membre du Sénat conservateur, puis grand Officier de la Légion d'honneur, Comte de l'Empire (en 1808). Sur le plan astronomique, on peut mentionner en particulier ses idées sur la création du sytème solaire à partir d'une nébuleuse primitive.

Laplace participa, bien sûr, à des calculs d'orbite de comètes, en particulier sur la comète P/Lexell, dont il a déjà été question. Il mit au point les formules permettant de calculer des orbites elliptiques, par approximations successives, et son travail fut repris et amélioré en 1797 par le physicien et astronome amateur Wilhelm Olbers, dont la méthode de détermination des orbites paraboliques est toujours utilisée aujourd'hui. Il établit également que Jupiter pouvait transformer les orbites des comètes nouvelles ou à longue période en comètes à brève période, et il essaya, tel que déjà mentionné auparavant, d'établir la masse maximale d'une comète lorsque la comète P/Lexell passa près de la Terre. Le plus notable cependant dans son œuvre consacrée aux comètes consiste en ses idées sur leur nature physique. Pour lui, en effet, la formation d'une atmosphère cométaire dans le voisinage du Soleil était le résultat de la vaporisation de liquides situés sur la surface du noyau. Il envisageait le noyau formé de neige ou de glace, tout d'abord liquéfié par la chaleur du Soleil, puis vaporisé. À chacun de ces changements d'état, la température de la comète resterait ainsi constante.

On voit que ces idées étaient extrêmement en avance sur leur temps et étaient certainement plus proches de la réalité que tout ce qui avait été dit auparavant. Laplace mourut en 1827, bien avant que l'astronomie soit suffisamment développée pour révéler le vrai visage des comètes.

La comète Biela

Cette comète fut découverte le 27 février 1826 par un major de l'armée autrichienne nommé Wilhelm von Biela. Elle fut observée dix jours plus tard, et ce, de façon indépendante, par Jean Félix Adolphe Gambart, astronome à l'Observatoire de Marseille. Ce dernier fit rapidement les calculs d'orbite et trouva que la comète avait une orbite elliptique et une période de 6 ans et 9 mois. Il se rendit alors compte que la même comète avait déjà été observée en 1772 (par Montaigne et Messier) et en 1805 (par Pons).

Les calculs d'orbite furent affinés pour le retour suivant, en novembre 1832, par plusieurs calculateurs, tels l'Italien Santini, le Français Damoiseau et l'Allemand Olbers. Ce dernier causa d'ailleurs une certaine frayeur en faisant remarquer que l'orbite de la comète allait couper celle de la Terre en passant à seulement 32 000 km... Heureusement, la Terre ne passerait en ce point qu'un mois plus tard, après avoir parcouru 80 millions de kilomètres. Les calculs s'avérèrent exacts, la comète étant aperçue le 23 août 1832 par les astronomes de l'observatoire du Collège romain, et passant au périhélie avec douze heures d'avance seulement sur l'instant calculé. Continuant de parcourir son orbite, elle repassa près du Soleil en 1839 mais ne put être observée, apparaissant trop près du Soleil.

C'est lors du passage suivant que survint un phénomène étrange et sans précédent. En effet, après avoir été repérée le 28 novembre, la comète, d'abord «normale», se dédoubla brusquement un mois plus tard. On vit alors deux comètes, possédant chacune leur propre queue, voyager véritablement côte à côte en s'éloignant progressivement l'une de l'autre.

Le suivi attentif qui se fit alors montra un comportement étrange des deux noyaux. En effet, leur éclat fut assez variable, celui de l'un semblant augmenter quand celui de l'autre diminuait. Le plus étrange pour les astronomes fut qu'au retour suivant, en 1852, les deux comètes étaient toujours ensemble, quoique plus distantes l'une de l'autre. Le retour de 1852 fut cependant le dernier et on ne revit plus jamais la comète P/Biela (dont le nom, d'ailleurs, fut contesté par Gambart qui estimait plus juste, à une époque où on ne donnait pas encore systématiquement à une comète le nom de son découvreur, de lui donner son nom, puisqu'il était le premier à en avoir calculé l'orbite).

En fait, le retour de 1859 la plaçait trop près du Soleil pour qu'on put espérer la détecter et les astronomes, impatients, durent attendre le retour suivant, prédit pour 1866. C'est à ce passage qu'ils furent incapables de la localiser, malgré tous leurs efforts.

Aujourd'hui, ce genre d'observation, si elle est assez rare, donc intéressante pour les spécialistes, n'a cependant rien de mystérieuse. À l'époque, par contre, alors qu'on ignorait presque tout de la réalité physique des comètes, les astronomes furent très troublés. Ils ne pouvaient évidemment pas savoir que le noyau d'une comète, bien que solide, est relativement friable et perd de la matière à chaque passage. Cet état de fait peut finir par provoquer une rupture du noyau en plusieurs morceaux, rupture qui précède sans doute de peu la fin de la comète.

Si la comète P/Biela ne réapparut jamais, elle se manifesta pourtant d'une manière posthume, si l'on peut dire. En effet, à la fin novembre 1866, moins d'un an après le passage attendu de la comète, un essaim de météores, les andromédides, apparut. Les Allemands Weiss et d'Arrest purent rapidement, par des calculs d'orbite, relier cet essaim à la comète P/Biela, qui continuait ainsi à disperser, en quelque, sorte ses cendres. En extrapolant, les deux Allemands purent prédire une pluie abondante de météores pour le prochain passage calculé de la comète, ou plutôt de ce qu'il en restait, pour le 28 novembre (selon Weiss) ou le 9 décembre (selon d'Arrest) 1872. Ce phénomène survint effectivement, avec une ampleur exceptionnelle, le 27 novembre. En 1885, le même jour, eut également lieu une averse de météores, mais moins spectaculaire, ainsi qu'en 1892 (mais avec une intensité très faible cette fois-ci). Depuis cette date, cet essaim de météores, dont l'orbite des poussières qui le composent a peut-être été perturbée, ne s'est plus manifesté (sauf, peut-être, les 27 novembre et 4 décembre 1940).

Ce phénomène de pluie d'étoiles filantes, associée sans ambiguïté à une comète, intervenait au bon moment pour confirmer l'interprétation de ce genre de manifestation (dont il sera question au chapitre cinq). En effet, si le phénomène des étoiles filantes était connu depuis toujours, son origine céleste n'avait vraiment été reconnue qu'en 1803 (après la chute d'une météorite dans l'Orne). La notion d'essaim, c'est-à-dire de météores semblant venir d'un même point de l'espace, leur trajectoire sur la sphère céleste se coupant au même endroit, fut établie pour la première fois en 1833. C'est en effet cette année-là, les 12 et 13 novembre, qu'avait eu lieu une pluie exceptionnelle d'étoiles filantes sur le continent américain, semblant provenir de la constellation du Lion.

Cette première identification fut suivie de celle de l'essaim des perséides (l'essaim le plus actif en moyenne) apparaissant le 10 août, par un astronome belge nommé Adolphe Quételet. Plus tard encore, l'Américain Newton (!) et l'Anglais Adams prédirent un retour de la spectaculaire pluie de novembre 1833 pour novembre 1866, Adams ayant put montrer que l'orbite des particules de poussières créant les étoiles filantes était elliptique, avec une période de 33,25 ans. Enfin, ce fut en 1866 puis en 1867, juste avant qu'on identifie l'essaim de la comète P/Biela, que l'Italien Giovani Schiaparelli put établir le lien entre les essaims et les comètes suivantes : la comète P/Swift-Tuttle (1862 III) avec les perséides, et P/Tempel-Tuttle (1866 I) avec les léonides de novembre.

Le deuxième retour de Halley

Toutes les nouvelles comètes découvertes à la fin du XVIIIe siècle et au début du XIXe, parfois très intéressantes, ne firent pas oublier la plus célèbre d'entre elles, celle de Halley. Pour son deuxième retour annoncé, en 1835, les méthodes de calcul de la mécanique céleste s'étaient sensiblement affinées. De plus, la découverte de la planète Uranus, en 1781, par William Herschel, permettait également un calcul plus précis des perturbations gravitationnelles.

Avant que la comète ne revienne, les calculateurs se mirent donc au travail. Leurs résultats, liés aux masses adoptées pour les planètes, divergèrent légèrement. C'est ainsi que Damoiseau annonça la date du 4 novembre 1835, et de Ponté coulant, dont les calculs occupent un mémoire de soixante-douze pages à l'Académie des Sciences, celle du 13 novembre. La comète passa finalement au périhélie le 16 novembre. Ce passage démontra du même coup les progrès accomplis depuis 1758 alors que Clairaut, Lalande et Mme Lepaute avaient tenté d'effectuer un calcul similaire, mais en obtenant un résultat montrant trente-trois jours d'écart sur la date réelle du passage.

Lors de ce passage, la comète fut aperçue dès le 5 août à l'observatoire du Collège romain par les pères De Vico et Dumouchel, et fut vue à l'œil nu pour la première fois le 23 septembre. Son éclat augmenta encore et elle devint particulièrement brillante vers la mi-octobre, ayant alors atteint la première magnitude. Les observateurs de l'époque, par exemple Arago à Paris, aperçurent des structures en forme de rayons ou d'aigrettes lumineuses, qui apparaissaient dans la chevelure et changeaient assez rapidement d'aspect. La queue s'étendit au maximum, le 15 octobre, sur une longueur d'environ 20°.

Après les observations d'octobre, la comète devint invisible début novembre, car trop près du Soleil. Elle redevint visible fin janvier 1836, toujours très brillante, puis perdit peu à peu de son éclat avant d'être observée une dernière fois le 20 mai 1836 (par l'Anglais John Herschel, le fils de William Herschel).

Le développement de la physique cométaire

À une époque largement dominée par les succès de la mécanique céleste et de l'astronomie de position, l'intérêt pour l'analyse physique des comètes resta longtemps marginal, même si certains astronomes firent parfois des observations et des hypothèses pertinentes. Ce ne fut qu'avec l'essor de l'astrophysique et de ses moyens d'analyse, en particulier la spectroscopie, dès la fin du XIXe siècle, que la physique cométaire put réellement se développer. Elle ne connut cependant ses plus grands succès qu'au XXe siècle, après la Deuxième Guerre mondiale.

Avant l'apparition des premières observations spectroscopiques, dans les années 1860, les travaux sur la physique des comètes portèrent principalement sur les queues de celles-ci. Leur caractère ténu fut tout d'abord noté. Dès l'Antiquité, on avait en effet remarqué que des étoiles pouvaient parfois se trouver derrière une queue cométaire sans pour autant que leur éclat diminue (dans certains textes d'Aristote ou de Sénèque, par exemple). Il fallut cependant attendre le 27 novembre 1828 et l'observation par Wilhelm Struve d'une étoile de 11e magnitude passant derrière la chevelure de la comète d'Encke pour quantifier le phénomène. En effet, le Français Jacques Babinet, à partir des observations de Struve montrant que l'éclat de l'étoile n'avait pas montré d'affaiblissement visible, put annoncer l'extrême ténuité de la chevelure de la comète d'Encke (il l'évalua égale à vingt milliardièmes de milliardièmes de celle de l'atmosphère terrestre).

Le problème le plus délicat à résoudre était cependant celui de l'orientation des queues : pourquoi étaient-elles toujours orientées dans la direction opposée au Soleil ? Et, accessoirement, pourquoi existait-il différents types de queues, plus ou moins incurvées, voire, parfois, des antiqueues ? Comme il sera démontré au chapitre suivant, ces questions ne purent vraiment être résolues qu'au XXe siècle, certaines connaissance en physique et sur le vent solaire faisant défaut au XIXe siècle. Il y eut néanmoins un remarquable travail de pionnier effectué par l'astronome allemand Friedrich Bessel en 1836, fondé sur des observations attentives de la comète de Halley lors de son passage en 1835. Il reprit les idées de Newton (qui avait déjà noté que la présence des queues s'expliquerait peut-être par des particules éjectées de la tête et poussées dans la direction antisolaire) et d'Olbers (qui avait observé une comète apparue en 1811), en en faisant un traitement analytique poussé.

Ce traitement lui permit d'introduire pour la première fois l'effet fontaine (traité plus en détail au chapitre cinq) en soutenant que les particules étaient éjectées en direction du Soleil puis soumises à deux forces antagonistes. Une de ces forces était déjà connue depuis longtemps, puisque c'est la force gravitationnelle exercée par le Soleil, qui est donc attractive et varie en raison inverse du carré de la distance au Soleil. La deuxième, par contre, était plus spéculative. Tout ce que Bessel put en dire est qu'elle devait être répulsive et varier également en raison inverse de la distance au Soleil. Il la supposait également souvent bien plus importante que la première. Il montrait ainsi que les particules, après avoir été éjectées dans la direction du Soleil, étaient rapidement repoussées dans la direction opposée pour former la queue.

Ce travail remarquable sert toujours de base à l'interprétation de la dynamique des queues de poussières. Il lui manque cependant deux éléments importants. Le premier concerne la nature physique exacte de la force répulsive. Nous savons aujourd'hui qu'il s'agit de la pression de radiation solaire grâce aux connaissances acquises au XXe siècle sur la nature physique de la lumière mais, à l'époque, il était impossible de l'expliquer correctement. Ceci n'empêcha pas la poursuite de nombreux travaux, par Bessel lui-même, par Olbers et par John Herschel (le fils de William). Ceux-ci y voyaient plutôt un phénomène de nature électrique.

Le deuxième élément important manquant à la théorie de Bessel est la différenciation du type de queue. Comme il en sera question dans le chapitre suivant, il existe en fait deux types de queues de nature physique différente : les queues de poussières et les queues de plasma. Or, la théorie de l'effet fontaine ne vaut que pour les queues de poussières, plus incurvées que celles de plasma. Ces dernières, composées d'ions emportés par le vent solaire, sont pratiquement rectilignes et leur orientation antisolaire est beaucoup plus rigoureuse.

Cette différenciation du type de queue fut vraiment notée en 1877 par l'astronome russe Fedor Bredichin. Celui-ci, après des années d'observations, distinguait trois types de queues suivant leur degré de courbure (type I, II ou III). Il est connu aujourd'hui que celles qu'il classait de type I sont les queues de plasma et les autres, des queues de poussières. Bredichin lui-même les interprétait cependant comme créées par une force répulsive de nature unique et électrique. Il interprétait alors les différents types de queue par des masses différentes des particules les composant : les queues de type I seraient ainsi constituées d'hydrogène, celles de type II, d'hydrocarbures, et celles de type III, courtes et très courbées, de vapeurs métalliques.

L'analyse de la lumière émise par les comètes commença par des mesures de polarisation (c'est-à-dire de la direction de vibration des ondes lumineuses, paramètre auquel nos yeux ne sont pas sensibles), effectuées dès 1819 par François Arago, mais sans grand succès vu la mauvaise qualité de l'appareillage alors disponible. Le même observateur, après avoir amélioré ses instruments de mesure, obtint des résultats plus probants sur la comète de Halley, en 1835, montrant ainsi qu'il existait effectivement un certain degré de polarisation dans la lumière émise par la chevelure. Il interpréta, avec justesse, cette polarisation comme étant due à la lumière solaire diffusée par les poussières.

Mais les progrès significatifs provinrent de la spectroscopie. La toute première observation de cette nature fut faite le 5 août 1864 par Giovani Donati, à Florence, sur une comète découverte par Tempel un mois auparavant. Le fonctionnement assez rudimentaire de son spectroscope, basé sur un prisme, permit alors simplement de noter l'existence de trois bandes brillantes (respectivement jaune, verte, et bleue) apparaissant sur un fond sombre. Cette première observation était néanmoins fondamentale, car elle montrait que la lumière des comètes n'était pas seulement composée de la lumière solaire réfléchie par les particules de la coma, lumière qui était d'ailleurs invisible lors de cette première observation.

Rapidement, d'autres observations spectroscopiques suivirent, avec du matériel de plus en plus perfectionné. C'est ainsi que le 9 janvier 1866 l'Anglais William Huggins, en plus du spectre d'émission discontinu détecté par Donati, observa un faible continuum solaire réfléchi par les poussières de la coma). Mais Huggins continua ses observations et le 23 juin 1868, observant une autre comète, il put faire le lien entre les bandes d'émission observées sur la comète et celles observées par Joseph Swan dans les composés du carbone (il s'agissait des raies du C_2, aujourd'hui appelées «bandes de Swan»). Treize ans plus tard, le 24 juin 1881, le même Huggins alla encore plus loin en obtenant la première photographie d'un spectre de comète, en une heure de pose, sur la comète Tebbutt (1881 III). Cette photographie améliora le seuil de sensibilité et permit de détecter d'autres raies d'émission dans le violet et le jaune. Les raies dans le violet furent ultérieurement identifiées comme provenant du radical CN. D'autres raies, situées vers 405 nm (nanomètres, soit des milliardièmes de mètres), furent également détectées mais il fallut attendre 1950 pour pouvoir les associer au C_3.

Dès lors, l'analyse spectroscopique était lancée et permit rapidement d'identifier la plupart des éléments simples apparaissant dans les spectres visibles. La grande comète de 1882 permit de détecter des raies identifiant du fer, du nickel et du cuivre. Ce résultat ne fut cependant accepté qu'en 1965, car on croyait alors que ces raies émanaient du Soleil (ce genre de raies est difficile à détecter et n'apparait que sur les comètes qui se rapprochent beaucoup du Soleil).

Le problème des premiers spectres obtenus est que la physique de l'époque ne possédait pas encore les outils théoriques nécessaires à leur interprétation complète. Il fallut attendre la révolution de la mécanique quantique, entre 1900 et les années 1930, pour pouvoir en tirer vraiment profit. L'identification des éléments reposait exclusivement, au début, sur des comparaisons avec des spectres obtenus en laboratoire, eux-mêmes assez mal compris sur le plan théorique.

Le premier pas important dans la compréhension théorique des spectres cométaires fut franchi en 1911 par Schwarzschild et Kron lorsqu'ils démontrèrent que la luminosité de la coma était due, pour la partie essentielle différente du continuum solaire, à un phénomène de fluorescence. Ce phénomène, qui sera abordé au chapitre cinq, est dû à l'absorption de la lumière solaire par les molécules de la comète, qui la réémettent aussitôt sur une longueur d'onde donnée en se désexcitant.

Les progrès des techniques de spectroscopie furent de plus en plus rapides au début du siècle, grandement aidés par ceux de la photographie. On peut citer en particulier l'emploi du prisme objectif, dès 1902 sur la comète Perrine-Borrelly (1902 III), qui permit d'obtenir simultanément le spectre de plusieurs zones de la coma. Le spectre d'une queue, beaucoup plus faible, put être détecté une première fois en 1907 sur la comète Daniel (1907 IV), puis sur la comète Morehouse (1908 III). Ces spectres permirent en particulier d'identifier l'ion CO^+, grâce au physicien anglais Fowler qui put l'identifier en laboratoire en 1910.

La connaissance du noyau, l'élément à la fois le plus fondamental d'une comète et le plus difficile à analyser, resta encore longtemps déficiente. Au début du XXe siècle, on considérait encore les comètes comme étant constituées d'un nuage de grains voyageant serrés les uns contre les autres, grâce à leur attraction gravitationnelle mutuelle, et libérant le gaz qui formait la coma et les poussières des queues. Cette vision semblait en effet bien rendre compte de la plupart des phénomènes observés, y compris ceux des essaims de météores associés aux comètes.

Le fait que ce genre de modèle, dit du «banc de sable», prôné principalement par Richard Proctor puis Raymond Lyttleton, présente certaines lacunes (par exemple, pour expliquer les forces non gravitationnelles mises en évidence par Encke) amena à envisager l'hypothèse d'un noyau solide unique. Cette hypothèse fut développée avec succès par l'Américain Fred Whipple en 1950 et donna lieu au modèle dit de la «boule de neige sale».

Les acquis de la physique des comètes au XXe siècle seront analysés plus en détail dans le chapitre cinq. On peut simplement signaler ici qu'on que ces acquis trouvèrent principalement leur source dans trois théories établies dans les années 1950 : (i) le modèle de la «boule de neige sale» (Whipple, 1950) qui vient d'être cité, (ii) le nuage de Oort (Oort, 1950) sur l'origine des comètes nouvelles ayant un vaste nuage sphérique situé loin du Soleil; et (iii) les travaux de Alfvén (1957) et Biermann (1967) sur l'interaction entre le vent solaire et les comètes, à l'origine en particulier des queues de plasma. La synthèse entreprise par ces différents scientifiques reposait, bien sûr, sur tous les travaux et observations effectués sur les comètes dans le passé, principalement aux XVIIIe et XIXe siècles.

Le troisième retour de Halley

Ce chapitre historique serait sans doute incomplet s'il ne mentionnait pas le dernier passage de la comète de Halley avant l'ère spatiale, en 1910. Même si ce passage n'apporta pas d'éléments nouveaux très importants dans la connaissance des comètes, il fut tout de même le premier qui permit d'analyser cette comète avec des moyens astrophysiques dignes de ce nom (en particulier aux plans photographique et spectroscopique).

Son passage fut tout d'abord précédé des classiques calculs d'orbites. Ceux-ci furent effectués en particulier par les Anglais Cowell et Crommelin, de l'observatoire de Greenwich, en 1909. Ils annoncèrent la date du 17 avril pour le passage au périhélie, alors que son passage effectif eut lieu le 20.

Grâce à l'apparition et au développement des plaques photographiques, la détection de la comète fut assez rapide. Halley fut en effet repérée sur une plaque photographique obtenue le 12 septembre 1909 par Max Wolf, à l'observatoire de Heidelberg, mais Christie, de Greenwich, réalisa ultérieurement qu'elle était visible sur un cliché obtenu durant la nuit du 9 au 10 septembre. À ce moment-là elle ne dépassait guère la magnitude 16 et sa position ne différait que de cinq minutes d'angle de la position calculée, se situant à la limite des constellations d'Orion et des Gémeaux.

Son éclat augmenta lentement avec les semaines, permettant la prise des premiers spectres début décembre, à l'observatoire de Lick, en Californie, et à l'Observatoire de Meudon. Elle fut détectée pour la première fois à l'œil nu le 11 février 1910. Les astronomes eurent cependant la surprise de voir apparaître une comète nouvelle inattendue et particulièrement brillante fin janvier. Comme le hasard voulut également qu'une série d'inondations et d'intempéries frappèrent l'Europe fin janvier, certains journaux n'hésitèrent pas à évoquer de vieilles croyances liant les comètes aux désastres...

Il faut dire aussi que pour ajouter aux craintes populaires les astronomes eurent la «bonne» idée, en affinant leurs calculs à l'automne 1909, d'annoncer que la Terre allait passer à travers la queue de la comète le 19 mai 1910. Comme la chevelure contient du cyanogène, certains esprits s'inquiétèrent... Pendant ce temps, l'éclat de la comète de Halley, qui était visible dans la soirée, continua d'augmenter, restant cependant beaucoup plus faible que celui de la comète de janvier.

Fin mars, elle disparut dans la lumière du Soleil couchant avant d'être réaperçue vers le 10 avril, le matin cette fois-ci. Elle devint de plus en plus visible le matin, à la fin d'avril et en mai. Au fur et à mesure que la date fatidique du 19 mai approchait, une certaine panique, nourrie par les journaux, s'empara d'une partie de la population. Camille Flammarion, par exemple, fut submergé de centaines de lettres de gens inquiets et demandant des explications... Pourtant, le passage à travers la queue, évidemment, passa totalement inaperçu. Il semble même, en fait, que la comète soit passée à 400 000 km de la Terre. De toute façon, vu sa densité, il n'y avait vraiment aucun danger.

La comète de Halley, à l'éclat décroissant, continua d'être suivie attentivement par les astronomes. La dernière observation visuelle (avec un télescope) eut lieu le 23 mai 1911 à l'observatoire de Yerkes, aux États-Unis, et la dernière observation photographique, peu de temps après, le 16 juin 1911. Depuis cette date, la comète de Halley est repartie, une fois de plus, dans les profondeurs du système solaire, loin de tout regard indiscret. Ce n'est que le 16 octobre 1982 qu'elle put de nouveau être détectée par un télescope terrestre, celui du mont Palomar, beaucoup plus puissant que ceux disponibles en 1910. Mais le quatrième retour prévu de la comète de Halley, en 1986, est une autre histoire qui sera longuement abordée plus loin dans cet ouvrage.

Chapitre 4

La dynamique des comètes

Le chapitre deux de cet ouvrage a mis en évidence l'effort intellectuel important qui fut nécessaire aux astronomes pour commencer à saisir la nature réelle du mouvement des comètes. Celui-ci est en effet très original par rapport à celui des autres corps du système solaire. Les principales caractéristiques des comètes sont en effet leur origine lointaine et leur grande sensibilité aux perturbations gravitationnelles, qu'elles soient dues aux autres planètes ou même parfois à des étoiles proches. Ces deux éléments donnent des mouvements orbitaux caractérisés principalement par une très grande excentricité (et, secondairement, par des inclinaisons très variables par rapport au plan de l'écliptique où circulent les autres planètes).

Dans ce chapitre, les mouvements orbitaux des comètes seront étudiés de plus près, sous tous leurs angles. Historiquement, ce fut en effet par cet aspect du problème que la science cométaire enregistra ses premiers succès notables, emportée par la révolution newtonienne et ses suites.

Les orbites observées actuellement

En cette fin de XXe siècle, alors qu'il y aura bientôt quatre cent ans que les astronomes ont accès à des instruments d'optique, les scientifiques disposent d'une base de données importante sur les comètes qui s'approchent du Soleil. Il est ainsi possible de compiler des statistiques sur leurs orbites, parfois en utilisant des observations effectuées à l'œil nu bien avant l'invention de la lunette astronomique (à une époque où, d'ailleurs, on ignorait presque tout de la nature physique réelle des comètes). Globalement, on estime ainsi que plus d'un millier de comètes différentes ont pu être observées jusqu'à aujourd'hui, dont environ quatre cents avant l'invention de la lunette astronomique. Ce nombre est d'ailleurs beaucoup plus faible que celui des passages cométaires effectivement observés, car il faudrait ajouter pour obtenir ceux-ci tous les passages multiples de comètes périodiques.

L'étude des catalogues de comètes qui essaient d'inclure les passages les plus anciens en donnant leurs éléments orbitaux, même approximatifs, montre que le plus ancien passage fiable remonte à l'an 239 av. J.-C. Il s'agit bien sûr de la comète de Halley. C'est cette comète qui remplit les catalogues jusqu'au Moyen Âge, les quelques autres comètes mentionnées, même avec des éléments orbitaux, portant des noms aussi vagues que «comète chinoise» ou «comète brillante». En ce qui concerne la comète de Halley, tous ses passages ont été enregistrés depuis 239 av. J.-C., le seul cas litigieux étant celui concernant son passage suivant, vers 164 av. J.-C. Ce passage semble cependant avoir été observé, au moins par les Babyloniens, puisqu'en 1984 des chercheurs ont annoncé avoir retrouvé des traces de son passage sur des tablettes conservées au British Museum de Londres. La grande majorité des passages de Halley, cependant, ont bien sûr été observés par les Chinois, comme il en a déjà été fait mention au chapitre un.

Une des premières comètes connues, autre que celle de Halley, dont on a enregistré un passage permettant un calcul d'éléments orbitaux (avec tout de même un léger doute sur l'identification exacte de l'objet) est la comète P/Tempel-Tuttle, observée lors de son passage de 1366. Viennent ensuite un certain nombre d'autres comètes associées au renouveau de la science en Europe, dont les noms sont souvent lié aux astronomes célèbres qui les ont observées. On peut citer, par exemple, la comète Régiomontanus (en 1472), Fracastoro (en 1532), Apian (en 1533) ou les comètes Brahé (en 1577, 1582, 1590 et 1596, dans ce dernier cas, s'agissant d'une comète découverte avec Moestlin).

L'apparition de la lunette astronomique, qui va de pair avec un développement important de la physique et de l'astronomie, en particulier avec Halley, favorise la multiplication des observations. Parmi les observateurs actifs qui ont associé leur nom à plusieurs comètes, on peut citer en particulier Hevelius dans la deuxième moitié du XVIIe siècle et Messier au XVIIIe siècle. La plupart des noms d'astronomes, voire de comètes, qui sont ici cités, ont déjà été mentionnés dans les trois précédents chapitres historiques, car leur rôle fut parfois non négligeable dans l'histoire des comètes.

Aujourd'hui, on observe au total environ une vingtaine de comètes chaque année, mais ce chiffre est assez variable et inclus, pour l'essentiel, des comètes périodiques déjà observées lors d'un ou plusieurs passages précédents. Il existe donc quelque comètes détectées pour la première fois chaque année. Ces découvertes sont un des rares domaines où les astronomes amateurs peuvent faire œuvre utile, vu le caractère imprévisible de l'apparition des nouvelles comètes.

L'étude statistique des orbites cométaires recensées dans les catalogues peut apporter beaucoup d'informations, comme il le sera démontré. Un des plus fameux de ces catalogues est celui de Brian Marsden, responsable du bureau central des télégrammes astronomiques à l'observatoire de l'Institut Smithsonian à Cambridge (États-Unis). Dans la version 1986 de ce catalogue, par exemple, qui regroupe des informations sur 748 comètes distinctes, on distingue quatre types d'orbites différents :

- Les orbites elliptiques à courte période (moins de 200 ans) qui représentent 18 % des comètes recensées.
- Les orbites elliptiques à longue période (plus de 200 ans), qui représentent 23,9 % des comètes recensées.
- Les orbites paraboliques (43,1 % du total).
- Les orbites hyperboliques (excentricité inférieure à 1,006), 15% du total.

Avant d'essayer d'interpréter ces données, il serait sans doute opportun de faire quelques rappels de notions de géométrie concernant les courbes mentionnées ci-dessus. Les trois types d'orbites désignées (elliptiques, paraboliques et hyperboliques) présentent en effet des caractéristiques assez différentes. On peut s'en faire facilement une idée en utilisant l'image d'un cône (d'où le nom de coniques). En effet, si on représente un cône à la verticale, le sommet étant en haut, comme sur la figure 1, on peut le «couper» avec un plan de différentes façons. Le premier cas envisageable, le plus simple à se représenter, concerne un plan horizontal ou légèrement incliné. Dans ce cas, l'intersection du plan et du cône forme un cercle (cas limite du plan horizontal) ou une «espèce de cercle applati» (plan incliné). Toutes les figures ainsi obtenues sont des courbes fermées appelées des ellipses.

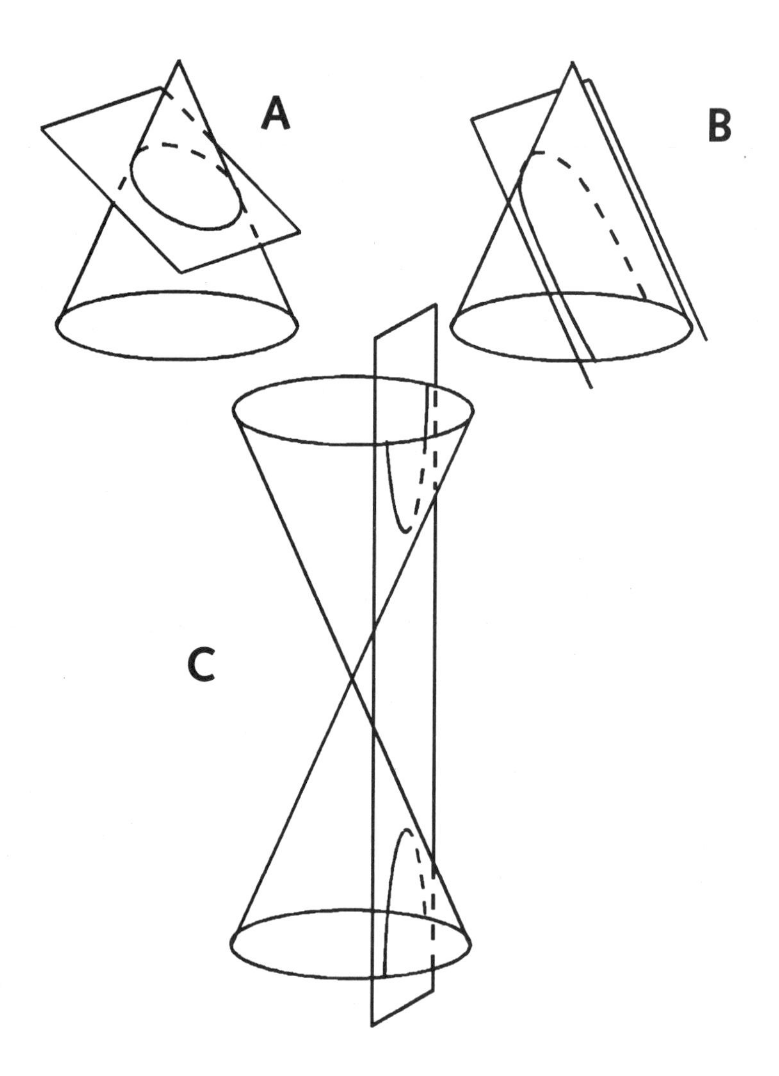

Figure 1. Représentation schématique des trois types de coniques.
A : ellipse. B : parabole. C : hyperbole.

Si on continue à incliner le plan, il est clair qu'il existe une valeur limite où l'on n'obtient plus une courbe fermée mais une courbe ouverte. Cette figure a été créée au moment où le plan est parallèle au bord du cône. Ce cas limite d'une «ellipse ouverte à l'infini» est appelé une parabole. Mais on peut encore continuer à incliner le plan considéré jusqu'à la verticale (au-delà, on reviendrait sur des courbes déjà obtenues). On obtient alors des courbes encore plus ouvertes que la parabole, qu'on appelle des hyperboles (*stricto sensu* une hyperbole est composée de deux courbes distinctes (voir figure 1), mais il est évident qu'une comète ne parcourt qu'une seule des deux sections).

D'un point de vue plus mathématique, on distingue les trois courbes mentionnées en fonction de ce qu'on appelle leur excentricité. Celle-ci, dans le cas d'une ellipse, par exemple, est définie par le rapport de la distance entre un foyer et le centre de l'ellipse par la largeur de l'ellipse. Une ellipse est définie en effet par ses deux foyers et un point quelconque : tous les points de l'ellipse sont alors ceux dont la somme des distances aux deux foyers est la même que celle du point déjà connu. Le cas extrême est celui du cercle, où les deux foyers sont confondus au centre et où tous les points sont donc à égale distance du centre. Dans ce cas, l'excentricité (e) est nulle. On a ainsi, pour les ellipses, $0 \leq e < 1$, pour les paraboles, $e=1$, et pour les hyperboles, $e>1$.

À la lumière de ces explications (sommaires), on réalise immédiatement que la majeure partie des comètes détectées lors de leur passage près du Soleil ont des orbites ouvertes et ne passent donc qu'une seule fois près de cet astre (sauf perturbations futures qui changent l'excentricité, évidemment). Les orbites paraboliques et hyperboliques représentent en effet, dans les statistiques mentionnées précédemment, environ 58 % de toute les orbites calculées.

En fait, les orbites elliptiques étant très souvent de forte excentricité, on peut les assimiler à des paraboles dans la région proche du Soleil. C'est même une méthode classique de détermination des orbites cométaires que de commencer les calculs d'orbite en supposant l'orbite parabolique ($e=1$). Cette méthode, mentionnée au chapitre précédent, fut mise au point par W. Olbers en 1797 et nécessite au moins trois observations à quelques jours d'intervalle. En supposant l'orbite parabolique, on peut alors prévoir rapidement le mouvement futur de la comète, ce qui permet son suivi pour d'autres observations. Celles-ci montrent alors s'il est nécessaire de corriger les calculs en fonction d'une orbite elliptique ou hyperbolique.

La détermination des éléments orbitaux d'une comète donne six éléments qui permettent de définir complètement son mouvement : (i) l'instant T de passage au périhélie; (ii) la longitude du nœud ascendant Ω qui représente le point de l'orbite où la comète croise l'écliptique en allant du sud vers le nord (comptée à partir du point vernal γ qui représente lui-même un point de l'orbite de la Terre); (iii) l'argument du périhélie, ω, qui est l'angle entre l'axe Soleil-périhélie (point le plus proche du Soleil) et l'axe Soleil-nœud ascendant Ω; (iv) l'inclinaison i du plan de l'orbite par rapport à celui de l'écliptique, où circulent les planètes; (v) la distance q du périhélie au Soleil; et (vi) l'excentricité e de l'orbite. La connaissance de ces six éléments permet en principe, s'ils ne changent pas au cours du temps, de calculer toutes les positions passées et futures d'une comète dans le système solaire (et donc sa position dans le ciel vue depuis la Terre).

Les inclinaisons i ne se distribuent pas tout à fait de la même façon suivant les comètes. On observe en effet que les comètes elliptiques à courte période ont souvent des valeurs faibles, inférieures à 30° dans la grande majorité des cas (ce qui signifie que ces comètes circulent sur un plan peu incliné par rapport à l'écliptique). Les autres comètes, par contre, ont des valeurs de l'inclinaison variables, qui peuvent aller de 0° à 180°. Au-delà de 90° on parle d'orbite rétrograde, le mouvement semblant s'effectuer en sens inverse à celui des planètes. Ce dernier cas correspond notamment à celui de la comète de Halley (i=162°). L'importance de cette remarque et la façon dont elle s'explique seront abordées plus loin.

Le nuage de Oort

Parmi les éléments orbitaux qui sont mentionnés ci-dessus, il en est un dont l'étude statistique fut très fructueuse. Il s'agit du demi-grand axe de l'orbite, a, qui est déduit directement de q et de e (voir annexe 2). En effet, en 1950 un astronome hollandais, Jan Oort, publia un article où il faisait part des résultats d'une étude portant sur la distribution du rapport 1/a de dix-neuf comètes périodiques à longue période (en utilisant la valeur originale de a avant l'arrivée de la comète près du Soleil). Au cours de ses travaux, il se rendit compte que les valeurs obtenues ne se répartissaient pas au hasard, mais présentaient un pic marqué aux environs de 10^{-5} $(UA)^{-1}$. Il interpréta ce résultat, compte tenu également de la distribution aléatoire des inclinaisons des orbites, comme étant dû à l'existence d'un vaste nuage sphérique de comètes situées aux alentours de 10 000 à 100 000 UA.

L'existence d'un tel pic ne peut s'interpréter qu'en admettant que le type de comètes étudiées correspond à des objets qui en sont à leur premier passage près du Soleil. Si elles étaient toutes (ou la plupart) déjà passées près du Soleil, alors les perturbations subies auraient considérablement «lissé» la courbe de distribution en créant une forte dispersion sur les valeurs de 1/a.

Cette découverte, qui fut largement confirmée et précisée par la suite revêt une telle importance qu'on donna le nom de nuage de Oort à cet ensemble de comètes en orbites lointaines.

Pour être tout à fait juste il convient de signaler qu'en 1932 un certain Ernst Öpik, en Irlande, publia un article consacré aux perturbations gravitationnelles des étoiles sur les comètes et les météores lointains. Dans cet article, il était suggéré que l'influence des perturbations stellaires pourrait créer un nuage de comètes et météores aux confins du système solaire. Il situait celui-ci à «seulement» 1500-2000 UA, mais ne se rendit pas compte que les perturbations stellaires pourraient aussi amener les comètes à passer près du Soleil, ce qui rendrait le nuage détectable par le calcul des distances à l'aphélie.

Les études statistiques plus fines sur le rapport 1/a montrèrent une distance moyenne à l'aphélie des comètes périodiques «neuves» de 50 000 UA en moyenne. Le nuage semble cependant assez dispersé en volume puisque, pour englober la grande majorité des comètes observées, il faut considérer une zone allant de 30 000 à 100 000 UA. Si on considère qu'une vingtaine de comètes environ passent chaque année près du système planétaire et qu'on estime ce rythme à peu près constant depuis l'apparition du système solaire, il y a cinq milliards d'années environ, alors on peut calculer que 100 milliards de comètes issues du nuage de Oort en sont déjà sorties. Ce chiffre de 100 milliards donne sans doute l'ordre de grandeur du nombre total de comètes situées dans le nuage de Oort. Des études plus raffinées avancent cependant des valeurs environ dix fois plus élevées.

Les études théoriques effectuées ces dernières années, grâce aux progrès de l'informatique, sur la dynamique des comètes composant le nuage de Oort ont apporté beaucoup d'éléments pour sa compréhension (qui est très complexe) et sensiblement modifié la vision quelque peu simpliste qu'on pouvait s'en faire au début.

Les utilisateurs des modèles théoriques ont tout d'abord analysé en détail le problème des perturbations gravitationnelles subies par des comètes situées aussi loin du Soleil. Une distance de 30 000 à 150 000 UA représente en effet 0,5 à 2,5 années-lumières (a.l.). Sachant que l'étoile actuellement la plus proche du Soleil, alpha du Centaure, est à 4,3 a.l., on voit qu'il s'agit de distances plus proches des distances interstellaires que des distances interplanétaires. À de telles distances, l'influence gravitationnelle du Soleil est bien faible et, dès le départ, Oort suggéra que les étoiles voisines pouvaient perturber le mouvement des comètes se situant aux distances qu'il avait mis en évidence, et les amener ainsi à passer près du Soleil.

Cette vision relativement simple d'un nuage peuplé de froids noyaux cométaires tranquillement en orbite autour du Soleil depuis la nuit des temps et brusquement précipités vers lui, ou éjectés du système solaire par une étoile proche, s'est sensiblement compliquée. En effet, l'étude des sources possibles de perturbation du mouvement orbital a sensiblement évolué dans les années soixante-dix et quatre-vingt. On s'est ainsi rendu compte que deux autres sources de perturbations existaient : les nuages moléculaires géants et le champ gravitationnel de la Galaxie lui-même. Le passage des nuages moléculaires géants à proximité du système solaire, en déplacement constant, comme toutes les étoiles, à travers la Galaxie, se produit toutes les 300 millions d'années environ. Cette période est relativement longue (à comparer, par exemple, aux 200 millions d'années que met la Terre pour tourner autour du centre galactique). Cependant, la masse d'un nuage de ce genre est telle qu'elle peut induire de très fortes perturbations sur les comètes du nuage de Oort.

Le disque galactique, quant à lui, exerce une influence constante sur le nuage en le déformant et en limitant ses dimensions externes.

Celui-ci serait donc allongé en direction du centre galactique avec des orbites ne dépassant pas 100 000 UA pour les orbites directes (par rapport à la rotation galactique) orientées en direction du centre galactique, 80 000 UA pour le orbites perpendiculaires, et 120 000 UA pour les orbites rétrogrades. C'est cette source de perturbations qui semble être l'origine majeure des perturbations orbitales subies par les comètes du nuage de Oort.

Les perturbations provoquées par les étoiles traversant le nuage de Oort ont également été quantifiées. On estime qu'environ 5400 étoiles ont pu passer à moins de 100 000 UA du Soleil depuis sa création. On a calculé qu'une étoile type traversant le nuage de Oort, ayant une masse égale à celle du Soleil et une vitesse relative de 20 km/s, crée un espèce de «tunnel gravitationnel» de 450 UA environ duquel toutes les comètes sont éjectées. Au total, on estime que les étoiles traversant le nuage de Oort ont déjà réussi à éjecter environ 10 % des comètes qui le composent.

Une étude fine de la répartition des positions des aphélies sur la sphère céleste a même permis d'identifier une zone allongée plus dense que les autres, attribuée à un ensemble de comètes perturbées à l'origine par un même objet, peut-être une étoile naine brune ayant lentement traversée le nuage de Oort (en étant déviée par le Soleil). Cette même étude a aussi démontré qu'il y a peu de comètes qui proviennent des pôles ou de l'équateur galactiques, où les effets de marée perturbent moins les mouvements cométaires.

On voit donc que la vie d'une comète dans le nuage de Oort s'avère beaucoup plus mouvementée qu'on ne pourrait s'y attendre. Ceci est tellement vrai qu'on estime la durée de vie dynamique moyenne de ce genre de comète, dans le nuage de Oort, à 60 % de l'âge du système solaire, dans le meilleur des cas. Ce chiffre amène alors la question du «remplissage» de ce réservoir de comètes si on veut expliquer sa longévité.

A priori, deux phénomènes peuvent être envisagés : une capture de comètes venant de l'espace interstellaire, ou un «réservoir interne» situé plus près du Soleil. La première idée semble exclue pour des raisons dynamiques, la vitesse relative du Soleil par rapport aux étoiles environnantes (16,5 km/s) étant beaucoup trop élevée pour permettre ce genre de captures. Reste l'hypothèse d'un deuxième réservoir, plus discret que le premier et situé plus près du Soleil.

Ce deuxième réservoir semble pouvoir s'expliquer assez bien par des modélisations théoriques partant des modèles du système solaire primitif, où les noyaux cométaires sont concentrés sur le plan de l'écliptique, près du Soleil. L'évolution dynamique de distributions initiales aussi réalistes que possible, compte tenu de notre connaissance des comètes et du système solaire primitif, montre un «double» nuage de Oort : un nuage externe, situé au-delà de 10 000 UA et ayant des inclinaisons orbitales et des excentricités réparties au hasard, et un nuage interne légèrement aplati autour du plan de l'écliptique et situé en deçà de 10 000 UA. Le nuage externe ainsi obtenu correspond au nuage de Oort observé, le nuage interne étant cependant plus théorique. On estime la population de ce dernier à cinq à dix fois celle du nuage externe, soit à environ 10 000 milliards d'objets. Étant moins sensible aux perturbations externes, car plus proche du Soleil, il serait plus stable et pourrait alimenter le nuage externe en comètes «fraîches».

L'étude des orbites des comètes à courte période a encore compliqué un peu l'image du nuage de Oort en lui ajoutant une troisième composante, encore plus proche du Soleil que le nuage interne. La faible inclinaison orbitale des comètes à courte période, dont il a déjà été question, tend en effet à accréditer l'idée que leur origine ne se trouverait pas dans des perturbations orbitales subies par des comètes à longue période (aux inclinaisons aléatoires). Si on suppose qu'il existe un «anneau» de comètes situé au-delà de l'orbite de Neptune, à des distances variant entre 50 et 500 UA (contre 2000 à 3000 UA pour les zones du nuage de Oort les plus proches du Soleil), l'existence des comètes à courte période serait beaucoup plus facile à expliquer. Cet anneau est appelé «ceinture de Kuiper», en référence au premier astronome à avoir suggéré son existence (en 1951), ou parfois plus simplement disque trans-neptunien. Pour des raisons physiques internes aux comètes ce disque trans-neptunien serait un lieu de formation idéal pour les comètes, comme il sera montré au chapitre sept. Des études récentes, effectuées dans la chasse aux objets trans-neptuniens, tendent à confirmer la présence de ce disque.

Les estimations de la masse globale du nuage de Oort sont assez délicates étant donné les incertitudes concernant les différents paramètres (nombre total d'objets, densité, distribution des tailles, etc.). Les estimations obtenues varient de 14 à 1000 masses terrestre, avec une valeur la plus probable tournant autour de 46 masses terrestre. Les processus de perte ayant probablement fait partir de 40 à 80 % des comètes du système solaire depuis sa création, la masse calculée aujourd'hui serait sensiblement inférieure à ce qu'elle était à l'origine du système solaire.

Le sort des comètes éjectées du nuage de Oort

On sait qu'il existe trois sources potentielles de perturbation des orbites du nuage de Oort (la Galaxie, les nuages moléculaires géants et les étoiles), mais il reste à expliquer comment les comètes perturbées peuvent évoluer. Une partie de ces comètes sont directement éjectées du système solaire et sont donc perdues à tout jamais, mais une autre partie, la plus intéressante pour les astronomes, se rapproche du système planétaire.

Arrivé dans cette zone (moins de 40-50 UA du Soleil environ), un noyau cométaire subit l'influence des planètes et en particulier de la plus massive d'entre elles : Jupiter. Il peut alors subir des perturbations telles que, après son passage près du Soleil, il est éjecté à tout jamais du système solaire. Si sa distance minimale au Soleil (périhélie) est suffisamment faible (au maximum de deux à trois UA), on a droit alors à une belle comète «nouvelle» qui ne brillera qu'une seule fois de tous ses feux avant de repartir à tout jamais loin du système solaire (orbite parabolique ou hyperbolique). Les comètes nouvelles, dont il sera bientôt question, sont en général plus brillantes que les autres, car elles ont conservé tous leurs éléments, même les plus volatils.

Le cas le plus intéressant, cependant, est constitué des comètes qui sont «capturées» par le système planétaire et qui deviennent ainsi des comètes périodiques. D'une façon très schématique, on peut dire que les passages répétés près des planètes ont tendance à diminuer la période. Le détail des changements d'orbites est cependant un sujet de discussion complexe dont nous avons déjà eu un aperçu avec l'utilité de se servir de la ceinture de Kuiper pour mieux expliquer l'existence des comètes périodiques à courte période. Aujourd'hui, on a donc tendance à distinguer le cas des comètes issues des régions externes du nuage de Oort de celui des comètes issues des régions internes.

Celles issues du nuage externe sont les plus instables et peuvent se retrouver brutalement sur une orbite dont le périhélie se trouve près du Soleil. C'est souvent ce type de comète qui constitue les comètes totalement «nouvelles» évoquées ci-dessus, à l'activité parfois très intense même loin du Soleil.

À l'inverse, celles issues de la partie interne du nuage de Oort, ou du disque trans-neptunien, auraient un comportement plus mesuré. Tout d'abord, une première perturbation (peut-être causée par les marées galactiques) rapproche lentement le périhélie des orbites d'Uranus et de Neptune (respectivement à 19 et 30 UA du Soleil). Au fur et à mesure que le noyau cométaire concerné se rapproche de ces planètes, l'influence gravitationnelle de ces dernières, bien sûr, augmente. On a alors affaire à un processus «stochastique» qui finit par rapprocher la distance périhélique du Soleil. Lorsque celle-ci diminue, la planète suivante (en se rapprochant du Soleil) prend le relais, et ainsi de suite.

Ce processus s'arrête avec Jupiter. Cette planète géante finit par stabiliser les orbites des comètes périodiques d'une façon telle que leur aphélie se situe aux alentours de 5 UA (qui correspond à la distance de Jupiter au Soleil) et leur périhélie à 1 ou 2 UA du Soleil. Ces comètes sont dites de la «famille de Jupiter» et ont des périodes orbitales de 6 ou 7 ans. On connaît un assez grand nombre de ce type de comètes (une centaine), qui sont faciles à retrouver d'un passage à l'autre.

Les détails de ce type de captures successives, d'une planète à l'autre, sont cependant peu connus. Ils reposent essentiellement sur des calculs théoriques, les observations directes de ces astres étant extrêmement délicates au-delà de Jupiter. Seuls quelques cas particuliers d'objets géants semblent correspondre à des transferts entre Jupiter et Saturne d'une part (cas de la comète P/Schwassmann-Wachmann 1), et entre Saturne et Uranus d'autre part (cas de Chiron, un astéroïde commençant, peut-être, à présenter des signes d'activité cométaire).

Les perturbations orbitales, dues à Jupiter en particulier, sont, par contre, connues et observées depuis longtemps, essentiellement par leur action sur les comètes périodiques. On a pu calculer que la comète de Halley, par exemple, avait une période fluctuant entre 75 et 79 ans ces deux derniers millénaires, à cause des perturbations planétaires. Il existe cependant des perturbations orbitales inexplicables par le seul jeu des forces gravitationnelles des planètes, ce dont il sera question un peu plus loin.

Il convient cependant de signaler que la famille de Jupiter, dont l'existence vient d'être mentionnée, n'est pas un cas unique, même s'il s'agit certainement de la famille regroupant le plus d'objets différents. Il existerait en fait plusieurs dizaines de familles de comètes, comportant en général très peu d'objets (une dizaine, au maximum). Un certain nombre de ces familles sont en fait constituées des débris d'un même noyau originel.

La plus importante de ces familles est connue sous le nom de «groupe de Kreutz», ainsi nommée en l'honneur de l'astronome allemand qui s'intéressa le premier à ce type de comètes, à la fin du siècle dernier. L'orbite des comètes composant ce groupe est très particulière, car le périhélie est très proche du Soleil, à une distance de seulement 0,001 à 0,01 UA (soit 150 000 à 1,5 millions de kilomètres seulement [le rayon du Soleil est de 700 000 kilomètres]). Les périodes de révolution de ces comètes sont assez élevées, de l'ordre de 700 à 1000 ans (leur orbite est presque parabolique). On estime en fait aujourd'hui qu'il s'agit des débris d'un même noyau initial qui aurait été brisé en plusieurs morceaux sous l'effet des forces des marées du Soleil. Cet objet serait passé pour la première fois près du Soleil il y a déjà plusieurs millénaires et se serait cassé en deux ou trois morceaux, chacun de ces morceaux se brisant ensuite en plusieurs autres morceaux.

Le groupe de Kreutz contient plus d'une vingtaine de comètes identifiées. Parmi celles-ci, un certain nombre, de par leur très faible distance au Soleil, furent exceptionnellement brillante et active, en apparaissant à quelques degrés seulement du Soleil. On peut citer, entre autres, la grande comète de mars 1843 (1843 I), la grande comète de 1880 (1880 I), la grande comète de septembre 1882 (1882 II), la comète Thome (1887 I) et Ikeya-Seki (1965 VIII). Au début des années quatre-vingt l'usage d'un satellite artificiel américain permettant d'observer les zones proches du Soleil (à l'aide d'un coronographe masquant le disque solaire) permit de découvrir encore d'autres comètes du même groupe, mais beaucoup plus discrètes. Seize nouveaux objets furent ainsi identifiés en une seule décennie. Le premier d'entre eux, identifié sur des clichés obtenus le 30 août 1979, révéla même une collision avec le Soleil. La comète observée tout près du Soleil le 30 août avait disparu le lendemain, laissant à sa place un vaste éventail de poussières déployé derrière le disque solaire.

En ce qui concerne les perturbations des orbites cométaires, lorsque les comètes sont loin du Soleil, soit dans le nuage de Oort, seul l'effet de marée galactique est permanent. On peut donc fort logiquement se demander si le passage aléatoire d'une étoile dans le nuage de Oort ou d'un nuage moléculaire géant à proximité de celui-ci ne pourrait pas induire une brutale augmentation du nombre de comètes injectées dans le système planétaire en provenance des régions externes. Des études théoriques effectuées sur ordinateur (utilisant des méthodes dites de Monte-Carlo, car prenant en compte un grand nombre de tirages aléatoires, comme les roulettes des casinos) ont montré qu'on pouvait effectivement s'attendre à des variations sensibles du flux des comètes injectées dans le système planétaire. Des variations de l'ordre d'un facteur deux pourraient être relativement courantes.

Le passage aléatoire d'étoiles dans le nuage de Oort pourrait donc créer une augmentation spectaculaire du flux de comètes pénétrant dans le système planétaire. On passerait ainsi à des valeurs moyennes du flux de comètes nouvelles à longue période entrant dans le système planétaire à moins de 2 UA du Soleil allant de 30 par année, à plusieurs centaines (jusqu'à 500 ou plus). Un tel pic dans le flux de comètes reçues par les planètes durerait de 2 à 3 millions d'années. On estime également que les plus forts de ces pics d'intensité seraient créés par des étoiles s'approchant jusqu'à des distances de l'ordre de 3000 UA, ce qui doit survenir tous les 300 à 500 millions d'années.

Une des principales conséquences de ce type de «douches cométaires» serait assez inquiétante pour les espèces vivants sur la planète bleue. On peut en effet s'attendre à un risque élevé (à l'échelle des temps astronomiques) de collision entre les planètes et les comètes. Globalement, on estime que 30 % environ des gros cratères (diamètre supérieur à 10 km) créés sur la Lune ou la Terre depuis leur formation seraient d'origine cométaire.

Certains auteurs (Raup et Sepkoski, dans un article publié en 1984) ont même affirmé avoir trouvé une période de 26 millions d'années correspondant à des événements ayant provoqué l'extinction biologique brutale de certaines espèces à la surface de la Terre. Une telle période est cependant assez controversée et ne semble pas concorder avec l'âge des différents cratères observés à la surface terrestre. Elle a cependant été étudiée sérieusement d'un point de vue astronomique et, si elle existe, il y aurait *a priori* trois mécanismes susceptibles de la créer : (i) une étoile naine tournant autour du Soleil à une distance telle que sa période orbitale serait de 26 millions d'années et son périhélie, dans le nuage de Oort; (ii) une dixième planète située à environ 150 UA du Soleil sur une orbite très inclinée et ayant un mouvement de précession; ou (iii) le mouvement en épicyles du Soleil qui l'amène à croiser le plan de la Galaxie tous les 32 millions d'années environ, ce qui entraînerait la rencontre avec des nuages moléculaires géants. Aucune de ces trois hypothèses ne semble cependant capable d'expliquer des «douches cométaires» avec la période citée sans poser plusieurs problèmes dynamiques. Ce qui ne signifie pas pour autant que ce secteur de recherche n'apportera pas des découvertes intéressantes dans le futur.

Cela dit, même en période ordinaire de flux de comètes en provenance du nuage de Oort, des collisions peuvent survenir. Le dernier exemple probable en date sur Terre est celui survenu en 1908 en Sibérie, qui sera examiné un peu plus en détail à le fin de ce chapitre. De telles collisions peuvent cependant aussi avoir lieu avec d'autres planètes, en particulier Jupiter. Ce qui fut le cas de façon spectaculaire en juillet 1994. À la fin du chapitre sept, on reparlera de cette collision.

Les forces non gravitationnelles

Les perturbations orbitales des comètes actives ne peuvent pas toujours s'expliquer uniquement par le jeu des forces gravitationnelles des planètes. On s'est rendu compte, dès 1838, avec la comète d'Encke dont il a été question au chapitre précédent, que des forces non gravitationnelles intervenaient également dans la modification des paramètres orbitaux de certaines comètes. Il fallut bien du temps (jusqu'aux années 1950) pour saisir l'origine réelle de ces forces non gravitationnelles.

Pour les comprendre, il fallait en fait avoir une idée assez précise de la nature physique réelle des comètes. La connaissance de la nature physique des comètes fit une avancée notable avec le modèle de la «boule de neige sale» proposé par l'Américain Fred Whipple en 1950, sujet analysé dans le chapitre suivant. Il y sera en effet montré que les noyaux cométaires présentent à la fois une rotation et des jets de gaz et de poussières très actifs, localisés de façon aléatoire (mais toujours en activité lorsqu'ils sont directement exposés au Soleil). Ce sont ces jets de particules qui créent un effet de réaction sur le noyau (exactement comme un réacteur de fusée) et entraînent une poussée dans la direction opposée au jet. Leur effet est en général assez faible, mais peut parfois devenir sensible, surtout si la comète subit peu de perturbations gravitationnelles.

Une des comètes les plus intéressante pour étudier ce genre de phénomène est la comète d'Encke, qui est également, comme nous l'avons déjà vu, la première sur laquelle il fut détecté. Cette comète présente en effet des caractéristiques intéressantes. Tout d'abord, sa période orbitale est très courte (3,3 ans), ce qui donne l'occasion de la voir souvent (à presque tous ses passages depuis sa découverte en 1786) et d'étudier à chaque fois ses éléments orbitaux qui subissent l'influence fréquente des forces de réaction des jets de gaz et de poussières. Ensuite, sa distance à l'aphélie (4,09 UA) la préserve de l'influence des perturbations gravitationnelles de Jupiter (situé à 5,2 UA du Soleil). De plus, sa faible distance au périhélie (0,34 UA) lui fait subir une forte dose de radiations solaires, provoquant ainsi une forte activité du noyau à chaque passage près du Soleil.

Cette comète a été étudiée de près, en particulier par Fred Whipple, qui s'est intéressé aux variations de sa période orbitale dues aux forces non gravitationnelles subies depuis sa découverte. Ces variations montrent une remarquable continuité : durant la pre-mière dizaine de passages observés (1786 à 1815), la période orbitale diminuait de plus en plus vite (de 2,3 à 2,7 heures/orbite). Durant deux ou trois passages, cette avance au périhélie resta stable, puis elle se mit à décroître régulièrement jusqu'à nos jours, où elle est devenue presque nulle.

Le caractère particulièrement régulier de ces variations permit de les relier à la rotation du noyau de façon convaincante. En effet, quand le sens de rotation du noyau est opposé à celui du mouvement orbital autour du Soleil, les forces de réaction dues à l'éjection du gaz et des poussières du noyau (qui a lieu «l'après-midi» pour un point donné du noyau, c'est-à-dire peu après qu'il ait reçu le maximum de radiations du Soleil) s'opposent au mouvement orbital (voir figure 2), ce qui a pour conséquence de réduire légèrement la taille de l'orbite et, suivant les lois de Kepler, de faire arriver plus rapidement la comète à son périhélie. C'est donc ce cas de figure qui s'applique à la comète d'Encke (un retard de passage au périhélie aurait été interprété, lui, comme une rotation du noyau dans le même sens que le mouvement orbital).

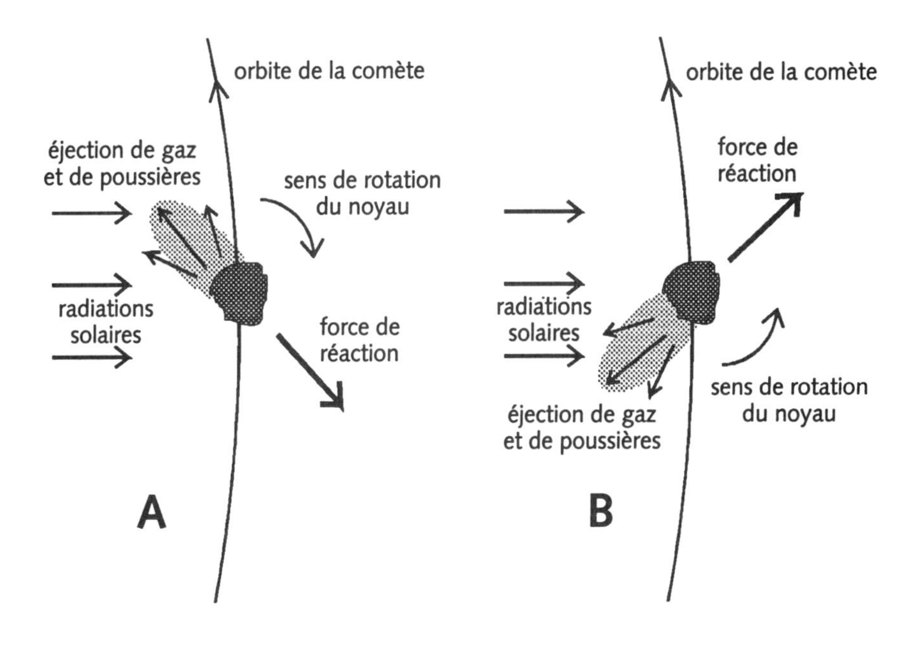

Figure 2. Principe de l'action des forces non gravitationnelles sur un noyau cométaire. En A, le noyau est freiné, l'orbite est donc réduite et la comète arrive en avance au périhélie (cas de la comète d'Encke). En B, le noyau est accéléré, l'orbite est donc agrandie et la comète arrive en retard au périhélie.

Le retard de passage au périhélie peut donc s'expliquer par la rotation du noyau dans le sens qui vient d'être évoqué. Cependant, les variations dans la valeur absolue de ce retard sont plus subtiles. Il faut en effet, pour pouvoir les modéliser, considérer un noyau légèrement aplati et non pas sphérique. Il est ainsi soumis à un classique effet de précession (semblable à celui qu'on observe pour la Terre, mais beaucoup plus rapide). L'axe de rotation tourne ainsi lentement avec le temps, modifiant la façon dont le noyau éjecte ses particules, ce qui en modifie le mouvement orbital.

Dans le cas de la comète d'Encke, il fut possible de calculer, au terme d'une modélisation théorique complexe (menée par les Américains Fred Whipple, Brian Marsden et Zdenek Sekanina), que l'axe de rotation avait tourné de plus de 100° en 191 ans. Il fut même possible de calculer son orientation et de représenter la direction dans laquelle il pointe sur la sphère céleste en fonction du temps. Par ailleurs, l'analyse des variations de l'activité du noyau a permis de calculer une période de rotation moyenne de 6,5 heures. Ces éléments permirent de conclure à un aplatissement relatif du noyau de l'ordre de 3 %, ce qui signifie, pour un noyau homogène de 2 km de diamètre, 60 m de moins en diamètre aux pôles par rapport à l'équateur. Cette différence paraît cependant extrêmement minime pour un noyau cométaire, même si elle ne représente qu'une moyenne qui n'exclut pas de multiples creux ou bosses.

De nombreuses autres comètes présentent des variations sensibles de leurs éléments orbitaux entre deux passages près du Soleil, dues aux forces non gravitationnelles. La comète de Halley, par exemple, a présenté un retard moyen de 4,1 jours à ses derniers passages au périhélie. Il existe également un certain nombre de cas semblables à delui de la comète d'Encke, c'est-à-dire présentant une variation des effets des forces non gravitationnelles dans le temps. On peut ainsi citer le cas des comètes P/Pons-Winnecke (qui subissait des freinages au siècle dernier et qui, maintenant, subit des accélérations) ou P/Kopff (qui subit une évolution inverse).

L'analyse complète du mouvement des comètes est donc extrêmement complexe et ne peut pas faire l'économie de l'étude des forces de réactions issues du noyau. Si on tient compte également des perturbations gravitationnelles provoquées par les autres planètes, ainsi que de l'évolution des zones actives à la surface du noyau (qui seront analysées plus en détail dans le chapitre sept) et du rétrécissement de celui-ci à chaque passage près du Soleil, on conçoit la difficulté de prévoir le mouvement futur d'une comète sur de grandes périodes de temps.

La chasse aux comètes

Les remarques faites sur la distribution des orbites cométaires montrent que lorsqu'une comète apparaît pour la première fois près du Soleil, son orbite et sa position peuvent être quelconques. Comme l'instant d'arrivée est évidemment tout à fait impossible à prévoir, la détection des comètes jamais observées auparavant relève davantage d'un art, et surtout de la chance, que d'une pratique scientifique rigoureuse.

Le seul moyen pour découvrir une nouvelle comète consiste en effet à observer le maximum de surface de la sphère céleste en un minimum de temps et à répéter l'opération aussi souvent que possible. C'est pourquoi il s'agit d'un des rares domaines de l'astronomie où les astronomes amateurs peuvent accomplir un travail très utile. En effet, la grande majorité des télescopes géants utilisés par les astronomes professionnels ont des champs de vue ridiculement petits (quelques minutes d'angle de côté) et sont pointés sur des objets précis (galaxies, étoiles, nébuleuses, planètes, etc.) déterminés des mois à l'avance. La probabilité pour qu'ils détectent par hasard une comète est ainsi presque nulle.

En fait, il existe un type de télescopes spécialement conçus pour la photographie à grand champ, ce sont les télescopes de Schmidt. Mais leur nombre est limité, leurs pellicules photographiques coûteuses limitent la prise de trop nombreux clichés, et le champ, même s'il est plus grand, ne dépasse tout de même pas quelques degrés de côté. Ce genre d'appareil, qui a malgré tout l'avantage d'être d'une très grande sensibilité, a permis un certain nombre de découvertes (par exemple, la fameuse comète Shoemaker-Levy 9 qui a percuté Jupiter en juillet 1994).

Beaucoup de découvertes sont le fait d'astronomes amateurs spécialisés dans la chasse aux comètes et qui observent directement le ciel à l'aide d'instruments à grand champ (jumelles ou télescopes très ouverts). Il faut être très patient pour ce type de chasse, des centaines d'heures d'observation étant souvent la règle avant de découvrir une comète (quand on y arrive !), mais la récompense est à la hauteur des attentes puisque la nomenclature officielle des comètes veut qu'on donne le nom de son découvreur à une comète.

En effet, presque toujours depuis 1759, et toujours depuis 1948, le premier élément utilisé pour désigner une comète est le nom de son découvreur. Au cas (de plus en plus fréquent de nos jours, vu la rudesse de la compétition) où il y a plusieurs personnes qui font la découverte simultanément, on peut donner plusieurs noms à la fois à la comète concernée (maximum trois). Une tradition récente veut cependant qu'on ne dépasse pas deux noms pour des personnes observant ensemble (ce qui peut parfois priver certaines personnes de la postérité comme nous le verrons au chapitre sept...). On ajoute également, parfois, le nom du redécouvreur.

Le deuxième élément composant le nom d'une comète est l'année de sa découverte (ou redécouverte) suivie d'une lettre minuscule indiquant son rang dans l'année (a, puis b, c, etc.). Mais cette notation n'est que provisoire ; une fois que l'instant de passage au périhélie est connu pour toutes les comètes ayant été visibles dans l'année, on remplace la lettre minuscule par un chiffre romain indiquant l'ordre de passage au périhélie cette fois. Enfin, dernière subtilité, on ajoute le préfixe P, pour les comètes périodiques de période inférieure à 200 ans.

En suivant cette nomenclature, on a eu, par exemple, la comète IRAS-Araki-Alcock 1983d qui est devenue IRAS-Araki-Alcock 1983 VII. Cette comète avait été découverte simultanément par le satellite infrarouge IRAS (pour InfraRed Astronomical Satellite) et les amateurs Araki et Alcock. Elle était la quatrième comète observée en 1983 (lettre d) mais, après le calcul de son orbite, il apparut qu'elle avait été la septième à passer au périhélie. L'absence de «P/» au début du nom indique qu'elle n'est pas une comète périodique (ou alors n'ayant pas une période inférieure à 200 ans). Un autre exemple est la comète P/Giacobini-Zinner 1900III puis 1913 V. Il s'agit d'une comète périodique à courte période («P/») qui fut en fait découverte par Giacobini en 1900 et redécouverte par Zinner en 1913.

Il existe cependant quelques exceptions historiques où le nom de la comète n'est pas celui de son découvreur mais plutôt le nom de celui qui a su calculer son orbite. Quelques exemples ont été mentionnés dans les chapitres précédents. Le cas le plus fameux est bien sûr celui de la comète de Halley (dont la nomenclature exacte lors de son dernier passage fut P/Halley 1982i puis P/Halley 1986 III). Il existe également, d'autres cas, par exemple ceux de la comète d'Encke, de Lexell ou de Crommelin. Un dernier détail : pour les découvreurs prolixes qui ont découvert plusieurs comètes, on ajoute un numéro après leur nom. Ce fut le cas récemment, par exemple, pour la comète Shoemaker-Levy 9 qui percuta Jupiter.

On peut mentionner encore quelques exceptions où le nom d'une comète est relié à une époque, à une région d'observation ou à un événement concomitant, et non à son découvreur. Exemples de ces (rares) exceptions : Grande comète de janvier 1910 I (celle qui apparut en même temps que Halley et dont il a été question dans le chapitre précédent), Comète du Sud 1947 XII ou encore Comète de l'Éclipse 1948 XI. Ces appellations désuètes ont presque totalement cessé en 1948, les seules exceptions étant les noms des comètes détectées par des découvreurs chinois. En effet on donne alors le nom du site où la comète a été découverte. La comète P/Tsuchinshan 1 1965 I est ainsi appelée non pas parce que son découvreur s'appelait Tsuchinshan mais parce que ce nom est celui de l'observatoire de la Montagne pourpre, où elle a été découverte.

La procédure à suivre lors de la découverte d'une nouvelle comète consiste à contacter aussitôt le Central Bureau for Astronomical Telegrams qui est l'organisme de l'Union Astronomique Internationale (UAI) spécialement chargé de la réception des informations concernant l'actualité céleste (comètes, astéroïdes, supernovæ, etc.) et de leur diffusion. Cet organisme est situé aux États-Unis, dans l'observatoire de l'Institut Smithsonian à Cambridge (Massachusetts). Il publie régulièrement des petits bulletins diffusés dans le monde entier (principalement dans les observatoires) appelés des circulaires (*circulars* en anglais). La lecture régulière de ces circulaires permet donc d'être au courant, entre autres, de la présence de toutes les comètes visibles à un instant donné (on y trouve aussi des estimations d'éclat et des éphémérides mises à jour des comètes déjà connues mais en train de s'approcher de leur périhélie).

Les chasseurs de comètes connaissent bien, évidemment, les circulaires de l'UAI. Ils connaissent également très bien les différents objets diffus visibles en permanence dans le ciel et faciles à confondre avec une comète (rien ne ressemble plus à une comète qu'une nébuleuse diffuse ou une galaxie observée à l'œil derrière un instrument astronomique d'amateur). En cas de doute, ils disposent également des atlas célestes regroupant tous ces objets diffus. Ces précautions sont indispensables et évitent de faire mauvais effet en annonçant, par exemple, la découverte d'une superbe comète qui n'est rien d'autre, en fait, que la énième galaxie NGC... De toute façon, toutes les découvertes peuvent être vérifiées rapidement en observant le mouvement propre de la supposée comète (même s'il peut aussi y avoir parfois confusion avec un astéroïde si la comète est loin du Soleil et inactive).

Le nombre annuel de découvertes effectuées par les chasseurs de comètes est assez variable. D'une façon générale, cependant, deux tendances se dégagent : une augmentation du nombre global des découvertes et une diminution de la part relative de ces découvertes effectuées par des amateurs. Les statistiques montrent en effet que le nombre annuel de découvertes tournait autour de 1 dans la première moitié du XIXe siècle, puis fut suivi d'une augmentation et resta à peu près stable durant la période allant du milieu du XIXe siècle au milieu du XXe (2 à 2,5 découvertes annuelles). Depuis 1950 le nombre de découvertes ne cesse d'augmenter, il est aujourd'hui de l'ordre de 7 par année. Sur ces sept comètes, on peut considérer qu'environ cinq sont des comètes à longue période et seulement deux sont à courte période. Ces proportions sont assez logiques, car la plupart des comètes à courte période ont déjà fait d'autres passages où elles étaient détectables. On découvre, en fait, dans ce genre de comètes, plutôt des comètes ayant un périhélie loin du Soleil (donc une activité faible qui les rend difficiles à détecter), ou alors des comètes à l'orbite récemment perturbée par Jupiter et qui sont des nouvelles comètes à courte période s'approchant pour la première fois près du Soleil.

La part relative des découvertes photographiques est significative seulement depuis les années 1930 (les premières détections ayant eu lieu dans les années 1890). Aujourd'hui, elles représentent environ 50 % des découvertes. La nature des découvertes est également fortement liée au type de détection. Ainsi, les découvertes faites visuellement par des amateurs correspondent souvent à des comètes situées dans un angle de 50° à 90° par rapport à la position du Soleil. C'est en effet dans cette zone qu'on peut détecter à la fois des comètes suffisamment proches du Soleil pour qu'elles soient un peu actives (donc brillantes) et suffisamment éloignées pour que le Soleil soit sous l'horizon (donc que le ciel soit noir). À l'inverse, les découvertes photographiques sont souvent plus «accidentelles» et montrent des comètes plus faibles, souvent plus éloignées du Soleil.

Il existe également, maintenant, d'autres concurrents pour les chasseurs de comètes : les satellites d'astronomie. Une comète s'écrasant sur le Soleil fut détectée par un satellite d'observation solaire le 30 août 1979 (type de détection qui fut répété seize fois dans la décennie 1980, avec l'aide d'un autre satellite d'observation du Soleil). Il y eut également IRAS. Ce satellite avait pour principale mission de balayer systématiquement le ciel pour détecter les sources infrarouges, ce qui lui permit de découvrir, dans la seule année 1983, six nouvelles comètes (dont une fut codécouverte par Araki et Alcock).

Quelques chasseurs de comètes

Il est assez intéressant d'examiner le cas des chasseurs de comètes les plus productifs. Quelques-uns ont déjà été mentionnés dans le chapitre précédent (sans parler des Chinois, dans le premier chapitre, malheureusement plus anonymes pour nous). D'autres chasseurs de comètes, cependant, dont les rôles furent plus discrets dans l'histoire des sciences cométaires en général, ou plus récents, méritent cependant d'être mentionnés ici.

Le cas de Jean-Louis Pons (1761-1831) est assez étonnant. En effet, il commença sa carrière dans l'astronomie comme concierge à l'Observatoire de Marseille, où il entra en 1789 à l'âge de 28 ans. Il s'intéressa assez vite à l'astronomie en général (deux directeurs successifs lui donnèrent des leçons d'astronomie) et aux comètes en particulier. Il découvrit sa première comète en 1801 (comète Reissig-Pons-Messier [1801]) et sa dernière en 1827 (comète Pons[1827 III]) après Pons [1827 I] et P/Pons-Gambart [1827 II]). Au total, il en détecta trente-six, mais son nom ne fut pas toujours donné aux comètes observées. En effet, pour six d'entre elles il ne fut pas le premier et son nom ne fut pas retenu. Il redécouvrit aussi deux fois la comète d'Encke (en 1805 et 1811). Cette comète, qu'Encke lui-même appelait la comète Pons, porta finalement le nom de l'astronome qui put calculer son orbite (ce qui constitua un problème délicat, comme expliqué précédemment). À noter d'ailleurs, dans le cas de cette comète, que son premier découvreur, était une autre personne (Pierre Méchain, qui la découvrit en 1786). Pons ne se contenta pas de découvrir des comètes puisque, après avoir été concierge, il devint aide-astronome en 1813, à l'âge de 51 ans, puis successivement directeur des observatoires de Lucques (1813-1825) et de Florence (1825-1831) en Italie.

Un autre découvreur prolixe, plus tard dans le XIXe siècle, fut l'Allemand Ernst Wilhelm Leberecht Tempel (1811-1889). Tempel resta lui aussi un astronome amateur durant la majeure partie de son existence puisqu'il gagna sa vie, modestement, comme dessinateur lithographe, jusqu'à l'âge de 59 ans. Né dans une famille de douze enfants, sa carrière de lithographe l'amena à voyager à travers l'Allemagne, puis le Danemark et enfin l'Italie. En 1854, il s'établit à Venise et commença, à 43 ans, à s'intéresser à l'astronomie. Il découvrit sa première comète le 2 avril 1859 à l'aide d'une lunette de 10 cm de diamètre, installé sur un escalier du palais des Doges (où il serait sans doute bien difficile aujourd'hui de chercher des comètes...). Entre 1860 et 1870, il logea à l'Observatoire de Marseille où il continua ses recherches de comètes comme bénévole (le directeur de l'observatoire ne pouvant lui proposer un poste budgétaire étant donné sa nationalité étrangère). En 1870, après la déclaration de guerre contre la Prusse, il fut obligé de quitter la France et retourna en Italie, où il devint l'asssistant de Schiaparelli à l'observatoire Brera (Milan). En 1875, il devint astronome adjoint à l'observatoire d'Arcetri (Florence). C'est là, le 2 octobre 1877, qu'il découvrit sa dix-septième et dernière comète (1877 V).

La période qui suivit celle de Tempel fut dominée par trois Américains : Barnard, Brooks et Swift. À eux trois, ils découvrirent cinquante et une comètes en une trentaine d'années (Barnard, dix-neuf, Brooks, vingt et une, et Swift, onze). L'ardeur de ces chasseurs fut stimulée par un prix de 200 dollars offert dès 1881 par H.H. Warner pour toute découverte cométaire américaine. Cette somme (qui représente 15 000 à 20 000 francs d'aujourd'hui) motiva en particulier Barnard. Celui-ci, en effet, né en 1857, orphelin de père, dut commencer à travailler dès l'âge de huit ans dans un studio photographique. À dix-neuf ans, il commença à s'intéresser à l'astronomie, un ami lui ayant prêté un livre sur le sujet. Il commença ses recherches de comètes à vingt-trois ans, en 1880, et eut la chance de découvrir sa première le 17 septembre 1881, peu de temps après la création du prix. Cet argent lui servit à acheter une maison mais il fut tout de même obligé de s'endetter et, pendant plusieurs années, les prix qu'il remporta ensuite l'aidèrent grandement à rembourser ce prêt. Plus tard, ayant atteint la célébrité, il devint astronome professionnel aux observatoires de Lick, puis de Yerkes.

Brooks, né en 1844, fut également aidé financièrement, à ses débuts, par les prix de 200 dollars gagnés à plusieurs reprises. Sa première découverte eut lieu en septembre 1883, simultanément avec Swift (comète Brooks-Swift [1883 I]) et sa dernière le 29 juillet 1911 (comète Brooks [1911 V]), qui atteignit la deuxième magnitude, soit un éclat comparable à celui de l'étoile Polaire. La notoriété de Brooks lui permit également de devenir astronome professionnel. Il fut embauché par un riche Américain superviser la construction d'un observatoire équipé d'une lunette de 260 mm de diamètre et pour ensuite y travailler. Swift, pour sa part, fut embauché pour faire un travail similaire par le généreux donateur du prix de 200 dollars, H.H. Warner, à Rochester.

Plus près de nous, dans les années 1960, la détection des comètes fut dominée essentiellement par des amateurs japonais. Parmi ceux-ci, on peut citer Minoru Honda, instituteur de maternelle (onze comètes entre 1940 et 1968), Tsutoma Seki, professeur de guitare (six comètes entre 1961 et 1970), ou Kaoru Ikeya (cinq comètes entre 1963 et 1968). Ce dernier découvrit sa première comète à l'âge de dix-neuf ans, le 2 janvier 1963, et ses motivations étaient plutôt originales. En effet, comme il l'expliqua aux journalistes qui envahirent sa maison le lendemain de sa découverte, il voulait surtout défendre l'honneur de sa famille. Quelques années plus tôt, les affaires de son père marchant mal, celui-ci s'était mis à boire et à délaisser sa famille, obligeant sa femme à faire des ménages dans un hôtel et son fils à distribuer des journaux le matin avant d'aller à l'école pour subvenir aux besoins de la famille. Honteux d'une telle situation, le jeune Kaoru Ikeya, alors âgé de quinze ans et déjà fasciné par l'astronomie, décida d'attacher le nom de sa famille à une comète nouvelle, pour lui redonner son honneur perdu. Obstiné, il commença bientôt à construire un télescope, ce qui lui prit deux ans, puis se mit ensuite à observer le ciel. Après de longs mois d'efforts, où il faillit abandonner mais où il fut soutenu moralement par Honda, à qui il avait écrit, ce fut enfin le succès du 2 janvier 1963. Ce succès fut renouvelé quatre autres fois, dont une fois pour une comète qui devint exceptionnellement brillante et dont il partagea l'honneur de la découverte avec Seki. Devenu un héros pour le Japon, un film fut même tourné sur sa vie, preuve encore une fois que le pouvoir de fascination des comètes sur le grand public existe toujours au XXe siècle.

Plus récemment encore, il y eut d'autres exemples d'amateurs actifs, malgré l'augmentation du nombre de découvertes faites par des professionnels bien outillés. On peut citer, par exemple, l'Australien William Bradfield, qui vient de découvrir sa dix-septième comète depuis 1972. Ces derniers temps, on peut également parler de la fructueuse collaboration entre un amateur, David Levy, et des professionnels, le couple Shoemaker (Gene et Carolyn), ces derniers utilisant un télescope de Schmidt de quarante-six centimètres de diamètre à l'observatoire du mont Palomar en Californie. Leur plus fameuse découverte en date est la comète Shoemaker-Levy 9 qui percuta Jupiter en juillet 1994 (et dont nous parlerons plus en détail à la fin du chapitre sept). À lui seul, visuellement, Levy a découvert huit comètes jusqu'à aujourd'hui

Un exemple de collision

On a déjà évoqué les inévitables collisions, à l'échelle des temps astronomiques, entre certains noyaux cométaires et la Terre. Ainsi, on estime qu'environ 30 % des cratères de plus de 10 km sur la Lune et sur la Terre sont d'origine cométaire. C'est une estimation qui peut paraître assez théorique pour le grand public vu les temps reculés où ces impacts ont eu lieu (et le peu de traces qu'ils ont laissés sur Terre jusqu'à aujourd'hui). Il y eut pourtant une collision assez violente et dévastatrice il y a relativement peu de temps. Cette collision eut lieu le 30 juin 1908 et, par chance, elle survint dans une zone désertique de la Sibérie. On estime qu'elle représentait environ mille fois la puissance destructrice de la bombe atomique d'Hiroshima. Cet événement, connu sous le nom impropre de «météorite de la Tunguska», passa relativement inaperçu. Si on avait demandé à des personnes rencontrées au hasard dans la rue si elles en avaient eu connaissance, il y a fort à parier que la plupart des réponses auraient été négatives. Et pourtant, si le hasard l'avait fait tomber sur une ville comme Paris, celle-ci aurait été littéralement rayée de la carte ainsi que la majeure partie de l'Île-de-France...

Même si l'origine de cet événement n'est pas encore totalement certaine aujourd'hui, l'hypothèse cométaire est généralement acceptée comme étant l'une des plus probables. C'est pourquoi il semble intéressant d'examiner cette collision en détail, la seule de cette ampleur sur laquelle on ait autant d'informations, pour mieux saisir ce que les hasards de la dynamique des comètes peuvent entraîner comme conséquence à l'échelle humaine.

Ce fut le 30 juin 1908 à 7 h 17 min 11 s heure local précise (0 h 17 min 11 s TU), que la collision eut lieu. Les quelques dizaines de secondes qui précédèrent l'impact permirent à de nombreux témoins d'observer, dans le petit matin, un météore blanc bleuté éblouissant suivi d'une traînée de poussières sombres. Ce phénomène lumineux fut observé jusqu'à 700 km du point d'impact, à partir du lac Baïkal, et suivit une trajectoire sud-est / nord-ouest. Il y eut finalement une explosion aveuglante dans l'atmosphère, créant une boule de feu montant jusqu'à une vingtaine de kilomètres d'altitude, et le bruit en fut entendu jusqu'à plus de 1000 km à la ronde. Le lieu exact de l'explosion se situe par 60° 55′ de latitude Nord et 101° 57′ de longitude Est, au sud du plateau de la Sibérie centrale, dans une région boisée et désertique, la ville la plus proche, Vanavara, étant située 60 km plus au sud.

Sur le lieu de l'explosion, tous les arbres furent brutalement arrachés et renversés dans la direction du souffle de l'explosion, sur 2150 km^2 au total. Quelques troupeaux de malheureux rennes furent littéralement carbonisés vifs par l'explosion. Au bord de cette zone dévastée, à 30 ou 40 km du lieu de l'explosion, certains nomades campant sous la tente furent brutalement projetés en l'air par le souffle de la déflagration, certains furent blessés et, même, moururent. Plus loin, à Vanavara, des témoins furent jetés à terre par un souffle brûlant.

Les conséquences de l'explosion furent également perceptibles à une échelle beaucoup plus grande sur la majeure partie de l'hémisphère Nord. Tout d'abord, les sismographes enregistrèrent une onde sismique qui fit le tour de la Terre. Mais l'effet le plus spectaculaire fut causé par toutes les particules en suspension dans l'atmosphère. Dans une région de plusieurs milliers de kilomètres autour du lieu de l'explosion, la nuit, le ciel était si clair, grâce à la lumière diffusée par ces particules, qu'on pouvait pratiquement lire son journal dehors durant les nuits qui suivirent le cataclysme. Beaucoup plus loin, aux États-Unis, les astronomes notèrent une nette détérioration de la transparence de l'atmosphère. Ces phénomènes atmosphériques diminuèrent graduellement d'importance sur une période d'environ deux mois.

Les conséquences à grande échelle de l'impact attirèrent immédiatement l'attention des astronomes. Ceux-ci formulèrent l'hypothèse la plus logique, soit qu'une météorite géante venait de percuter la Terre et de creuser un cratère de grande dimension. Pourtant, l'événement, de façon surprenante, passa relativement inaperçu, à tel point qu'il s'écoula près de vingt ans avant que la première expédition scientifique n'explora la zone dévastée.

Ce délai, impensable de nos jours, peut s'expliquer en partie par le caractère particulièrement isolé et inhospitalier de la région d'impact. Sur place, les (rares) habitants considérèrent la région comme enchantée. L'explosion les avait en effet tellement effrayés qu'ils la considérèrent comme le signe de la colère d'Ogdy, une divinité locale du feu. En conséquence, ils s'interdirent de voyager ou de chasser dans la zone dévastée. Seul un riche commerçant russe osa se rendre dans cette zone, en 1910, pour exploiter les frayeurs locales en déclarant cette terre sacrée (et en demandant que tous les autres commerçants russes de fourrure en soient exclus...). Ce commerçant, nommé Susdalev, et les personnes qui l'accompagnèrent, furent probablement les premières personnes à voir le lieu de l'explosion. Leurs préoccupations n'ayant cependant aucun caractère scientifiques, cette première incursion n'apporta rien au monde extérieur.

Ce n'est qu'en 1927 qu'eut lieu la première expédition scientifique. Celle-ci fut dirigée par le minéralogiste soviétique Leonid Kulik, avec l'appui de l'Académie des Sciences soviétique. Elle rencontra tout d'abord une forte résistance de la part des habitants de la région, et Kulik eut beaucoup de mal à trouver quelqu'un qui accepte de lui servir de guide (il dut se montrer assez généreux à son égard...). En avril, le petit groupe d'hommes composant l'expédition se mit en route. Il atteignit tout d'abord le mont Shakharma, en pleine zone dévastée, à une quinzaine de kilomètres du lieu de l'explosion.

C'est seulement à cet instant que la vue de tous les arbres couchés par terre, en direction de l'épicentre du cataclysme, révéla l'importance colossale de l'explosion aux membres de l'expédition. En juin, ils avancèrent plus en avant, cherchant le cratère d'impact. Ils eurent cependant la surprise de ne pas le trouver, mais ils rencontrèrent une multitude de petites cavités peu profondes, de quelques mètres à quelques dizaines de mètres de diamètre. Kulik crut que ces cavités avaient été creusées par des fragments de la météorite originale qui aurait éclaté en plusieurs morceaux avant de toucher le sol. On se rendit compte plus tard que ces cavités étaient en fait des fondrières naturelles, particulièrement nombreuses dans une région marécageuse en été et gelée en hiver. D'ailleurs, le balayage systématique effectué par les membres du groupe ne permit la découverte d'aucune météorite.

Ce fut la surprise majeure de cette expédition, qui fut confirmée par toutes les suivantes : l'objet cosmique responsable du cataclysme n'avait pas touché le sol, même sous forme de fragments. On ne pouvait donc, comme on l'avait fort logiquement supposé au départ, le considérer comme une météorite ferreuse ou pierreuse, qui n'aurait pas manqué de laisser au moins quelques fragments. Cette découverte était tellement surprenante que les expéditions suivantes, en 1928 puis en 1929-1930 (cette dernière s'étalant sur un an), firent l'impossible pour tenter de retrouver des fragments, même enterrés. Jusqu'à aujourd'hui, ce sont au total une quarantaine d'expéditions qui se sont succédé sur les lieux, accumulant de nombreuses observations, à défaut de trouver un ou plusieurs cratères.

Aujourd'hui, alors qu'il y aura bientôt quatre-vingt-dix ans que ce cataclysme a eu lieu, la controverse continue sur son origine exacte. En fait, si on écarte les hypothèses farfelues ou hautement improbables, il en reste trois particulièrement crédibles : une rencontre (i) avec une comète active; (ii) avec un noyau cométaire inactif; et (iii) avec une météorite. Étant donné, d'une part, que ce livre traite des comètes et, d'autre part, que la troisième hypothèse parait la plus fragile, les arguments en faveur d'une rencontre cométaire seront ici examinés.

En ce qui concerne les éléments objectifs du problème, sur lesquels la plupart des spécialistes sont d'accord, on peut citer la masse de l'objet, l'énergie dégagée par son explosion, son altitude, le type d'orbite qu'il a suivi avant sa rencontre avec la Terre et certains effets postérieurs à l'explosion. En ce qui concerne la masse de l'objet, elle est estimée à environ 500 000 tonnes avant son entrée dans l'atmosphère. L'énergie, elle, serait d'environ 5.10^{23} ergs (500 000 milliards de milliards d'ergs), avec une marge d'incertitude élevée, de l'ordre d'un facteur dix. Cette dernière estimation est basée sur la comparaison des sismogrammes enregistrés durant le catclysme avec ceux obtenus lors d'essais nucléaires.

Un point important faisant l'unanimité, lié essentiellement à l'absence de cratère, est que l'objet, quel qu'il soit, a explosé en altitude. Celle-ci est estimée à une valeur variant entre 5 et 10 km, c'est-à-dire à une explosion basse. Par ailleurs, les tentatives effectuées ultérieurement pour reconstituer l'orbite du corps céleste montrèrent que la distance angulaire de celui-ci par rapport au Soleil était extrêmement faible, ce qui explique qu'il n'ait pas été observé plus tôt, noyé qu'il était dans la lumière solaire. Son angle d'incidence avec la surface terrestre était faible (10°) et on estime que son orbite dans le système solaire devait être dans le sens direct, fortement excentrique et ayant une vitesse géocentrique de l'ordre de 30 km/s.

Les scientifiques qui se rendirent sur les lieux de l'explosion dans les décennies qui suivirent firent deux constatations fort intéressantes. La première concerne la végétation, dont la vitesse de croissance fut de cinq à dix fois plus rapide dans les zones sinistrées que dans les régions voisines. Les analyses effectuées sur les plantes montrèrent des teneurs anormalement élevées en arsenic, iode, brome, zinc et tellurium. Ces éléments sont donc considérés comme étant originaires des matériaux pulvérisés lors de l'explosion et faisant partie du corps céleste détruit. La deuxième constatation concernait les insectes. Ceux-ci présentaient en effet des mutations qui ne pouvaient être dues qu'à une augmentation de la radio-activité locale.

À la lumière de ces éléments objectifs qui viennent d'être mentionnés, il est difficile de savoir exactement ce qui fut à l'origine du cataclysme observé. L'hypothèse la plus vraisemblable, même si elle présente certaines difficultés, fut avancée dès 1930 par le Britannique Francis Whipple. Il proposa l'hypothèse d'une rencontre avec un noyau cométaire actif.

Cette hypothèse, avec le temps, a fait l'objet de simulations théoriques poussées. On s'est ainsi rendu compte que le caractère relativement friable d'un noyau cométaire le ferait effectivement exploser en altitude avec une violence telle qu'elle serait tout à fait capable de carboniser une forêt et de provoquer une déflagration audible à plus de 1000 km, d'une façon similaire à celle de la «météorite de la Tunguska». On estime que le noyau cométaire peut atteindre lors de son contact brutal avec l'atmosphère terrestre la température record de plusieurs millions de degrés. Cette température fantastique fait littéralement se volatiliser le noyau et provoque également des rayonnements X et γ ainsi que la formation des particules accélérées (électrons et neutrons).

Les multiples analyses effectuées sur le terrain apportèrent un certain nombre d'arguments en faveur d'une rencontre avec une comète active. On a ainsi trouvé des microsphérules de silicate (d'un diamètre de 80 à 100 µm), des particules de magnétite (oxyde de fer magnétique) et des billes microscopiques à l'aspect vitreux contenant du gaz carbonique ou du sulfure d'hydrogène. De plus l'augmentation prévue de la radio-activité, outre les effets de mutation observés sur les insectes, fut confirmée de façon indépendante par des analyses du carbone 14 contenu dans des arbres examinés aux quatre coins de la planète. Le cataclysme de la Tunguska a en effet entraîné, à l'échelle planétaire, une augmentation du taux de carbone 14 dans l'atmosphère de 1 % en moyenne. La datation de cet événement par les anneaux de croissance des arbres le fait remonter à la bonne époque (1908-1909) et l'absence d'activité solaire anormale à ce moment laisse pour seule cause possible l'événement survenu dans la Tunguska sibérienne. Outre ces analyses fines, le simple aspect lumineux du ciel est encore un argument en faveur de l'hypothèse d'un noyau cométaire actif : les poussières observées en si grand nombre seraient alors simplement des particules de la queue de poussières de la comète entourant la Terre.

En 1978 le Tchèque Lubor Kresak a même suggéré qu'une partie du noyau de la comète d'Encke, qui aurait perdu un fragment, serait à l'origine du cataclysme. Cette hypothèse était basée sur la constatation que l'essaim des Taurides, apparaissant dans la journée en juin et associé à la comète d'Encke, a des particules qui ont une orbite semblable à celle du corps céleste à l'origine du cataclysme de la Tunguska. Une telle hypothèse est cependant très spéculative et peut difficilement être vérifiée.

Si on prend une masse volumique de 0,6 g/cm^3 pour le noyau cométaire, valeur en corrélation avec les observations récentes effectuées sur Halley (mais assez imprécise), on obtient, pour la masse de 500 000 tonnes évoquée plus haut, un diamètre du noyau un peu inférieur à 200 m. Cette valeur est très faible comparée au diamètre habituel des noyaux cométaires, de l'ordre de 10 km. Et c'est là que réside le principal point faible de l'hypothèse d'une collision avec une comète active. En effet, un noyau aussi petit a une espérance de vie très faible s'il est actif, car il perd de la matière à chacun de ses passages près du Soleil (durée de vie estimable à quelques siècles pour une comète à courte période). Le calcul statistique d'une probabilité de rencontre en quelques siècles seulement avec la Terre est alors extrêmement défavorable. Certes, la probabilité n'est pas nulle, mais son extrême faiblesse fait douter de la crédibilité de cette hypothèse par rapport à ses concurrentes.

Pour compenser cette faiblesse, certains spécialistes imaginèrent alors une rencontre avec un noyau cométaire inactif cette fois-ci. Comme il en sera question plus loin, une comète évolue à la surface de son noyau, sous l'effet des radiations solaires qui provoquent l'échappement de ses éléments les plus volatils, et peut finir par être complètement recouverte d'une espèce de croûte formée d'éléments réfractaires bloquant les phénomènes de dégazage. Dans ce cas, le noyau inactif peut avoir une durée de vie beaucoup plus élevée puisqu'il ne perd plus, ou presque plus, de matière à chaque passage près du Soleil (il est devenu un «astéroide cométaire»). Le problème de la faible probabilité de collision s'efface donc du même coup, ce qui rend cette hypothèse extrêmement attractive. Dans ce cas, toutefois, l'intense phénomène de diffusion de la lumière par les poussières devient un peu moins évident. On peut cependant considérer qu'il pourrait être dû aux poussières produites par la désintégration du noyau (mais celles-ci seraient sans doute plus longues à diffuser autour de la Terre, par rapport à des poussières contenues dans une queue de comète active). En définitive, c'est cependant cette hypothèse qui a la faveur de la majorité des spécialistes aujourd'hui.

On ne saurait terminer sur ce mystère de la Tunguska sans signaler que l'hypothèse de la collision avec un astéroïde connaît un regain d'intérêt ces dernières années. On s'est en effet rendu compte que la plupart des astéroïdes étaient efficacement détruits par l'atmosphère terrestre en explosant souvent en altitude. Le fait que l'explosion ait eu lieu entre 5 et 10 km de hauteur collerait en fait beaucoup mieux à l'hypothèse d'un astéroïde qu'à l'hypothèse d'un noyau cométaire, plus friable, et qui devrait exploser plus haut en altitude. Mais dans le cas d'un astéroïde, nombre d'effets bien expliqués par l'hypothèse cométaire seraient beaucoup plus délicats à démontrer.

On voit donc que cet événement n'a pas fini de susciter des études et des controverses chez les spécialistes. Pour conclure sur ce point, il convient de signaler que le site de l'impact, qui garde encore de nombreuses traces du cataclysme malgré les années écoulées, a récemment fait l'objet d'une mesure de protection de la part des autorités. En effet, une étendue de 4000 km^2 entourant la zone d'impact a été déclarée réserve nationale pour les 20 prochaines années, permettant ainsi à de futures missions d'exploration d'examiner encore les lieux. Il reste à espérer que ce délai sera suffisant pour mener à des conclusion sûres.

Avant de clore ce chapitre, on peut rappeler tout de même, pour rassurer un peu le lecteur, qu'on estime que la probabilité de collision entre la Terre et une comète active est d'environ une tous les 60 millions d'années seulement. Il est vrai, cependant, qu'il faudrait y ajouter le risque de collision avec un astéroïde de taille similaire (éventuellement constitué d'un noyau cométaire éteint), qui, lui, est plusieurs dizaines de fois plus élevé.

Photo 1. La comète de Halley lors de son dernier passage. Ce cliché a été obtenu depuis la Terre. *Photo JPL for ESA.*

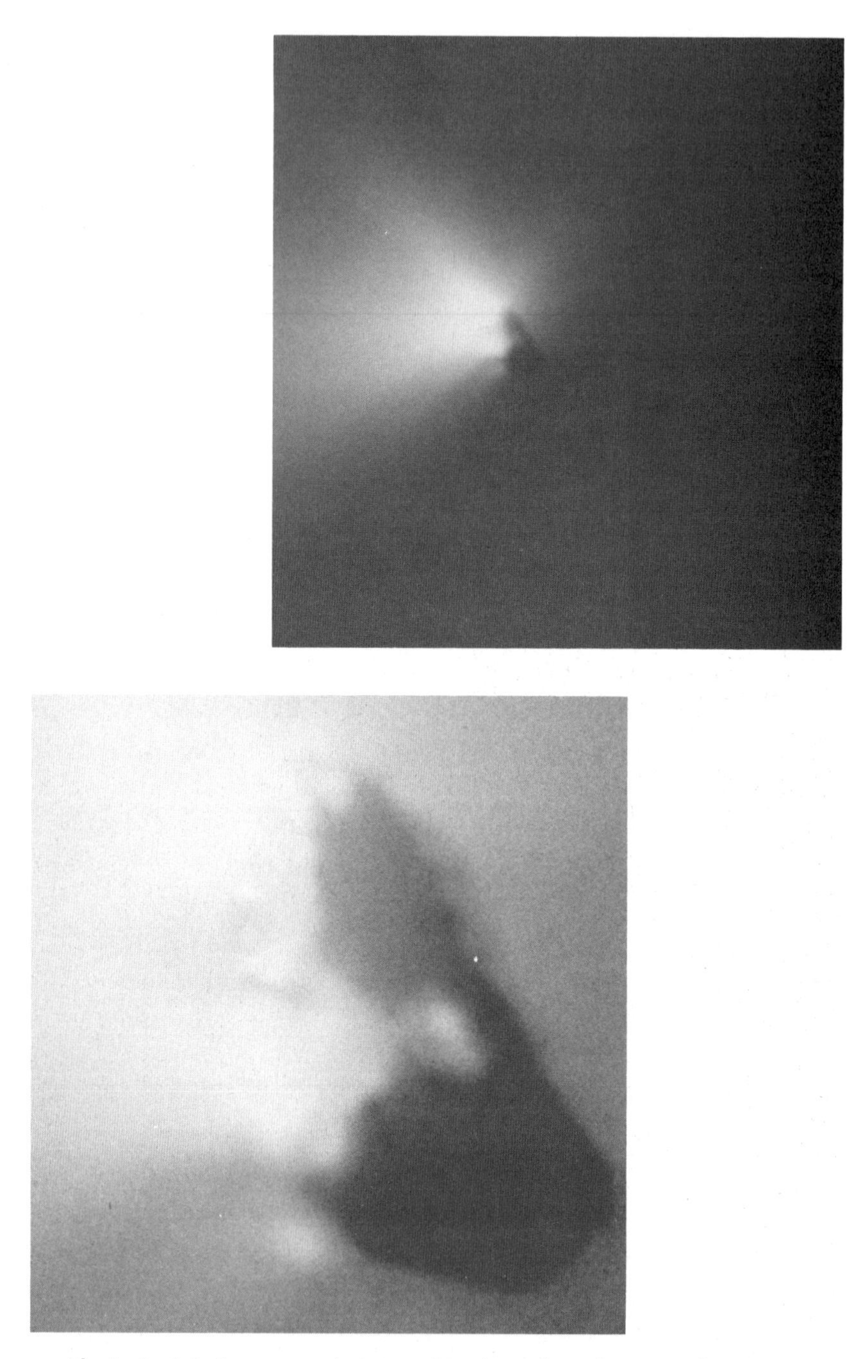

Photo 2 et 3. Le noyau de la comète de Halley photographié par la sonde Giotto. *Photos ESA/Max-Plank-Institut für Aeronomie (Courtesy H.U. Keller).*

Photo 4. La sonde Giotto au sol. *Photo ESA.*

Photo 5. Une des sondes Véga au sol. *Photo CNES/Intercosmos.*

Photo 6. La comète Hyakutake photographiée lors de son passage près de la Terre en mars 1996. *Photo Daniel Lemay.*

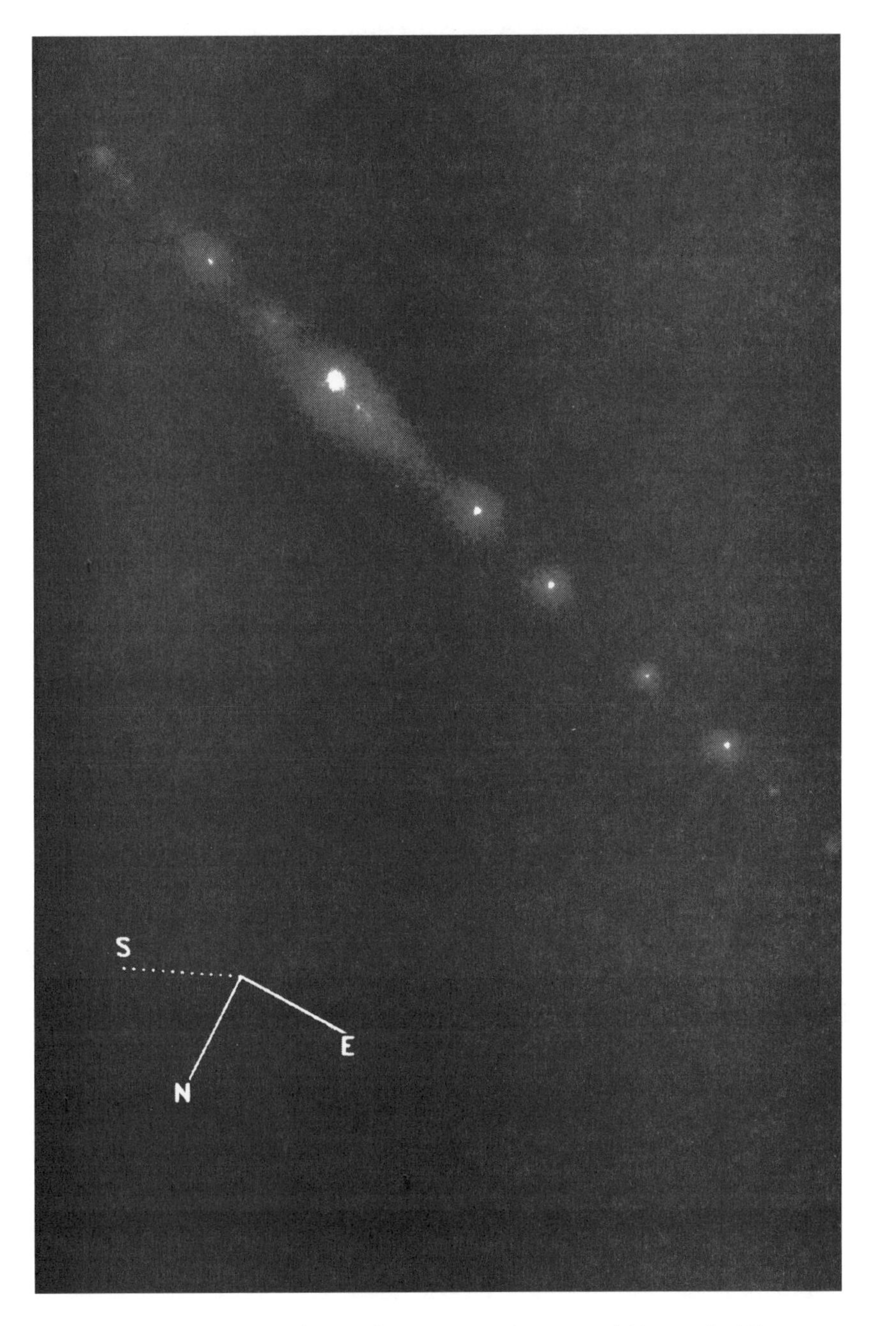

Photo 7. La comète P/Shoemaker-Levy 9 photographiée par le télescope spatial *Hubble* avant sa destruction sur Jupiter .

Photo Dr. H. A. Weaver and Mr. T. E. Smith, STScI NASA.

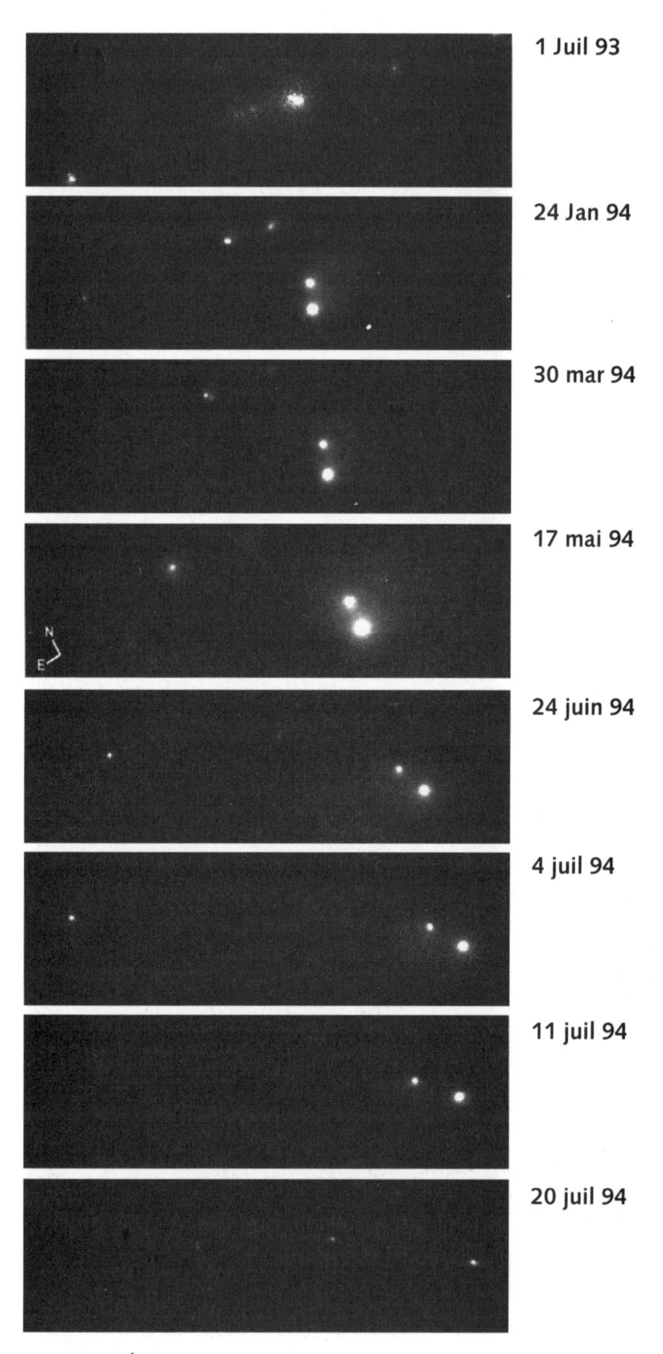

Photo 8. Évolution des fragments Q_1, Q_2, P_1, P_2 de la comète P/Shoemaker-Levy 9.

Photo Dr. H. A. Weaver, Mr. T. E. Smith, and Mr. K. B. Jones STScI NASA.

Photo 9. Zone d'impacts laissé par les fragments E. F, H, N, Q_1, Q_2, R, D et G de la comète P/Shoemaker-Levy 9 sur Jupiter.
Photo Hubble Space Telescope Comet Team and Nasa.

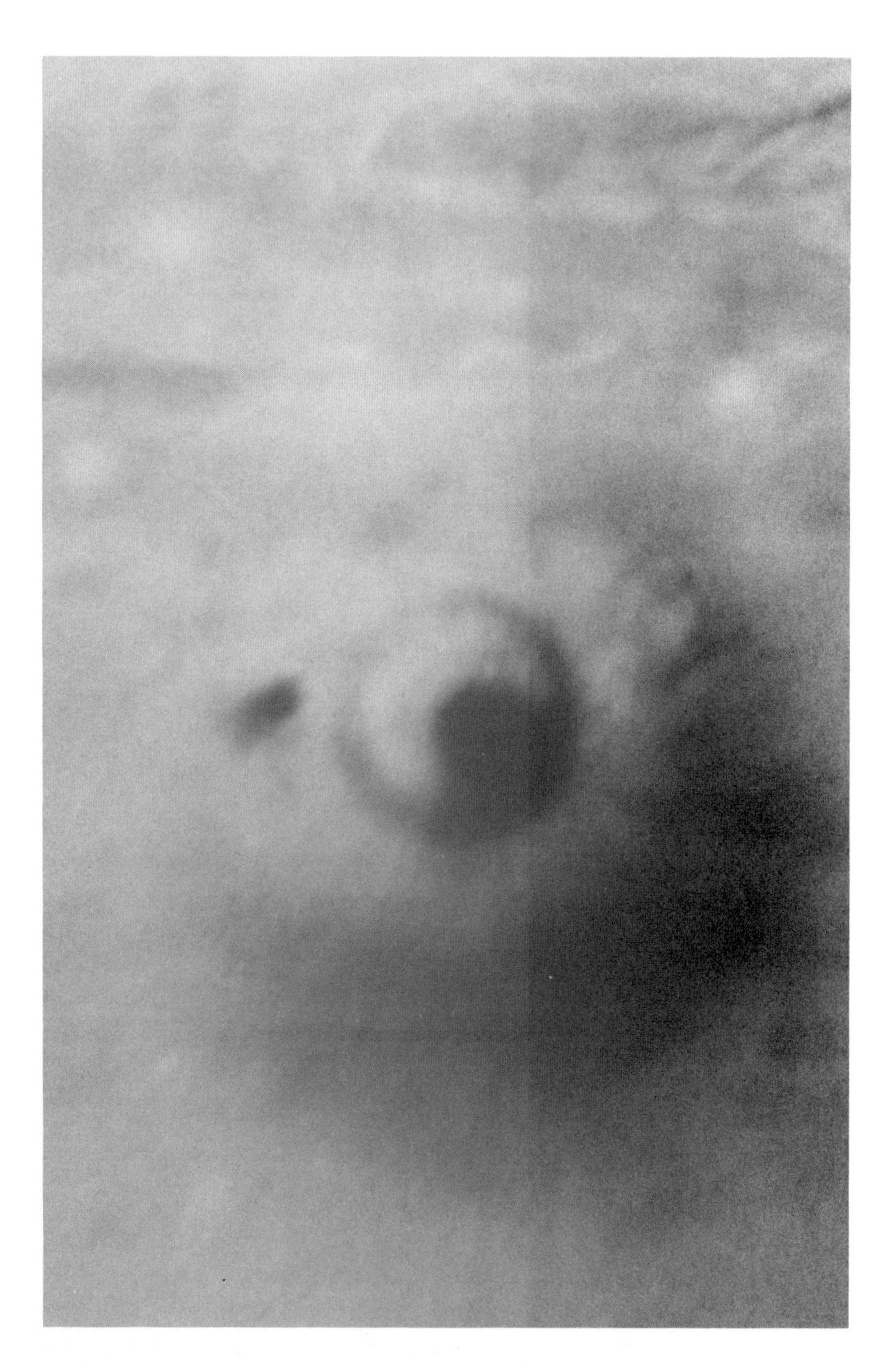

Photo 10. Zone d'impacts laissé par les fragments D et G de la comète P/Shoemaker-Levy 9 sur Jupiter.

Photo Hubble Space Telescope Comet Team and Nasa.

Chapitre 5

Nature physique des comètes

État des lieux avant le passage de Halley

À ce point de la description des comètes, beaucoup de choses ont déjà été dites sur elles et, pourtant, le cœur du sujet n'a pas encore véritablement été abordé : la nature physique réelle de ces astres. Pour attaquer ce problème délicat et pour bien montrer les difficultés de la science en marche, on doit séparer clairement «l'avant» de «l'après» Halley.

L'état des connaissances sur les comètes, tel qu'il se présentait il y a maintenant une dizaine d'années, au milieu des années quatre-vingt, juste avant que la comète de Halley ne fasse sa dernière apparition sous l'examen attentif de la communauté astronomique, sera ici décrit. Le lecteur pourra ainsi mieux apprécier, l'apport d'une seule décennie dans la science cométaire, à la lecture du chapitre sept. Qu'il se rassure cependant, la revue détaillée que nous allons maintenant entreprendre a beaucoup plus qu'un simple intérêt «historique» : elle reste vraie pour l'essentiel, seuls certains aspects s'étant améliorés où ayant légèrement changé, lesquels seront clairement mis en évidence.

Les moyens d'investigation utilisés

Dans les trois chapitres consacrés à l'aspect historique des études cométaires, la difficulté d'arracher des secrets aux comètes a été clairement soulignée. L'étude de ces astres, comme de tous les autres objets étudiés en astronomie, repose presque exclusivement sur des observations à distance. Avant la rencontre avec Halley, en 1986, où pour la première fois des sondes spatiales furent utilisées pour se livrer à une analyse *in situ* des zones très proches du noyau, les connaissances sur les comètes étaient exclusivement le fait d'observations à distance. À des millions de kilomètres, il fallait essayer de déterminer tous les paramètres physiques qui peuvent caractériser une comète : son noyau (sa taille, sa composition, son aspect, etc.) et les structures qui lui sont associées, principalement la coma ou chevelure (sa composition, sa dynamique, etc.) et les queues. Le scientifique désirant comprendre la nature physique réelle de ces astres chevelus devait donc, comme il est fréquent en science, se transformer en un véritable Sherlock Holmes pour réussir, à partir d'indices mineurs, à remonter aux faits qui leur ont donné naissance.

Heureusement, l'astrophysique commençant à être une science d'âge respectable, les astronomes désirant comprendre les comètes peuvent s'appuyer sur des techniques bien rodées et dont l'efficacité est parfois surprenante. Ainsi, avant de s'intéresser plus directement à la nature physique des comètes, il semble pertinent qu'on étudie les outils utilisés pour la comprendre. Ces outils peuvent, de façon très schématique, être divisés selon trois domaines : (i) la photométrie (éventuellement à deux dimensions) ; (ii) la spectroscopie (dans toutes les longueurs d'onde) ; (iii) l'étude des poussières extraterrestres collectées dans l'atmosphère de la Terre.

La photométrie

La photométrie consiste à mesurer un flux lumineux. Cette mesure peut se faire soit globalement sur l'ensemble d'un objet, ou dans une zone précise de celui-ci. Dans le cas des comètes, la mesure du flux lumineux global peut poser quelques problèmes, puisqu'il s'agit d'un objet diffus. En effet, les photomètres photoélectriques prévus pour travailler sur des objets ponctuels (une étoile, ou même le noyau d'une comète vu loin du soleil en l'absence d'activité) ont du mal à intégrer l'ensemble d'une source diffuse comme l'est une comète. Dans ce cas, l'œil peut en fait donner des informations déjà utiles. En effet, on peut estimer l'éclat d'un objet avec une précision relativement correcte en le comparant à celui des étoiles dont on connaît la luminosité. Il est alors plus prudent d'observer avec un instrument d'optique pour pouvoir défocaliser les étoiles de référence, en les rendant «aussi floues» que la comète étudiée (il faut une étoile légèrement plus faible et une autre légèrement plus brillante). Pendant longtemps (jusqu'à la fin du XIXe siècle, lorsque apparurent les plaques photographiques), les observations visuelles furent les seules à apporter des informations scientifiques et celles-ci n'étaient pas négligeables.

Aujourd'hui, cependant, outre les photomètres photoélectriques, on dispose de récepteurs à deux dimensions permettant non seulement d'enregistrer une image de la comète, mais également de faire des mesures précises du flux lumineux émis sur une partie de l'image reçue ou sur l'ensemble de celle-ci. Le plus vieux type de détecteur de ce genre est, bien sûr, la plaque photographique. Celle-ci a l'avantage de pouvoir couvrir une surface importante avec une grande finesse de résolution. Il faut cependant, une fois la plaque obtenue et développée, mesurer les densités avec un appareil spécial qui peut éventuellement permettre une digitalisation pour une étude informatique. Il est ainsi possible, aujourd'hui, d'analyser toutes les plaques prises depuis environ un siècle.

De nos jours, la plaque photographique a cependant tendance à tomber en désuétude, en particulier pour l'étude des comètes. Elle est le plus souvent remplacée par les fameux capteurs CCD (pour *Charge Coupled Device*), qui sont beaucoup plus sensibles. Ceux-ci, apparus de façon significative en astronomie dès le début des années quatre-vingt, même s'ils couvrent une surface limitée, ont beaucoup d'avantages : grande sensibilité, réponse linéaire au flux lumineux reçu, couplage direct avec un système informatique, etc. Ils se composent de nombreux pixels (jusqu'à 2048 x 2048, mais souvent 512 x 512, surtout au début des années quatre-vingt) ayant la propriété de se charger électriquement au fur et à mesure de la réception des signaux lumineux (les photons). Au bout d'un temps plus ou moins long (d'une seconde à plusieurs heures), on peut arrêter l'intégration et transférer les charges créées à un lecteur capable de transformer l'ensemble de ces charges en un fichier informatique exploitable par un logiciel approprié. Grâce aux détecteurs CCD, on a pu enregistrer quantité d'images de comètes, le plus souvent à travers des filtres. Ces images peuvent déjà donner beaucoup d'informations : aspect général de la coma, éventuelles structures particulières, calcul précis de la distribution de l'éclat, etc.

La spectroscopie

Le domaine de la spectroscopie est, en fait, une extension de la photométrie. Cependant, elle ne se contente pas de mesurer un flux lumineux à une longueur d'onde donnée, mais elle le décompose suivant la longueur d'onde.

Un petit rappel de notions de physique, ici, est peut-être nécessaire. Sans entrer dans le détail, fort complexe, de la conception que les physiciens ont aujourd'hui du phénomène de la lumière, on peut dire que celle-ci peut être assimilée à une onde électromagnétique semblable aux ondes radio. Une telle onde, prédite en théorie par les équations de James Maxwell, au XIXe, et détectée pour la première fois en 1888 par Heinrich Hertz, est caractérisée principalement par sa longueur d'onde. Cette longueur définit, à un instant donné, la distance qu'il faut parcourir dans l'espace, le long de la trajectoire de l'onde, pour retrouver les mêmes valeurs des champs électrique et magnétique créés par l'onde en question. Pour le rayonnement électromagnétique perceptible à l'œil, ce qu'on appelle communément la lumière, cette longueur d'onde varie de 0,4 à 0,7 μm (micromètre, soit un millionième de mètre). Au-dessus, on passe dans les domaines des infrarouges (proches et lointains) et des ondes radio (ondes millimétriques, centimétriques, décimétriques, ultracourtes, courtes, grandes ondes, etc.). Au-dessous on trouve l'ultraviolet, les rayons X et les rayons γ. Parmi les paramètres importants liés à la longueur d'onde se trouve l'énergie véhiculée par l'onde électromagnétique. Celle-ci, comme l'a montré Max Planck en 1901, est inversement proportionnelle à la longueur d'onde. Ainsi, entre une onde visible à 0,5 μm et une onde radio à 1500 m (domaine des grandes ondes), il existe une différence d'énergie d'un facteur 3 milliards.

La spectroscopie est donc la discipline de la physique, fondamentale pour toute l'astrophysique, qui étudie et mesure la façon dont un signal électromagnétique se répartit en longueur d'onde (on obtient ainsi des diagrammes donnant le flux reçu en fonction de la longueur d'onde). Si, en astronomie, on obtenait des spectres dès le début du XIXe siècle, il fallut attendre le XXe siècle et la révolution de la mécanique quantique, dans l'entre-deux-guerres, pour en saisir tout l'intérêt et toute la portée dans l'étude à distance des astres.

La façon dont se répartit l'énergie électromagnétique émise par un gaz répond à des lois précises dictées par les conditions physiques du milieu étudié. L'effet le plus important est celui de la quantification de l'énergie des molécules composant le gaz. En effet, un autre aspect de la lumière est son aspect corpusculaire : on parle de photons contenant chacun un «paquet» d'énergie défini par la longueur d'onde et non divisible. Dans le cas d'une comète, la lumière émise par la coma provient de deux sources différentes : la lumière solaire diffusée et réfléchie par les grains de poussières, et la même lumière absorbée et réémise par les molécules du gaz.

Dans le deuxième cas, le plus intéressant pour les astronomes qui étudient les comètes, le processus peut être schématisé de la façon suivante. Tout d'abord, un photon, avec une longueur d'onde bien définie, arrive du Soleil. En entrant dans le gaz de la chevelure, il peut lui arriver d'interagir avec une molécule donnée. Celle-ci va alors absorber le photon en augmentant sa propre énergie d'une quantité exactement égale à celle du photon. Cependant, la molécule excitée ne peut garder très longtemps son énergie et se désexcite rapidement pour retomber à un niveau plus bas (mais pas nécessairement à celui qu'elle avait initialement, il peut y avoir plusieurs désexcitations successives). En perdant de l'énergie, la molécule se met alors à émettre elle-même un photon. Le point capital, c'est que les deux niveaux d'énergie de la molécule, celui qu'elle avait avant et celui qu'elle a après, ne peuvent pas prendre n'importe quelle valeur. Les valeurs possibles de cette énergie sont en nombre limité, on parle ainsi de quantification de l'énergie. Le photon réémis par la molécule, qui peut l'être dans n'importe quelle direction, possède donc une énergie, c'est-à-dire une longueur d'onde, qui porte la «signature» de la molécule qui l'a créé.

Quand on analyse le spectre d'un gaz, composé de molécules, on observe ainsi, à des endroits bien définis, de brusques augmentations ou diminutions de l'énergie reçue. Ce sont des raies vues soit en émission (photons réémis) soit en absorption (photons absorbés). Dans le cas du gaz des comètes, comme le Soleil est toujours «de côté», on ne peut observer que des raies d'émission (pour avoir des raies en absorption, il faudrait observer directement le Soleil, ou une étoile, à travers la coma). Tout l'art du spectroscopiste des comètes consiste alors à établir la relation entre une raie d'émission à une longueur d'onde donnée et la molécule correspondante. Ce qui n'est pas toujours facile à faire; en effet, si certaines raies brillantes sont bien connues, car correspondant à des molécules abondantes et qui possède une vive fluorescence, beaucoup de raies d'intensité faible sont plus délicates à interpréter. La partie visible du spectre contient ainsi, à elle seule, des milliers de raies d'émission, plus ou moins visibles suivant la qualité du spectre (c'est-à-dire suivant sa sensibilité et son pouvoir de résolution).

Pour bien comprendre la complexité du problème, on doit voir sous quelle forme les molécules contiennent de l'énergie. Celle-ci peut être séparée en trois sources distinctes d'importance décroissante : (i) les électrons; (ii) les mouvements de vibration entre les deux noyaux; et (iii) les mouvements de rotation des noyaux. On peut en effet rappeler sommairement la structure d'une molécule : des atomes liés entre eux par leur nuage électronique.

Un atome est lui-même formé d'un noyau composé de protons et de neutrons (les protons ayant une charge élémentaire positive et les neutrons n'en ayant aucune) et entouré d'un nuage d'électrons (ceux-ci portant chacun une charge élémentaire négative et ayant une masse 1800 fois plus faible qu'un proton ou qu'un neutron). Dans une molécule normale, le nombre total d'électrons égale celui des protons, assurant ainsi une neutralité électrique (les processus survenant dans la chevelure des comètes peuvent rompre cette neutralité, en créant ainsi des ions).

L'énergie générée par les électrons provient de leur mouvement autour des noyaux atomiques, soit de l'énergie cinétique qu'ils véhiculent. Suivant l'orbite qu'ils parcourent, cette énergie, qui ne peut prendre, que des valeurs discrètes, varie : plus la distance moyenne de l'électron au noyau augmente, plus cette énergie est grande, car la vitesse augmente. Il existe également une énergie, très secondaire, produite par le mouvement de rotation des électrons sur eux-mêmes (ce qu'on appelle le spin en physique) ; cette énergie secondaire ne peut prendre cependant que deux valeurs, suivant le sens de cette rotation. Un saut d'un niveau d'énergie électronique à un autre se traduit par l'absorption (si le deuxième niveau est plus élevé que le premier) ou l'émission (si le deuxième niveau est plus faible que le premier) d'un photon, en général dans le domaine visible.

Outre l'énergie contenue dans le mouvement orbital des électrons, il existe une énergie contenue dans les mouvements de vibration des noyaux entre eux. Les lois de la physique régissant les liaisons entre les atomes formant une même molécule font qu'il n'existe qu'une distance possible entre les atomes, dans une molécule à deux atomes, par exemple, pour assurer l'équilibre. En effet, il existe une force répulsive entre les noyaux, qui portent tous les deux une charge électrique positive, et une force attractive émanant de la mise en commun d'un certain nombre d'électrons. On obtient ainsi une liaison très stable mais présentant cependant une certaine souplesse. Par exemple, l'énergie apportée par un photon peut très bien provoquer un certain écart par rapport à la position d'équilibre. Dans ce cas, la liaison se comporte un peu comme un ressort qui se comprimerait et se détendrait successivement, jusqu'à changer de vitesse d'oscillation (une approximation habituelle des physiciens consiste d'ailleurs à traiter ce type d'énergie comme celle d'un ressort classique, la différence étant que l'énergie résultante est quantifiée). Dans le cas d'une molécule diatomique (à deux atomes), il n'y a qu'un seul mouvement possible défini par un nombre quantique entier unique. Lorsqu'il y a trois atomes ou plus, la situation est plus complexe et il faut faire intervenir plusieurs nombres quantiques de vibration, autant qu'il existe de degrés de liberté dans la molécule (soit trois nombres quantiques de vibration pour une molécule contenant trois atomes, six pour quatre atomes, neuf pour cinq atomes, etc.). Les photons absorbés ou émis par ce type de variation d'énergie sont nettement moins énergétiques que ceux produits par les transitions électroniques; ils correspondent en général à l'infrarouge (longueur d'onde de quelques micromètres).

Les noyaux peuvent également avoir d'autres mouvements que des mouvements vibratoires. Ils peuvent, indépendamment de mouvements éventuels de vibration, effectuer un mouvement de rotation autour d'un axe perpendiculaire à la droite passant par les deux atomes (dans la cas simple d'une molécule diatomique). Ce mouvement de rotation contient évidemment de l'énergie cinétique de rotation qui est d'autant plus élevée que la vitesse de rotation est rapide. Comme pour les énergies électroniques ou vibratoires, l'énergie rotationnelle est quantifiée. Elle est définie par un nombre quantique entier dans le cas d'une molécule diatomique; pour les autres, la situation dépend des symétries présentées (il faut considérer les trois moments d'inertie de la molécule). Les photons liés à ce type de transition sont encore moins énergétiques que ceux des transitions vibratoires; ils correspondent en général au domaine des ondes radio millimétriques.

Le lecteur peu familier avec les techniques de spectroscopie comprendra sans doute que lorsqu'un photon émis par une molécule correspond à une transition faisant varier simultanément les trois types d'énergie qui viennent d'être présentés, la situation peut être très complexe à démêler. Comme cette situation est la plus courante pour les spectres observés dans le visible (les plus étudiés), on commence à comprendre les difficultés de l'analyse spectroscopique des comètes (surtout que les constantes des niveaux d'énergie et des probabilités de transitions ne sont pas toujours connues avec précision). La figure 3 montre un exemple typique de spectre cométaire obtenu dans le visible, qui ne contient que les émissions des molécules de la coma, le continuum solaire reflété par les grains de poussières ayant été retiré.

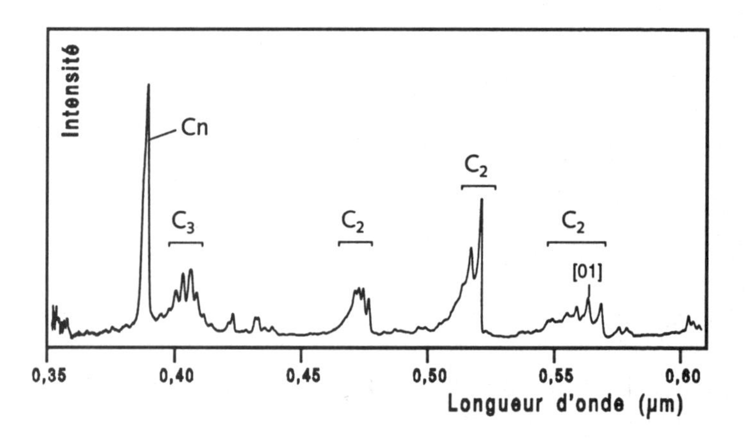

Figure 3. Exemple type d'un spectre cométaire obtenu dans le domaine visible (de 0,35 à 0,61 µm ici). Il a été pris sur la comète d'Encke par H. Spinrad avec le télescope de 3 m de l'observatoire de Lick, en Californie. Il apparaît plat, car le continuum solaire reflété par les poussières de la coma a été soustrait, seules les bandes d'émission des molécules de la coma (principalement CN, C_3 ou C_2) étant visibles. Chacune de ces bandes correspond en fait à plusieurs dizaines de raies d'émission, trop proches les unes des autres pour pouvoir être résolues ici (d'après Susan Wyckoff, *Comets*, 1982).

Un dernier point sur cette présentation, sommaire, de ce vaste domaine qu'est la spectroscopie. Le lecteur peu familier avec le monde atomique et moléculaire ne doit pas prendre trop au pied de la lettre les analogies employées pour décrire le monde microscopique («mouvement orbital des électrons», «ressort», etc.). C'est en effet une des plus grandes difficultés que les physiciens travaillant dans le monde quantique rencontre : décrire un univers microscopique, qui échappe totalement à notre entendement, avec des images du monde macroscopique. Comment concevoir, par exemple, l'impossibilité d'avoir des niveaux d'énergie quelconques, comme dans notre monde macroscopique ? C'est exactement comme si une voiture ne pouvait rouler qu'à 50 ou 100 km/h, sans pouvoir passer par un stade intermédiaire. En général les physiciens spécialisés éludent le problème en utilisant des outils mathématiques très abstraits... dont il sera fait grâce au lecteur (et qui n'apporteraient d'ailleurs rien au présent exposé, le but étant simplement de comprendre le principe des méthodes employées).

La collecte des poussières extraterrestres

Avant d'aborder la description proprement dite des comètes, on doit mentionner une dernière méthode d'investigation utilisée pour les connaître : la collecte des poussières extraterrestres dans la haute atmosphère de la Terre. Les grains de poussière éjectés par le noyau d'une comète lors de son passage près du Soleil ne sont pas perdus. En général, ils finissent par se rapprocher du Soleil et par être absorbés par celui-ci, mais il peut aussi arriver qu'ils croisent une planète et tombent à sa surface. C'est ainsi qu'un certain nombre d'essaims d'étoiles filantes sont associés à des comètes, la Terre traversant régulièrement une zone proche de leur orbite.

En faisant se déplacer une surface collectrice dans la stratosphère, on peut espérer récupérer des poussières d'origine cométaire. Les premières expériences eurent lieu avec des ballons dès les années soixante, aux États-Unis, mais la surface balayée était trop limitée (à cause de la faible vitesse du ballon). D'autres moyens furent alors utilisés, principalement des avions U2, mais aussi des fusées, même des satellites.

La principale difficulté de ce type de collecte est le faible nombre de poussières d'origine réellement cométaire que l'on peut récupérer. Au moins 90 % des poussières collectées sont d'origine terrestre (gaz de fusées, pollution industrielle, volcans.) et il n'est pas toujours facile d'être sûr de l'origine extraterrestre d'une poussière quand on en tient une. Au début des années quatre-vingt, il n'y avait guère que quelques centaines de poussières d'origine réellement extraterrestre qui avaient été collectées, certaines n'ayant pas une origine cométaire.

Un autre problème posé par ce type d'analyse est constitué par l'évolution du grain au cours de son voyage à travers le système solaire (commençant par une éjection violente du noyau cométaire) et, éventuellement, l'atmosphère terrestre. Il semble bien, en effet, que des éléments volatils soit ainsi perdus en cours de route.

Description générale d'une comète

Avant d'aller plus loin dans la description détaillée d'une comète on doit d'abord en présenter les grandes structures. Celles-ci peuvent faire l'objet de la classification suivante :

- LE NOYAU. C'est évidemment l'essentiel de la comète, la seule partie réellement «physique» qui perdure tout au long de l'orbite parcourue dans le sytème solaire. Ses dimensions (de l'ordre de quelques kilomètres) le rendent totalement négligeable par rapport aux autres structures lorsque la comète est active. C'est pourtant à partir de cette partie solide que toutes les autres structures se forment.
- LA COMA OU CHEVELURE. C'est elle qui constitue le phénomène le plus caractéristique et le plus spectaculaire d'une comète active, elle constitue l'essentiel du halo lumineux visible à l'œil nu. D'un diamètre de l'ordre de 10 000 à 100 000 km, elle est constituée d'un mélange de grains de poussière et de molécules de gaz éjectées du noyau (molécules éventuellement ionisées si elles ont perdu des électrons).
- LA QUEUE DE POUSSIÈRES. Elle forme également un phénomène spectaculaire de par ses dimensions, mais est d'un éclat plus faible que celui de la coma. Elle est constituée de poussières éjectées du noyau qui diffusent la lumière du Soleil et sa longueur est de l'ordre d'une dizaine de millions de

kilomètres. Elle s'étend dans la direction opposée au Soleil, mais est souvent incurvée.

- LA QUEUE DE PLASMA. Elle est constituée de plasma, c'est-à-dire de particules ionisées, et s'étend également dans la direction opposée au Soleil. Elle est cependant plus grande que la queue de poussières (elle peut atteindre une centaine de millions de kilomètres, soit les deux tiers de la distance de la Terre au Soleil), et plus rectiligne.
- UNE ENVELOPPE D'HYDROGÈNE ATOMIQUE. Invisible à l'œil nu, cette enveloppe n'a été découverte que tardivement, dans les années soixante. Elle est composée principalement d'hydrogène atomique, est relativement sphérique (quoique déformée dans la direction antisolaire), et mesure plusieurs millions de kilomètres.

La figure 4 présente l'ensemble de ces éléments, en utilisant une échelle logarithmique. Un dessin classique est en effet impossible à tracer vu l'énorme disparité des dimensions des structures à représenter. Par exemple, si on dessinait un noyau ayant un diamètre d'un millimètre, il faudrait plusieurs centaines de mètres pour représenter le halo d'hydrogène à la même échelle... Chacun des éléments qui viennent d'être mentionnés sera maintenant examiné en détail .

Le noyau

Bien qu'il s'agisse de l'élément clé d'une comète, il est relativement difficile d'obtenir des informations directes à son sujet. Les mesures photométriques effectuées lorsque le noyau est loin du Soleil sont une des rares sources d'information directes. Elles ne peuvent guère renseigner que sur la lumière qu'il reflète alors du Soleil (lumière liée au produit de la surface visible du noyau par sa capacité à refléter la lumière [paramètre appelé albédo]). En fait, la majeure partie des connaissances acquises jusqu'au milieu des années quatre-vingt est due à des raisonnements indirects et parfois assez spéculatifs, basés sur des observations de la coma ou des queues.

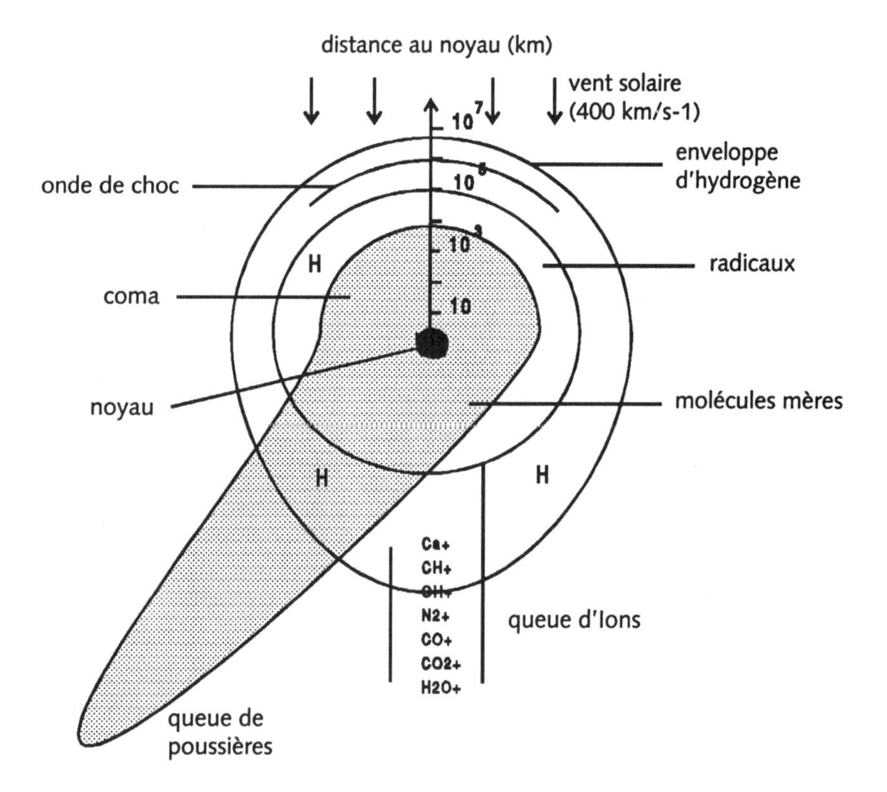

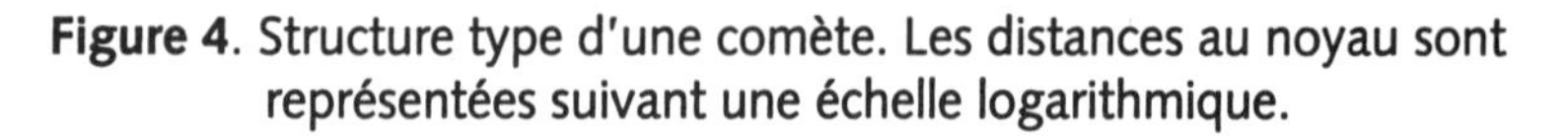
Figure 4. Structure type d'une comète. Les distances au noyau sont représentées suivant une échelle logarithmique.

On considère que le constituant principal d'un noyau cométaire est l'eau, principalement grâce aux observations de la chevelure qui révèle une quantité très élevée de radicaux OH et d'atomes O et H. La majorité de ces éléments, tel qu'il sera expliqué plus loin, sont considérés comme étant le résultat de la photodissociation des molécules d'eau par le Soleil (de formule H_2O, soit deux atomes d'hydrogène liés à un atome d'oxygène).

Cet élément essentiel fut à la base de la principale théorie décrivant les noyaux cométaires, développée dès 1950 par Fred Whipple, et qui fut baptisée théorie de la «boule de neige sale». Cette théorie, comme son nom l'indique, considère le noyau comme une espèce de grosse boule formée principalement de glace, mais également d'autres éléments, tel le carbone, la rendant «sale». Cette boule aurait une forme plus ou moins régulière et serait parfois en rotation.

Avec les années, ce type de modèle se confirma et fut précisé. Après le passage de Halley, il fut un peu modifié, comme il en sera question au chapitre sept, mais ses grandes lignes demeurèrent. Donc, la structure des noyaux commençait à faire l'objet de modèles relativement précis, surtout avec le développement de modèles de grains cométaires. Ces modèles, basés également sur les observations du milieu interstellaire, commençèrent à se développer au début des années soixante-dix. On doit en particulier à J.M. Greenberg, un Américain travaillant à l'université de Leide, aux Pays-Bas, la mise au point de modèles complets de grains.

Au début des années quatre-vingt on expliquait la naissance des noyaux cométaires de la façon suivante. Tout d'abord, leur origine se situerait dans le milieu interstellaire. Entre les étoiles existent de vastes nuages composés à la fois de gaz et de poussières, trouvant leur origine dans les premiers instants de l'univers (atomes d'hydrogène et d'hélium) et dans les produits de l'évolution stellaire éjectés dans le milieu interstellaire, principalement lors de la «mort» d'étoiles massives (supernovæ). Ces poussières contiennent à la fois des silicates (éléments à base de silicium [Si] et d'oxygène [O], pouvant contenir un certain nombre d'éléments lourds tels le magnésium [Mg] ou le fer [Fe]) et des éléments plus légers (à base principalement de carbone, d'hydrogène, d'oxygène, et d'azote), et leurs molécules peuvent être relativement complexes. Au terme de l'évolution de ces poussières dans les nuages du milieu interstellaire, au stade correspondant au nuage ayant formé notre système solaire, il en résulterait des grains ayant, grosso modo, la structure suivante : un noyau, formé de silicates, entouré de matériaux carbonés réfractaires et de glace d'eau amorphe mélangée à des éléments volatils. Ce type de grain, de forme allongée et de quelques dixièmes de micromètres de longueur, formerait alors des agrégats constituant les grains cométaires.

Ces grains, loin du Soleil, où la densité est faible et la température peu élevée, auraient alors formé des «planétésimaux» par collision successive des grains créant ainsi des accrétions qui seraient devenues ces grosses «boules de neige sale» décrites par l'Américain Whipple en 1950. Le lieu exact de formation des comètes est toujours un sujet de discussion. Il est sûr qu'elles se sont formées au moins au-delà de l'orbite de Neptune, mais leur présence actuelle dans le nuage de Oort, comme démontré dans le chapitre précédent, ne remonte sans doute pas aux origines du système solaire. Quoi qu'il en soit, les noyaux cométaires, avant de se retrouver sur une orbite qui les amène à passer près du Soleil, où la surface du noyau évolue alors de façon notable, sont considérés comme n'ayant pratiquement pas subi d'évolution physicochimique. C'est cette particularité qui rend les comètes si intéressantes pour les astronomes qui les étudient, qui ont là une opportunité unique d'observer la matière primitive du sytème solaire.

Il est important de noter que le modèle des grains cométaires développé durant les années soixante-dix et au début des années quatre-vingt était largement spéculatif. Il reposait au moins autant sur les observations du milieu interstellaire et sur des expériences de laboratoire que sur des observations effectuées sur des comètes. Son point faible était donc l'absence d'observations directes. Pour tout dire, les seules observations directes de grains, ceux collectés dans la stratosphère par les avions U2, ne coïncidaient pas vraiment avec ce type de modèle.

En effet, même les grains dont l'origine extraterrestre, voire cométaire, était certaine apparaissaient formés presque uniquement de matériaux réfractaires peu volatils, principalement des silicates. La composante d'éléments légers volatils du modèle de grains développé par J.M. Greenberg en était absente. Une telle observation n'était cependant pas forcément en contradiction avec le modèle de grains développé à partir des observations du milieu interstellaire. En effet, les grains récupérés et analysés dans la stratosphère sont en nombre relativement limités (de l'ordre de quelques centaines) et, surtout, ils ont subi un long trajet depuis le noyau cométaire dont ils sont originaires jusqu'à l'avion U2 qui les a collectés (le temps passé dans le système solaire est de l'ordre de quelques dizaines d'années). Ce trajet amène quelques doutes sur la ressemblance exacte des grains analysés avec ce qu'ils étaient à l'origine.

En ce qui concerne la taille et la masse globale du noyau, les idées en cours avant le passage de Halley étaient également floues. Pour déterminer la taille, il y avait principalement deux méthodes d'investigation : la photométrie du noyau lorsqu'il est inactif, à grande distance du Soleil, et son observation au radar lorsqu'il passe tout près de la Terre.

La photométrie se heurte à un problème : son résultat est lié à deux grandeurs inconnues, *a priori* la taille du noyau et la fraction de lumière reçue qu'il reflète (c'est-à-dire son albédo). En utilisant des valeurs de l'albédo «réalistes» (éventuellement affinées au cas par cas en essayant de faire un bilan thermique — énergie reçue égale au taux de vaporisation — lorsque la comète est près du Soleil), on trouve des valeurs de l'ordre de quelques kilomètres de diamètre (1 à 10). L'albédo choisi, affiné par une tentative de bilan thermique, pouvait être très variable, mais était typiquement de l'ordre de quelques dizaines de pour cent, suggérant une surface assez claire (l'albédo des continents lunaires, plus clairs que les mers, est de 0,24 ou 24 %).

La technique active de l'écho radar ne peut être utilisée que pour des comètes passant très près de la Terre. Ce fut le cas, par exemple, de la comète d'Encke en 1980, qui fut observée avec le radiotélescope d'Arecibo (situé à Porto Rico). Le résultat de l'observation de cette comète donna un diamètre du noyau de l'ordre de 0,8 à 8 km, en accord avec les observations photométriques.

En ce qui concerne la masse des noyaux cométaires, les idées étaient encore plus floues que pour les dimensions. En fait, en l'absence d'observation de la perturbation du mouvement d'un corps céleste par une comète, le seul moyen d'avoir une idée de la masse d'un noyau consistait à prendre une masse volumique «réaliste» (un peu au dessus de 1g/cm^3) et à la multiplier par le volume d'une sphère dont le diamètre correspondait aux estimations mentionnées ci-dessus. On obtenait ainsi des masses très variables, allant de 10 millions à 1000 milliards de tonnes, selon les comètes.

Lorsqu'un noyau cométaire se rapproche du Soleil, des phénomènes très particuliers surviennent. En effet, vers 3 UA du Soleil commence à se développer un phénomène de sublimation des glaces du noyau. L'énergie solaire absorbée par sa surface a vite un effet spectaculaire sur le noyau «endormi». La température de surface augmentant, les gaz contenus dans la glace d'eau s'échappent, avec une vitesse de l'ordre de 1 km/s. Avec eux les gaz entraînent les poussières, celles-ci étant éjectées avec une vitesse plus faible, de l'ordre de 0,1 à 0,3 km/s. Ces vitesses d'éjection sont toutes nettement supérieures à la vitesse de libération du noyau, liée à son attraction gravitationnelle, vitesse de l'ordre de 1 m/s. Les particules (molécules ou grains de poussière) sont donc irrémédiablement perdues pour le noyau (la présentation des autres structures expliquera ce qu'elles deviennent), ce qui pose évidemment, à terme, la question de la durée de vie du noyau.

La montée de la température en surface provoque également un autre phénomène : la cristallisation de la glace. En effet, la glace amorphe, c'est-à-dire sans structure atomique particulière, se transforme spontanément en une forme de glace plus organisée sur le plan atomique, dite glace cristalline. Cette réaction est exothermique ; elle produit donc de la chaleur, ce qui entretient la libération du gaz contenu dans les glaces et également des poussières. Les couches sous-jacentes sont également réchauffées, ce qui provoque la cristallisation de la glace et du gaz qu'elles contiennent.

Parmi les molécules ainsi éjectées du noyau, un petit nombre, grâce aux observations de la coma, était identifié et considéré comme pouvant être directement issu du noyau (au moins pour une partie des molécules observées). On retrouve des molécules d'eau, bien sûr, mais aussi de monoxyde de carbone (CO), particulièrement abondant, de cyanure d'hydrogène (HCN) et de cyanure de méthyle (CH_3CN). Un certain nombre d'autres molécules étaient déjà fortement soupçonnées de participer à la composition du noyau. Il s'agit principalement de molécules de dioxyde de carbone (CO_2), de formaldéhyde (H_2CO), d'ammoniac (NH_3), d'acétylène (C_2H_2), et de disulfure de carbone (CS_2).

Les poussières et les gaz éjectés ne le sont pas de façon uniforme, les observations de la coma montrant souvent des formes irrégulières et variables. Ces structures sont associées aux irrégularités du noyau, qui peut présenter des zones d'activité très variables, et à sa rotation. L'étude des variations cycliques d'activité des noyaux cométaires lors de leur passage près du Soleil a permis, dès 1977, de déterminer des périodes de rotation. Les dizaines de périodes déterminées (en particulier par Fred Whipple) avaient une valeur moyenne de 15 heures, avec de notables différences selon les comètes, le minimum étant de 4 heures, valeur sans doute proche de la limite de rupture du noyau.

L'étude des variations de la période orbitale des comètes dues aux forces non gravitationnelles permet également de donner des informations sur l'orientation de l'axe de rotation (voir le chapitre précédent). On a ainsi pu constater une distribution aléatoire de l'orientation des axes de rotation.

Dans certains cas, comme celui de la comète d'Encke, dont il a été question à plusieurs reprises, il a été possible d'étudier le mouvement de précession du noyau. Celui-ci est un mouvement de rotation lente de l'axe de rotation lui-même, découlant du fait que le noyau n'est pas parfaitement sphérique. On a ainsi calculé, outre une période de rotation moyenne de 6,5 heures, un aplatissement moyen de seulement 3 %, ce qui est relativement faible et accrédite l'idée d'un noyau presque sphérique.

Le passage près du Soleil entraîne une perte de masse pour le noyau, ainsi sans doute qu'une modification de l'état de sa surface. On peut supposer, en effet, que celle-ci devient plus sombre à cause de l'augmentation relative, près de la surface, des parties réfractaires peu volatiles des grains. Les comètes nouvelles, passant pour la première fois près du Soleil, ont donc souvent une activité plus intense que les comètes périodiques anciennes, déjà relativement usées.

Si elle ne subit qu'un passage près du Soleil avant de repartir définitivement vers les profondeurs de l'espace, la comète n'a pas trop à s'inquiéter pour son avenir. Par contre, une comète nouvelle mais «capturée» par le Soleil, et qui devient périodique, est condamnée. Après chaque passage, en effet, elle perd de sa masse. Certes, cette perte est très faible (on l'estime à quelques dixièmes de pour cent) mais, à l'échelle des temps astronomiques, les passages sont très fréquents. Il existe alors deux scénarios possibles.

Dans le premier, la comète diminue progressivement de taille jusqu'à se scinder en plusieurs morceaux. Ce phénomène a été observé à plus d'une vingtaine de reprises, par exemple avec la comète de Biela, dont il a été question au chapitre trois, ou plus récemment avec la brillante comète West, qui se scinda en quatre parties alors qu'elle était en pleine activité, en mars 1976.

Dans le deuxième scénario, l'évolution de la surface du noyau serait telle que cette surface deviendrait très sombre et formerait une véritable croûte «étouffant» progressivement toute activité. On soupçonne ainsi plusieurs objets classés comme astéroïdes d'être en fait d'anciens noyaux cométaires.

Il convient de noter, avant de clore cette partie consacrée au noyau, que celui-ci n'est sans doute pas totalement inerte lorsqu'il est loin du Soleil. On suppose en effet que certains processus d'érosion, extrêmement faibles au regard des phénomènes survenant lors du passage près du Soleil, peuvent se produire. L'exposition aux rayons cosmiques énergétiques de la Galaxie ainsi qu'aux ions et électrons composant le vent solaire n'est sans doute pas sans effets. Ceux-ci contribuent sans doute à des réactions physico-chimiques à la surface du noyau ayant pour effet d'éjecter certains composés volatils et de laisser des résidus solides.

La coma (ou chevelure)

Directement issue du noyau, la coma constitue le phénomène le plus spectaculaire d'une comète et elle offre également l'avantage important d'être beaucoup plus facile à analyser que celui-ci. Les outils d'investigation à la disposition des astronomes, en particulier la spectroscopie, sont en effet beaucoup plus adaptés à l'étude d'un milieu diffus comme celui de la coma. Celle-ci est constituée, dans la zone proche du noyau, des particules éjectées par ce dernier, c'est-à-dire de grains de poussière et de molécules de gaz. L'évolution de ces deux constituants étant assez différente, ils seront abordés séparément.

Tout d'abord, en ce qui concerne les molécules du gaz, éjectées avec une vitesse élevée, environ 1 km/s, deux processus essentiels vont intervenir : les collisions avec les autres molécules (dans la zone très proche du noyau) et les processus de photodissociations dus aux photons reçus du Soleil (dans toute la coma).

Les collisions survenant dans la zone proche du noyau (jusqu'à quelques milliers de kilomètres tout au plus) ont plusieurs effets. Tout d'abord, elles contribuent grandement à homogénéiser la distribution du gaz qui perd ainsi rapidement la trace des jets. La coma prend assez vite une forme sphérique, même si la zone exposée au Soleil reste souvent plus brillante car plus active à la surface du noyau. Un autre effet important, comme dans toutes les atmosphères planétaires, est constitué des réactions chimiques provoquées par les collisions. Ces réactions sont difficiles à établir, les scientifiques n'ayant qu'une idée très floue des différentes molécules se trouvant dans la zone proche du noyau, appelée «coma interne». En effet, la région où les collisions sont importantes est relativement opaque et peu visible pour les observateurs terrestres. Ces derniers doivent observer des zones plus éloignées du noyau. Or, quand les molécules s'éloignent du noyau, elles sont soumises, dès leur éjection, à un intense rayonnement solaire. Celui-ci a pour principal effet, grâce à ses photons ultraviolets, très énergétiques, de briser les molécules en plusieurs morceaux, processus appelé photodissociation. On classe ainsi les molécules de la ccoma en plusieurs catégories : les molécules mères, qui sont celles directement issues du noyau, les molécules filles, qui sont constituées des produits de dissociation des molécules mères, et, éventuellement, on peut parler de molécules petites-filles, issues de la photodissociation des molécules filles (mais, à ce stade, on a souvent affaire à des atomes ou à des ions isolés).

La difficulté d'acquérir une bonne connaissance de la coma interne et, par conséquent, de la composition du noyau, provient du fait que les analyses spectroscopiques effectuées depuis la Terre ne révèlent pratiquement que la présence des molécules filles. Tels de fins limiers, les astronomes doivent alors esssayer de découvrir les molécules qui leur ont donné naissance.

Avant le passage de Halley, seules quelques rares molécules effectivement détectées étaient considérées comme des molécules mères, qui comprenaient des molécules de cyanure d'hydrogène (HCN), de cyanure de méthyle (CH_3CN) (ces deux molécules ayant été détectées dans le domaine radio sur la comète Kohoutek), ainsi que de monoxyde de carbone (CO) (observé dans l'ultraviolet et l'infrarouge). Le cas des molécules d'eau (H_2O) était plus litigieux. En effet, si l'ion H_2O^+ avait été détecté sans ambiguïté dans le visible, la molécule d'eau elle-même avait fait l'objet de tentatives d'observation dans le domaine radio au résultat peu fiable. Hormis les cas cités précédemment, toutes les autres espèces chimiques alors détectées dans la coma étaient considérées comme des produits de photodissociation, étant des radicaux instables, des ions et même des atomes isolés.

Les molécules, atomes et ions identifiés avant le passage de Halley étaient les suivants : H_2O^+, OH, H et O de molécule mère supposée H_2O (eau), CO_2^+, O, CO^+ et CO de molécule mère supposée CO_2 (dioxyde de carbone) (CO étant sans doute issu à la fois du CO_2 et directement du noyau, avec création de CO^+, C, et C^+ également détectés), CH de molécule mère supposée H_2CO (formaldéhyde), CN et HCN de molécule mère supposée HCN (ou CH_3CN pour CN, cette molécule relativement complexe ayant déjà été détectée, comme signalé ci-dessus), NH et NH_2 de molécule mère supposée NH_3 (ammoniac), C_2 de molécule mère supposée C_2H_2 (acétylène), CS et S_2 de molécule mère supposée CS_2 (disulfure de carbone), et C_3.

À cette liste, on peut ajouter des atomes lourds observés isolément, principalement dans le domaine visible (pour ceux-ci, les raies d'émission sont dues uniquement, évidemment, aux transitions électroniques) : le sodium (Na), le potassium (K), le calcium (Ca), le vanadium (V), le chrome (Cr), le manganèse (Mn), le fer (Fe), le cobalt (Co), le nickel (Ni), le cuivre (Cu) et, bien sûr, le silicium (Si). En infrarouge, on peut également mentionner l'observation, importante, de raies d'émission à 10 et 20 µm, attribuées à la présence de grains de silicate (raies également observées dans le milieu interstellaire).

Lorsqu'une comète se rapproche du Soleil, elle commence en général à montrer une activité autour de 3 UA (sublimation des glaces). On estime que la glace sublimée à la surface du noyau se trouve sous forme de clathrate, structure cristalline ayant l'avantage de posséder des cavités où peuvent se loger les autres molécules de gaz. On détecte ainsi rapidement les raies d'émission du CN vers 3 UA, celles du C_3 et du NH_3 vers 2 UA, celles du C_2, du CH, du OH, et du NH vers 1,5 UA suivies de celles du CO^+, du OH, du N_2^+ et du CH^+ dans la queue, celles du sodium vers

0,8 UA, puis éventuellement celles du fer, du chrome ou du nickel, mais seulement si la comète s'approche très près du Soleil (0,1 UA). Les différentes distances à partir desquelles on peut détecter ces éléments traduisent essentiellement le degré de volatilité de leur molécule mère, ou la difficulté de faire se séparer les éléments constitutifs des grains de silicate (pour les éléments lourds).

On peut constater qu'avec tous les éléments mentionnés ci-dessus, il y a de quoi imaginer beaucoup de molécules mères et beaucoup de réactions autour du noyau. On peut étudier, par exemple, le cas des molécules d'eau, dominantes dans la chevelure. Tout d'abord, ces molécules peuvent être photodissociées par les photons ultraviolets du Soleil, dès que ceux-ci ont une longueur d'onde inférieure à 242 nm (nanomètres, soit des milliardièmes de mètres), qui correspond à l'énergie minimum nécessaire pour casser les molécules d'eau. Selon l'énergie du photon ultraviolet qui casse la molécule (il existe onze seuils maximaux de longueur d'onde, allant jusqu'à seulement 72 nm), il y a onze réactions différentes possibles donnant soit OH + H (90 % des cas, avec six états différents possibles), ou H_2 + O, ou O + 2 H, ou H_2O^+ + e^- (e^- : électron) (en trois états possibles). Les réactions de photodissociation sont relativement bien connues et étudiées en laboratoire, ainsi que le flux solaire (bien que celui-ci soit variable dans l'ultraviolet), ce qui fait que les réactions de photodissociation de l'eau, dominantes dans l'ensemble de la chevelure, sont relativement bien connues.

Les réactions chimiques liées aux collision sont, par contre, plus difficiles à établir et surtout à quantifier, les chercheurs n'ayant qu'une idée très floue des molécules susceptibles de réagir, ainsi que de leur abondance. Pour l'eau, par exemple, on peut considérer les processus suivants : $CO^+ + H_2O \rightarrow HCO^+ +$ OH (dans cette écriture, la flèche signifie que CO^+ réagissant avec H_2O donne HCO^+ et OH), ou $CO^+ + H_2O \rightarrow H_2O^+ + CO$.

Il faut également faire attention au fait que l'atmosphère d'une comète est beaucoup plus ténue que celle de la Terre, limitant très rapidement à une quantité négligeable le taux des réactions au fur et à mesure qu'on s'éloigne du noyau. Il est facile de calculer que pour une comète comme celle de Halley, à une distance, par exemple, de 100 km du noyau, c'est-à-dire dans une zone très proche de celui-ci à l'échelle de la coma (qui fait plusieurs dizaines de milliers de kilomètres de diamètre), la densité du gaz est environ le millième de celle qu'on trouve à la surface terrestre. Cette densité décroissant à peu près comme l'inverse du carré de la distance au noyau, elle diminue encore d'un facteur 100 à 1000 km de distance. Ainsi, les vitesses d'expansion des gaz, qui sont les mêmes pour toutes les molécules près du noyau à cause des collisions, commencent à se différencier au bout de quelques milliers de kilomètres (différenciation due principalement au fait que les molécules filles sont éjectées à des vitesses élevées des molécules mères lors de leur photodissociation et que ces vitesses varient d'une molécule à l'autre). La zone où les réactions par collision jouent un rôle important est encore plus réduite (quelques centaines de kilomètres tout au plus).

L'analyse des profils d'intensité obtenus à partir des raies d'émission, qui montrent comment se répartit la quantité d'une espèce observée le long d'une ligne partant du noyau pour s'éloigner radialement (en tenant compte du fait que l'observateur terrestre observe toujours une quantité intégrée le long d'une ligne de visée perpendiculaire à ce rayon), peut donner des informations utiles. Par comparaison avec des modèles théoriques, incluant éventuellement des processus de dissociation, on peut en effet voir si on a affaire à une molécule mère ou à une molécule fille, voire petite-fille. On peut également avoir une idée de la durée de vie (moyenne statistique) de la molécule étudiée. Ces déterminations sont souvent empreintes d'une incertitude relativement grande (d'autant plus que pour les molécules filles plusieurs paramètres entrent en jeu : les durées de vie des molécules mères et filles ainsi que leur vitesse respective) mais, par recoupement entre plusieurs comètes, on peut obtenir des valeurs assez significatives.

On obtient ainsi des durées de vie très variables d'une espèce à l'autre. Pour une distance au Soleil égale à celle entre ce dernier et la Terre (cette remarque est nécessaire, car la durée de vie d'une molécule, avant photodissociation, dépend directement du flux solaire reçu et donc de la distance au Soleil), on trouve des valeurs allant de quelques centaines à quelques millions de secondes. La durée de vie d'une molécule d'eau, par exemple, est estimée à environ 80 000 s, soit 22 heures (valeur reposant principalement, sur des travaux de laboratoire et des mesures du flux solaire).

L'autre espèce de particules situées dans les chevelures des comètes, les grains de poussière, ont un comportement notablement différent de celui du gaz. Par exemple, les collisions dans la zone proche du noyau, si elles sont fréquentes avec les molécules, sont beaucoup plus rares entre les grains de poussière eux-mêmes. La densité de ceux-ci est en effet beaucoup plus faible que celle des molécules, puisqu'ils sont beaucoup moins nombreux. Ils sont éjectés du noyau sous la pression du gaz. Immédiatement après leur éjection, dans la zone très proche du noyau (jusqu'à 100 km environ), le nombre des collisions est telle qu'il y a couplage avec les molécules du gaz. D'un point de vue dynamique, il est ainsi difficile de distinguer les deux types de particules. Ce n'est qu'au-delà de cette zone que leurs comportements se différencient.

Les poussières ainsi éjectées sont responsables de la majeure partie de la lumière émise par une comète en activité. En effet, elles diffusent la lumière du Soleil qu'elle reçoivent. La lumière globalement émise par la coma se compose ainsi d'un continuum proche de celui du Soleil (mais pas identique, la diffusion par des petites poussières dans le visible ayant tendance à provoquer un rougissement) auquel s'ajoutent les raies d'émission des molécules du gaz (qui correspondent aussi à de la lumière solaire reçue et réémise de façon très précise en longueur d'onde). Ainsi, dans le domaine visible, auquel est sensible notre œil, les raies d'émission dominantes sont celles du C_2, de couleur verdâtre, s'étendant essentiellement entre 0,45 et 0,55 µm environ.

L'analyse de la lumière diffusée par les poussières (mesure du rougissement, mais également de la polarisation ou du rayonnement infrarouge) était la principale source d'information directe sur les grains, en particulier sur leur taille, avant les analyses *in situ* effectuées sur Halley lors de son passage. On trouvait ainsi des dimensions typiques de l'ordre de quelques dixièmes de micromètres. Il faut rappeler également la présence de raies d'émission infrarouge à 10 et 20 µm attribuées aux silicates.

Lorsque les grains de poussières s'éloignent du noyau, ils sont soumis principalement à deux forces : le pression de radiation solaire et la force de gravitation. Les photons émis par le Soleil possèdent une certaine énergie qui peut être transférée aux grains qui reçoivent ces photons, sous forme de quantité de mouvement ; c'est ce qu'on appelle la pression de radiation. La force ainsi exercée sur un grain donné de rayon r est proportionnelle au nombre de photons reçus, c'est-à-dire à la surface exposée au Soleil, ou à r^2. D'un autre côté, la force de gravitation du Soleil est liée à la masse du grain, donc à son volume, ou à r^3. Comme ces deux forces s'exercent en sens opposés, la pression de radiation ayant tendance à repousser le grain dans la direction opposée au Soleil et la force de gravitation, à l'attirer, leur effet conjugué est lié à la taille du grain, ou r. Le rapport de la pression de radiation sur la force de gravitation, c'est-à-dire la tendance du grain à être repoussé dans la direction opposée au Soleil, est donc inversement proportionnel à r : plus r est petit, plus le grain aura tendance à être repoussé. Ce raisonnement s'applique à des grains «classiques» de rayon de l'ordre du micromètre; pour des grains très petits, en dessous de 0,1 µm de rayon environ, il faut tenir compte d'un facteur d'efficacité de la pression de radiation qui en annule pratiquement les effets.

L'effet de «repoussement» des grains dans la direction opposée au Soleil est appelé effet fontaine et fut étudié dès 1836 par Bessel, tel que démontré dans le chapitre trois (Bessel donnait cependant une expression empirique à la pression de radiation solaire, dont la théorie n'était pas encore connue). Cet effet impose aux particules de poussière une trajectoire proche d'une parabole, dont les dimensions sont liées à la vitesse d'éjection initiale du grain, au sortir de la zone de couplage avec le gaz, et à sa masse et à ses dimensions. On obtient ainsi une chevelure qui se déforme rapidement lorsqu'elle s'éloigne du noyau et qui finit par se transformer, dans une direction à peu près opposée au Soleil, en une queue de poussières souvent incurvée.

Il arrive parfois qu'une comète présente un brusque sursaut d'éclat durant son activité. Ce genre de sursaut peut provoquer une augmentation globale de luminosité (et principalement de celle de la coma) d'un facteur 6 à 100 (c'est-à-dire de 2 à 5 magnitudes). Les mécanismes expliquant ce genre de sursaut ont sans doute différentes origines, mais tournent sans doute tous autour de l'aspect irrégulier de la morphologie du noyau. Il survient même, parfois, des sursauts d'activité alors que le noyau est loin du Soleil et ne présente plus d'activité détectable. Le cas le plus célèbre est celui de la comète de Halley, en 1991, qui sera étudié à la fin du prochain chapitre.

L'enveloppe d'hydrogène

Lorsque les molécules d'eau issues du noyau s'éloignent de celui-ci, elles sont rapidement photodissociées par les photons du Soleil. Cette photodissociation donne, dans 90 % des cas, des radicaux hydroxyles (OH) et des atomes d'hydrogène (H). Cependant, ceux-ci continuent leur trajectoire et les radicaux hydroxyles peuvent à leur tour être photodissociés, leur durée de vie moyenne étant de l'ordre de 130 000 s à 1 UA du Soleil. À 1 km/s de vitesse d'expansion radiale, cela signifie qu'on peut s'attendre à avoir un vaste halo composé principalement d'hydrogène atomique, mais également de radicaux hydroxyles, à des distances de l'ordre de plusieurs centaines de milliers de kilomètres du noyau, voire de plusieurs millions de kilomètres.

Les atomes d'hydrogène sont également susceptibles d'être détruits, par ionisation (l'unique électron étant alors éjecté de son orbite autour du proton), mais ce processus est plus long. Il peut être éjecté par un photon solaire ou par un échange de charge avec un proton du vent solaire (ce dernier processus étant en fait le plus courant) et, globalement, donne une durée de vie moyenne aux atomes d'hydrogène de la comète de l'ordre de 2,5 millions de secondes. C'est cette durée de vie élevée, mais non infinie, qui est une des causes essentielle du nuage d'hydrogène entourant les comètes.

Ces considérations théoriques avaient déjà été avancées dès 1968 par Ludwig Biermann. Leur conséquence naturelle était la présence d'une raie d'émission très importante autour des comètes, produite par l'hydrogène atomique, appelée raie Lyman α, dans l'ultraviolet (121,6 nm). Cette raie correspond à la première transition électronique possible dans un atome d'hydrogène (passage du niveau fondamental, où se trouve presque tous les atomes d'hydrogène à un instant donné, au premier état électronique excité). Il se trouve que c'est également une raie très intense dans le spectre d'émission du Soleil, d'où un effet de fluorescence marqué prévisible (absorption des photons Lyman α du Soleil et réémission immédiate de ceux-ci dans toutes les directions, dont celle de la Terre).

Cette émission fut rapidement détectée, le 14 janvier 1970, sur la comète Tago-Sato-Kosaka (1969g). Pour mener à bien cette observation, l'usage d'un satellite, nommé *OAO-2* (pour *Orbiting Astronomical Observatory-2*) fut indispensable. Il est en effet impossible d'effectuer ce type d'observation directement depuis le sol, car la Terre émet elle-même beaucoup d'atomes d'hydrogène dans l'espace (également issus de molécules d'eau), lesquels atomes émettent et absorbent évidemment en Lyman α, en dessous de 100 km d'altitude environ.

Les résultats des premières observations du gigantesque halo d'hydrogène furent rapidement confirmés, dès le mois suivant (février 1970) par l'étude de la comète Bennett. Celle-ci fit l'objet d'observations à la fois de la part d'*OAO-2* et de la part d'un autre satellite baptisé *OGO-5* (pour *Orbiting Geophysical Observatory-5*). Cet autre satellite avait l'avantage, par rapport à *OAO-2*, d'avoir des instruments plus sensibles et d'être placé à plus haute altitude, s'affranchissant ainsi davantage de la «pollution» des atomes d'hydrogène de l'atmosphère terrestre. Il obtint ainsi une cartographie plus détaillée de l'émission Lyman α provenant de la comète Bennett.

D'autres comètes furent encore observées par la suite, telles les comètes d'Encke (en janvier 1971) et Kohoutek (1973-74). Les observations ne furent cependant pas toujours fructueuses, à cause des difficultés qu'elles peuvent parfois présenter.

La cartographie de l'émission Lyman α révèle également un autre effet prédictible sur la distribution des atomes d'hydrogène : un effet fontaine à leur échelle. Les atomes d'hydrogène subissent également la pression de radiation du Soleil qui déforme le nuage observé dans la direction antisolaire. Les vitesses plus élevées des atomes d'hydrogène (de l'ordre de 8 km/s en moyenne), principalement dues à la grande vitesse d'éjection lors de la photodissociation de la molécule mère (OH ou H_2O), donnent simplement une plus grande échelle que dans le cas des grains de poussière.

La queue de poussières

À propos d'effet fontaine, il est intéressant de voir ce que deviennent les grains de poussière issus de la coma et repoussés par la pression de radiation solaire. Il a déjà été mentionné que ceux-ci finissaient par former une queue de poussières plus ou moins étendue, mais peu a été dit du détail de sa structure.

La queue de poussières est tout d'abord de grande dimension, puisqu'elle peut atteindre 10 millions de kilomètres, soit la taille du halo d'hydrogène (qui, lui, est invisible à l'œil nu). Un queue de poussières se caractérise également par un aspect relativement diffus et incurvé, ce qui est en parfait accord avec sa nature poussiéreuse, qui lui donne également un spectre du type continuum solaire (continuum éventuellement un peu rougi).

La forme générale d'une queue de poussières est expliquable par l'étude de la dynamique des grains. On peut en effet calculer deux types de courbes, que l'on appelle des syndynes (ou syndynames) et des synchrones. Les syndynes représentent les zones de l'espace entourant les comètes où se retrouvent tous les grains possédant le même rapport entre la pression de radiation et la force de gravité du Soleil (c'est-à-dire, à densité égale, les grains d'une dimension donnée), ceci pour les grains émis continûment dans le temps (voir la figure 5). Le calcul montre que ces courbes ont un centre dirigé vers le Soleil et qu'elles sont d'autant plus serrées que le rapport défini ci-dessus est faible (il ne faut pas, bien sûr, oublier le mouvement de la comète, qui a un effet important dans ce type de calculs). Les synchrones, à l'inverse, représentent les ligne où vont se placer l'ensemble des grains, quelles que soient leur dimensions, mais lorsqu'ils sont émis à un instant donné (qui pourrait représenter un brusque sursaut d'éclat, très localisé dans le temps, par exemple). Les synchrones sont des courbes pratiquement droites qui sont d'autant plus parallèles à la trajectoire des particules qu'elles correspondent à des instants d'éjection reculés dans le temps (la longueur d'un synchrone est également liée, bien sûr, à l'ancienneté de cet instant d'éjection, qui peut atteindre plusieurs semaines). La modélisation des queues de poussière observées est ainsi basée sur une combinaison de ces deux types de courbes et donne en général de bons résultats.

La quantité globale de lumière reflétée par la queue permet de calculer le taux de production de poussières. Celui-ci donne des valeurs typiques de l'ordre de 10^{17} à 10^{18} (100 millions de milliards à 1 milliard de milliards) particules/s, avec des pointes pouvant atteindre la valeur de 10^{24} lors de brusques sursauts d'émission. Les observations ont également révélées que les comètes neuves, passant pour la première fois près du Soleil, ont tendance à être plus poussiéreuses que les autres (les comètes périodiques ayant déjà effectué d'autres passages près du Soleil). Ce type de comète a également tendance à se montrer plus poussiéreuse avant le passage près du Soleil (périhélie) qu'après ce passage.

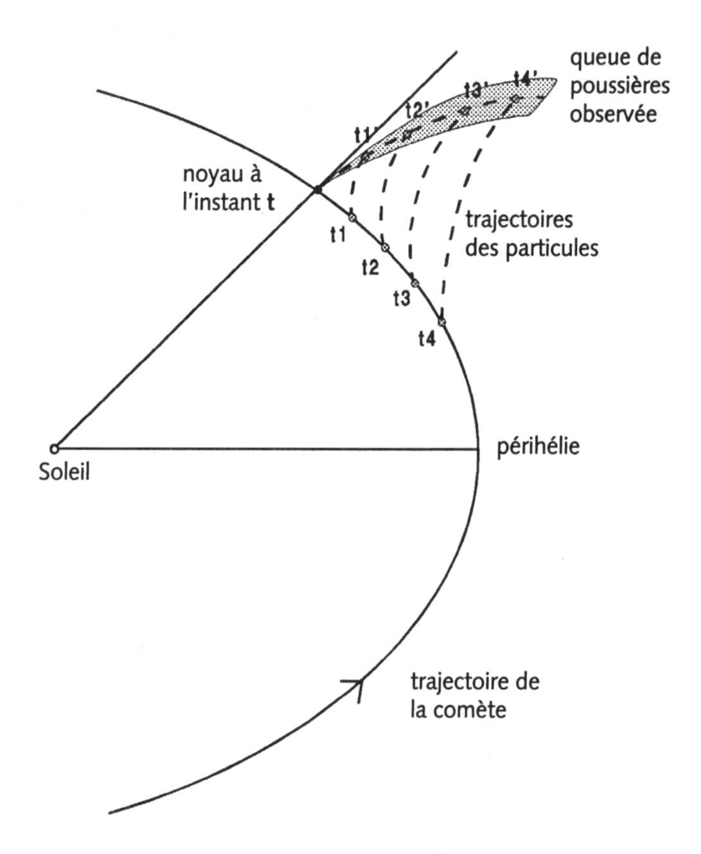

Figure 5. Formation schématique d'une queue de poussières. Les grains de poussière d'une même taille éjectés à l'instant t_4 parcourent une trajectoire résultant de leur vitesse initiale, de la pression de radiation solaire et de la force de gravitation du Soleil. Ils suivent la courbe en pointillés et se retrouvent au point t_4' à l'instant t. De même pour t_3, t_2 et t_1. On a ainsi une queue de poussières incurvée et qui est également étendue (zone grisée), car tous les grains n'ont pas la même taille, donc ne suivent pas tous des trajectoires identiques. Ce cas de figure correspond à des courbes syndynes pures (d'après K.S. Krishna Swamy, *Physics of Comets*, 1986)

Il existe parfois, vues de la Terre, ce qu'on appelle des «antiqueues». Celles-ci semblent pointer, à l'opposé des queues de poussières normales, dans la direction du Soleil. Elles sont également, en général, de dimensions beaucoup plus réduites. On pense qu'il s'agit sans doute principalement d'un effet de perspective sur une queue qui, bien qu'ayant une direction plus proche du Soleil que la queue principale, ne pointe tout de même pas franchement dans sa direction. La différence initiale d'orientation serait due au fait qu'il existe des grains plus gros que la moyenne (de l'ordre de 10 µm au lieu de 1 mm et moins), donc moins sensibles à la pression de radiation solaire qui repousse les autres grains de façon plus efficace.

La queue de plasma

Le lecteur aura remarqué que les réactions physico-chimiques survenant dans la chevelure, qu'elles soient dues aux collisions ou aux réactions de photodissociation, mènent presque systématiquement à l'apparition d'ions positifs. Ceux-ci sont des atomes ou des molécules victimes d'un déficit en électrons «arrachés» lors de la réaction qui leur a donné naissance. Il existe ainsi des électrons en liberté dans la coma. Ces particules, de par leur charge électrique, vont suivre une trajectoire à travers la coma très différente de celle des molécules ou des atomes neutres.

Les lois de la physique font que les particules électriquement chargées sont très sensibles, dans leur mouvement, aux champs électriques ou magnétiques. Or, il existe, dans le «vide» du système solaire, une puissante source de champs de ce type : le vent solaire.

Il serait sans doute indiqué, dans un premier temps, de rappeler quelques éléments caractéristiques de ce vent étrange. Son origine se trouve en effet dans la couronne solaire, cette couche externe du Soleil qui devient visible lors des éclipses totales de Soleil, et de façon parfois spectaculaire. Cette couronne se développe au-delà de la photosphère (la zone du Soleil qu'on peut distinguer à l'œil nu), jusqu'à des distances qui peuvent dépasser les vingt rayons solaires. Elle est constituée d'un milieu très peu dense, peu brillant par rapport au reste du Soleil, mais à très haute température.

On observe dans la couronne des raies d'émission d'atomes lourds (tels le fer, le nickel, le calcium, etc.) très fortement ionisés (le fer, par exemple, peut avoir perdu jusqu'à seize électrons). Or, un tel degré d'ionisation ne peut être atteint qu'avec des températures extrêmement élevées, de l'ordre d'un à deux millions de degrés (la température, physiquement parlant, est avant tout une mesure du degré d'agitation thermique des particules d'un gaz : plus elle est élevée et plus les collisions entre les particules sont violentes, et peuvent donc «arracher» des électrons solidement liés à leur noyau).

La vitesse atteinte par les particules ionisées de la couronne solaire, de par leur haut degré d'agitation thermique, leur permet de se libérer de l'attraction gravitationnelle du Soleil et de traverser le système solaire. C'est ce flux de plasma, principalement formé de noyaux d'hélium et d'hydrogène (c'est-à-dire de protons, dans le deuxième cas) et d'électrons, qui forme le vent solaire. La densité de ce gaz ionisé est très faible et décroît évidemment très vite au fur et à mesure qu'il s'éloigne du Soleil (de façon inversement proportionnelle au carré de la distance, puisque la surface d'une sphère augmente dans les mêmes proportions que le carré de la distance). Au niveau de l'orbite terrestre, cette densité est, en moyenne, de six particules/cm^3. Quant à la vitesse du plasma, elle est, en moyenne, de 450 km/s, mais peut également présenter des variations importantes avec, parfois, des «rafales de vent» qui peuvent durer une semaine et atteindre des vitesses de 1000 km/s.

Un autre aspect important du vent solaire est son interaction étroite avec le champ magnétique interplanétaire. En effet, ce champ prend sa source dans le Soleil, mais est rapidement entraîné dans le système solaire par le plasma du vent solaire. Ainsi, il existe une dépendance étroite entre le vent solaire et le champ magnétique interplanétaire, ce dernier devant une part considérable de son intensité au plasma qui accompagne ses lignes de force. Celles-ci sont en effet «gelées» dans le plasma du vent solaire et deviennent ainsi une structure en forme de spirale d'Archimède.

Ce type de structure est dû à la rotation du Soleil. Celui-ci tourne sur lui-même en une période d'environ 25 jours au niveau de son équateur (et plus lorsqu'on se rapproche des pôles), ce qui a pour effet d'ajouter une composante de vitesse tangentielle au plasma. Vu à l'échelle de l'ensemble du système solaire, le vent solaire semble cependant toujours émis de façon radiale, ou presque (car le diamètre du Soleil est négligeable à cette échelle). Par contre, le champ magnétique issu d'une zone donnée du Soleil va balayer tout le système solaire avec une onde en forme de spirale d'Archimède centrée sur le Soleil, la distance d'un point donné de cette onde, qui contient les lignes du champ magnétique, au Soleil ne dépendant que de l'intervalle de temps le séparant de son émission du Soleil.

L'analyse de la polarité du champ magnétique interplanétaire a également montré qu'il se divisait en quatre secteurs de polarité alternativement positive et négative, séparés par de courtes zones de contact où l'intensité s'annule. De la Terre, on voit donc le champ magnétique changer suivant une période de 27 jours, correspondant à la période de rotation du Soleil observée depuis la Terre.

Il convient cependant de noter que nos connaissances sur le vent solaire sont relativement limitées, puisque celles-ci proviennent essentiellement d'observations effectuées depuis l'espace. En fait, c'est justement l'étude des comètes qui permit à Ludwig Biermann, en 1951, d'en déceler pour la première fois l'existence. En effet, les ions de la chevelure qui s'échappent en rayonnant par rapport au noyau de la comète, ne peuvent manquer d'interagir rapidement avec le vent solaire et les lignes de force du champ magnétique qu'il a «gelé».

La comète en mouvement se présente en effet comme un obstacle à la libre circulation du vent solaire, dont la vitesse est environ dix fois supérieure à celle de la comète. Lorsque les ions rencontrent ce vent, ils sont littéralement emportés par lui, avec une dynamique qui résulte de la vitesse initiale des ions par rapport à celle du vent solaire.

L'étude théorique détaillée du choc entre le vent solaire et une comète (étude qui fut faite pour la première fois par le physicien suédois Hannes Alfvén, en 1957) montre qu'il faut considérer deux discontinuités importantes (voir la figure 6). La première, appelée onde de choc, se situe à environ un million de kilomètres du noyau et est causée par l'interaction entre les ions CO^+ et le vent solaire (le CO est, après l'eau, l'élément le plus abondant dans les comètes, sa quantité étant de l'ordre de 10 % par rapport à celle des molécules d'eau). La distance d'un million de kilomètre (environ) équivaut au temps nécessaire à une formation significative d'ions CO^+ ; en effet, la durée de vie du monoxyde de carbone avant d'être ionisé est d'environ un million de secondes, à une distance d'environ 1 UA du Soleil et les molécules de CO se déplacent à des vitesses proches de 1 km/s. La deuxième discontinuité dans les structures créées par l'interaction entre le vent solaire et une comète est appelée surface de contact et se situe beaucoup plus près du noyau que la première, à une distance d'environ 10 000 km.

La vitesse du vent solaire, largement supersonique avant l'onde de choc, chute brutalement et devient subsonique après la traversée de cette discontinuité. Entre les deux discontinuités, les lignes du champ magnétique sont comprimées ainsi que le gaz de la coma qui se trouve principalement sous forme ionisée. C'est également une zone où se développent des turbulences, surtout quand on se rapproche de la surface de contact. Au-delà de celle-ci, près du noyau, on passe de la région dominée par les ions à celle dominée par le gaz neutre. Les lignes du champ magnétique ainsi que les ions du vent solaire se mettent à contourner cette zone. C'est ce flux de contournement qui entraîne les ions de la chevelure dans la direction opposée au vent solaire et crée la queue de plasma de la comète.

Le processus qui vient d'être décrit se veut idéal et simplifié. Il explique cependant assez bien les observations connues. Par exemple, la surface de contact a pu être détectée de façon spectroscopique par le brusque changement de concentration des ions H_2O^+ ou CO^+. Ainsi, on la trouva à 50 000 km du noyau pour la comète Bennett (à 0,56 UA du Soleil). Ce genre de détection restait cependant, avant le passage de Halley, relativement incertaine.

La présence d'une queue de plasma , elle, n'est, par contre, pas du tout incertaine, tant son aspect peut être spectaculaire sur certains clichés de comètes. Il s'agit même de la structure la plus grande d'une comète, puisque sa longueur peut atteindre 100 millions de kilomètres, soit les deux tiers de la distance entre la Terre et le Soleil. La queue de plasma, sauf quelques exceptions, ne se forme que lorsque la comète est relativement près du Soleil, à moins de 1,5 UA. Son apparence diffère notablement, cependant, de la queue de poussières : sa couleur est différente, elle est beaucoup plus rectiligne, elle est orientée dans une direction légèrement différente, et elle présente des détails fins dans sa structure.

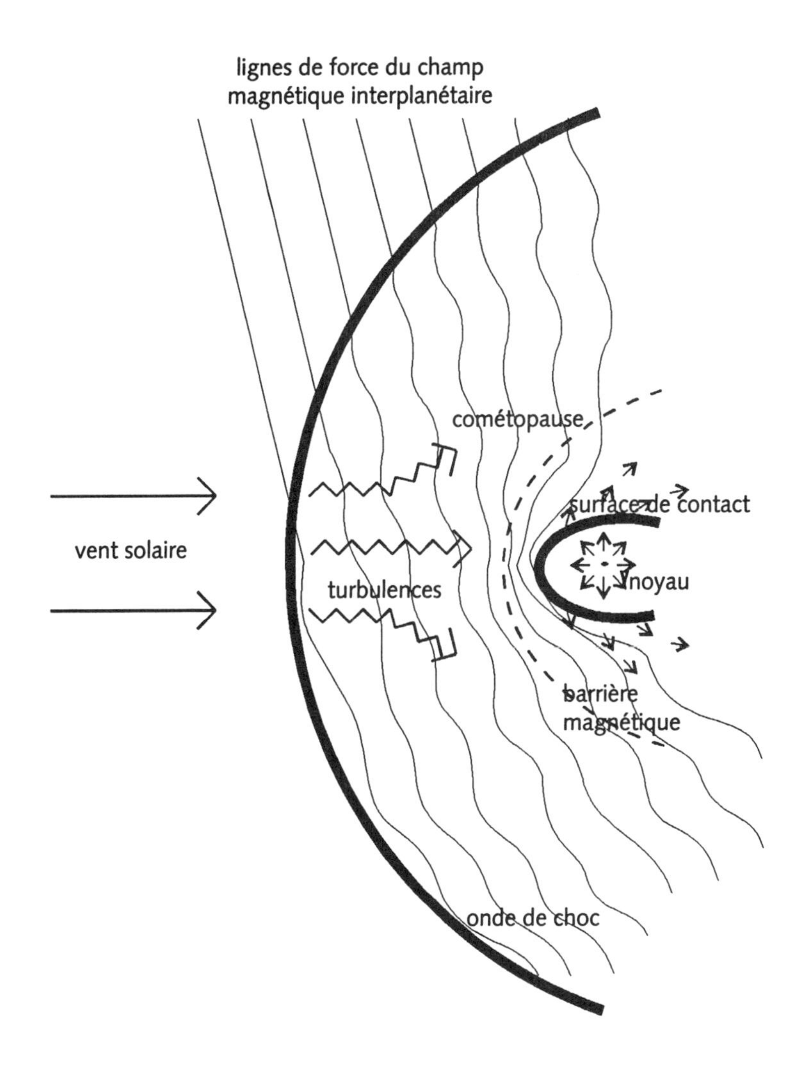

Figure 6. Représentation schématique de l'interaction entre une comète et le vent solaire.

En ce qui concerne la différence de couleur entre la queue de plasma et la queue de poussières, il s'agit d'une conséquence logique de leur composition physique respective. En effet, la lumière que nous percevons en provenance de la queue de poussières est le résultat de la diffusion de la lumière solaire sur des grains de poussière; c'est pourquoi ce type de queue apparaît plutôt jaune. À l'inverse, la lumière émise par la queue de plasma provient des raies d'émission des ions qui la composent (dont la densité peut passer d'environ 1000 ions/cm^3 près du noyau à 10 ions/cm^3 à l'extrémité). Or, l'espèce ionique la plus abondante est constituée des ions CO^+ qui sont fluorescents dans l'ultraviolet ou dans le bleu (à 0,395 ou 0,427 µm). Comme, en plus, d'autres ions moins abondants sont également fluorescents dans le bleu (tels les ions N_2^+ et CH^+), la couleur dominante de la queue de plasma est donc le bleu (malgré la présence de certaines raies appartenant à d'autres ions peu abondants qui ne sont pas fluorescents dans le bleu, comme les ions H_2O^+ [0,619 µm]).

L'orientation de la queue de plasma est beaucoup plus facile à calculer que celle de la queue de poussières : le vecteur vitesse des particules qui la composent dans le repère lié à la comète est la différence directe des vecteurs vitesses du vent solaire et de la comète (vitesses exprimées par rapport au Soleil). Il s'agit ainsi d'une composition tout à fait classique des vitesses, semblable aux exercices qu'on donne aux lycéens où, par exemple, un homme traverse une rivière à la nage (dans la cas d'une comète, la direction de la queue de plasma correspond à la direction de propagation du vent solaire observée du noyau). Comme la vitesse du vent solaire est beaucoup plus élevée que celle de la comète (d'un facteur dix environ), la direction de la queue de plasma est très proche de la direction opposée au Soleil (car la direction de propagation de la matière composant le vent solaire est presque radiale). En moyenne, on a ainsi pu calculer que l'angle entre la direction comète-Soleil et la queue de plasma est de seulement 3,7° pour les comètes ayant une orbite directe et de 5,5° pour les comètes ayant une orbite rétrograde. Conséquence logique de ce qui précède : l'aspect rectiligne de la queue de plasma reflète la direction (ou presque) du vent solaire.

La queue de plasma révèle également, avec un aspect globalement très rectiligne, un certain nombre de structures fines très marquées. Le principal type de structures est constitué de fins rayons dont certains, parmi les plus courts, peuvent diverger jusqu'à 60° de l'axe. On observe également toutes sortes d'autres structures filamenteuses, parfois hélicoïdales (à cause du mouvement typique d'une particule électriquement chargée qui suit une ligne de force du champ magnétique), ainsi que des sortes de globules ou condensations. Toutes ces structures peuvent s'expliquer par la théorie qui vient d'être exposée. En effet, les ions de la queue de plasma suivent les lignes de force du champ magnétique et épousent ses irrégularités, consécutives à l'interaction avec la comète.

Il peut arriver cependant que le vent solaire observé de la comète change, que ce soit en intensité, en vitesse ou en direction, voire les trois à la fois. La queue de plasma, qui, de par sa longueur, porte en elle la mémoire du passé jusqu'à deux ou trois jours en arrière, en garde alors une marque visible. En effet, comme les ions suivent les lignes de force du champ magnétique interplanétaire qui traverse la queue de plasma, leur trajectoire est immédiatement affectée si ces lignes évoluent.

On peut ainsi avoir des structures assez spectaculaires dans les queues de plasma, qui peuvent parfois apparaître coupées en deux ou courbées. Lorsqu'elles sont coupées en deux, cela signifie qu'il y a eu inversion de la polarité du champ magnétique interplanétaire (donc annulation). Les queues courbées le long de leur trajectoire révèlent, elles, un changement brutal d'orientation du vent solaire.

Jusqu'à l'étude *in situ* de la comète Giacobini-Zinner par la sonde *ICE* en septembre 1985, et surtout jusqu'à la rencontre de la flotille de sondes spatiales avec Halley en mars 1986, toute la connaissance de l'interaction entre le vent solaire et le champ magnétique interplanétaire provenait de l'étude de la queue de plasma, de la cartographie des raies d'émission des ions et des modèles théoriques que l'on pouvait, plus ou moins, confronter aux observations connues. Le détail des structures laissait donc un certain nombre de questions ouvertes ou de points théoriques à vérifier. Le chapitre sept expliquera comment les passages de Halley et de Giacobini-Zinner ont fait avancer la connaissance de cet aspect des comètes.

Les essaims de météorites

Lorsque les grains de poussières sont éjectés du noyau, ils se retrouvent dans la queue de poussières. Cependant, ils finissent par se disperser dans l'espace entourant la comète et suivent des orbites qui les font tourner autour du Soleil tout en restant assez proches du noyau dont ils sont issus (car la vitesse d'éjection des grains par rapport au noyau est très faible comparée à la vitesse de celui-ci par rapport au Soleil).

Chaque passage de comète crée ainsi une espèce d'essaim de toutes petites particules qui se promènent dans un genre de «boyau» invisible longeant l'orbite de la comète. Ces particules ont tendance, évidemment, à se disperser de plus en plus avec le temps, à cause de toute une série d'influence des autres corps du système solaire (perturbations gravitationnelles des planètes, effet Pointing Robertson, lié à la pression de radiation solaire, qui les fait se rapprocher lentement du Soleil, etc.). Il arrive cependant qu'elles passent à proximité d'une planète qui va littéralement les balayer en les attirant à sa surface. Si cette planète a une atmosphère, comme la Terre, le grain est alors détruit lors de son entrée dans celle-ci et provoque un phénomène lumineux éphémère, couramment appelé «étoile filante» (appellation évidemment impropre puisque ce genre de particule n'a rien à voir avec une étoile).

L'étude des étoiles filantes vues depuis la Terre montre ainsi, outre les objets sporadiques habituels (qui peuvent provenir d'une comète mais avoir perdu la mémoire de leur orbite initiale, ou être des poussières quelconques issues du système solaire), l'existence de groupes de météores localisés dans le temps (de l'ordre de quelques jours) et semblant provenir d'une même constellation. On a ainsi identifié une vingtaine d'essaims dont l'étude des éléments orbitaux est parfois cohérente avec celle des comètes connues (mais pas toujours, car l'origine de ces essaims peut aussi être planétaire ou liée à l'écliptique).

Il y aurait au moins neuf comètes ainsi associées à des essaims. On peut rappeler celles déjà citées dans le chapitre trois, comme la comète P/Swift-Tuttle, associée à l'essaim des perséides au mois d'août, ou d'autres comètes comme P/Schwassman-Wachmann 3, P/Giacobini-Zinner, P/Pons-Winnecke ou P/Halley. Le retour d'une comète peut amener, dans certains cas, un regain important d'activité par l'injection de poussières «fraîches» sur l'orbite. Ce phénomène a été clairement mis en évidence avec la comète P/Tempel-Tuttle, associée à l'essaim des léonides en novembre et de période de 33 ans. Cependant, ce genre de phénomène est loin d'être automatiquement vérifié à chaque passage d'une comète associée à un essaim.

Les essaims associés aux comètes ont longtemps constitué la seule source d'analyse *in situ* des grains cométaires, obtenus par collecte dans la stratosphère (principalement avec des avions U2) ou par ramassage sur les fonds océaniques (mais, dans ce cas, ils ont subi plus de transformations). Ces collectes ont donné des informations utiles, malgré les difficultés rencontrées (rareté des grains collectés, difficulté à les associer sans ambiguïté à une comète, etc.). Le problème se situe cependant sur le plan de l'évolution qu'ils ont subie depuis leur éjection du noyau, comme il en sera question lors de la présentation des analyses *in situ* effectuées sur les grains de poussières de Halley, dans le chapitre sept.

Il est temps, maintenant, de s'intéresser à «l'événement cométaire de ce siècle», le dernier passage de Halley près du Soleil, en mars 1986. On pourra ainsi mieux apprécier l'avancée rapide de la connaissance des comètes que son observation a pu procuré dans la dernière décennie.

Chapitre 6

L'étude de la comète de Halley lors de son dernier passage

Nous avons déjà parlé à plusieurs reprises de la plus célèbre des comètes, celle de Halley. Le chapitre deux a traité en détail les raisons historiques qui font qu'elle porte aujourd'hui ce nom et qu'elle est devenu aussi célèbre. Le présent chapitre examinera maintenant le déroulement de son dernier passage près du Soleil, au début de l'année 1986, passage qui eut un fort retentissement sur le plan médiatique, contribuant ainsi à ranimer et à entretenir une légende un peu oubliée, mais cette fois-ci au profit de la science.

Le hasard a bien voulu que cette comète, dont le retour auprès du Soleil survient tous les soixante-seize ans, revienne briller dans nos cieux juste au moment où l'homme dispose enfin d'une technologie fiable pour pouvoir l'examiner de près avec une sonde spatiale.

Au point de vue de la logistique, l'envoi d'une mission spatiale vers une comète nécessite une connaissance approfondie à la fois de l'orbite de cette comète et de son activité attendue. Vu les délais nécessaires pour préparer une sonde spatiale — un minimum de trois ou quatre années avant son tir, plus le temps nécessaire au trajet dans le système solaire, soit plusieurs mois — seule une comète périodique peut être choisie comme cible potentielle.

Les passages précédant celui dont on veut profiter pour organiser une rencontre spatiale doivent également laisser espérer une activité importante et surtout relativement stable. Si le noyau cométaire visé se scinde en deux la veille de la rencontre, ou si l'activité du noyau est presque nulle, à cause de son «usure», l'intérêt scientifique sera évidemment fortement réduit.

La liste des comètes pouvant faire l'objet d'une telle mission spatiale est ainsi relativement limitée. Parmi les candidates potentielles, la comète de Halley présentait, en fait, beaucoup d'avantages. En effet, observée depuis au moins l'an 239 av. J.-C. (par les Chinois), elle en était à son trentième passage sûr en 1986 (et il y en a eu sans doute beaucoup plus, le doute sur les observations précédentes n'étant dû qu'à la difficulté d'interpréter les archives chinoises [identification en 1057 av. J-C. hypothétique], ou à l'absence totale d'archives). L'analyse fine de tous les passages précédents avait révélé une orbite remarquablement stable ainsi qu'un éclat intrinsèque intense et constant, les deux conditions indispensables à la préparation d'une rencontre spatiale.

La comète de Halley présente cependant un inconvénient important : son orbite est rétrograde et, en plus, très inclinée sur le plan de l'écliptique. L'inconvénient avec ce type d'orbite est qu'une sonde tirée depuis la Terre doit presque obligatoirement croiser la comète avec une grande vitesse relative, au lieu de s'en approcher doucement et de se satelliser autour pour pouvoir l'étudier tout à loisir.

Le problème du rapport de masse entre la charge utile et la quantité de propergol nécessaire à la propulsion rend en effet très difficile d'imaginer de «renverser» l'orbite d'une sonde spatiale pour qu'elle puisse suivre la comète de Halley et se satelliser autour. Cette solution n'est néanmoins pas totalement impossible, surtout si on utilise des moyens de propulsion originaux (type voile solaire ou moteur ionique). Les scientifiques américains ont sérieusement envisagé, à la fin des années soixante-dix, ce type de possibilité.

Si l'orbite de la comète de Halley est rétrograde, ce qui complique son étude par une sonde spatiale, elle a cependant un atout énorme pour elle : sa célébrité. Cet atout pesa, en fait, bien plus que beaucoup d'autres arguments rationnels dans la décision de dépenser autant d'argent et de déployer autant de moyens d'observation lors de son passage en 1986, à tel point qu'on pourrait presque parler «d'effet Halley».

Au bout du compte, il y a eu, en plus de tous les moyens classiques d'observation au sol, pas moins de cinq sondes spatiales spécialement construites et mises au point pour la grande rencontre avec la comète de l'Histoire :

- Deux sondes nées d'une coopération entre l'Union soviétique, la France, et plusieurs pays d'Europe de l'Est : *Véga 1* et *Véga 2*. Il s'agissait de deux sondes identiques qui avaient pour principale particularité de commencer leur voyage à travers le système solaire par la planète Vénus, qu'elles quittèrent pour Halley après s'être séparées d'un module de descente.
- Une sonde construite par l'Agence spatiale européenne (ESA), celle qui passa le plus près du noyau de la comète (à seulement 600 km) : *Giotto*.
- Deux sondes japonaises qui passèrent loin du noyau, à environ un million de kilomètres : *Suisei* et *Sakigake*.

Les différents scientifiques responsables de ces sondes ainsi que les responsables politiques qui décidèrent de leur financement ne manquèrent pas de donner l'image d'une vaste coopération internationale savamment réfléchie et concertée pour un seul but : la connaissance scientifique. La vérité sur les raisons qui les motivèrent à dépenser autant d'argent pour un seul objet planétaire est sans doute beaucoup moins claire, et de nombreux motifs d'ordre psychologique jouèrent également. Mais ce n'est pas là le sujet de cet ouvrage, qui s'intéresse davantage à la genèse et à la description de ces sondes.

Véga 1 et Véga 2

Ces deux sondes avaient pour objectif à la fois Vénus et Halley. Ce double objectif, qui peut paraître curieux, *a priori*, se comprend mieux si on étudie l'histoire de la conception de cette mission. Jacques Blamont, «grand patron» dans l'astronomie française, professeur d'astronomie à l'université Paris VI, membre de l'Académie des sciences, directeur scientifique et technique du Centre national d'études spatiales (C.N.E.S.), livre un témoignage vivant et détaillé des innombrables discussions et compromis qui aboutirent à la conception des deux sondes Véga dans son ouvrage *Vénus dévoilée*[2]. C'est principalement ce témoignage de première main qui servira maintenant à mieux comprendre le problème.

Il était une fois, il y a fort longtemps, un projet baptisé du beau nom d'Éos. Ainsi pourrait commencer cette histoire. Ce projet franco-soviétique, qui date de la fin des années soixante,

[1] Publié en 1987 aux éditions Odile Jacob

n'avait en fait rien à voir avec la comète de Halley. Il s'agissait exclusivement de l'étude de l'atmosphère de Vénus grâce à un ballon largué par une sonde spatiale. Le nom d'Éos vient à la fois de la contraction d'«Éole sur Vénus» et du nom que les Grecs utilisaient pour désigner l'étoile du matin, Eosphoros (à noter qu'Éole désignait également à la fois le nom d'une expérience du C.N.E.S. — le largage de 500 ballons dans l'atmosphère terrestre suivis par satellite, en 1971 — et le nom du dieu des vents dans les mythologies grecques et romaines).

Ce projet subit de multiples vicissitudes. Tout d'abord laissé de côté, il fut «réactivé» en 1972, sur l'insistance du C.N.E.S. en prévision de lancements en 1978 et 1980 (l'Union soviétique ayant l'habitude, pour des raisons de sécurité, de doubler toutes ses missions spatiales). En septembre de la même année, les Soviétiques acceptèrent le projet, en le rendant très ambitieux : le ballon largué devait avoir une nacelle de 100 kg, dont 40 d'instrumentation scientifique, et flotterait à altitude constante dans l'atmosphère de Vénus, entraîné par les vents vénusiens à quelque 100 m/s.

Alors que le projet se développait tranquillement, selon la procédure habituelle pour une mission spatiale (on parle de «phase A» dans le jargon des spécialistes, c'est-à-dire la définition de la mission et les premiers calculs sérieux montrant sa faisabilité), il fut arrêté du côté français au milieu de l'année 1975. Sous la pression de quelques scientifiques français, la France consentit pourtant à aider quelque peu les Soviétiques, principalement en fournissant l'enveloppe du ballon et les équipements associés. Les soviétiques voulaient en effet continuer, même seuls, et même en devant repousser la date du lancement en 1983 ou 1985. Le nom du projet lui-même devint bientôt plus soviétique : Venera 84.

C'est dans ce contexte que germa l'idée d'une mission mixte Vénus/comète de Halley. La façon dont cette idée fut initiée du côté soviétique fut, selon Jacques Blamont, une conversation qu'il eut avec Roald Sagdeev, le patron de l'Institut de recherches spatiales (IKI), l'organisme responsable des satellites scientifiques et des missions d'exploration planétaires en Union soviétique, et qui se trouve dans la banlieue de Moscou. Lors d'une réunion à Ajaccio, à l'automne 1979, portant sur le projet Venera 84, Blamont alla trouver Sagdeev, lors du cocktail final, et se mit à l'entretenir des efforts des Américains pour coordonner les futures observations de Halley en 1986, avec l'I.H.W. (International Halley Watch, que l'on pourrait traduire par «Surveillance internationale de Halley»).

Preuve de «l'effet Halley», Sagdeev se montra tout de suite fort intéressé, n'ayant pas encore réalisé que cette fameuse comète allait repasser très prochainement près du Soleil. La conversation entre les deux hommes fut agréable et imaginative puisqu'ils parlèrent même d'essayer d'observer la comète depuis le futur satellite Venera en orbite autour de Vénus.

«L'effet Halley» fut durable puisque, à la réunion suivante, en janvier 1980, les Soviétiques, qui avaient manifestement passé du temps à penser à Halley, soumirent un changement complet du projet Venera 84. Ils proposèrent en effet ni plus ni moins que le lancement de quatre fusées (au lieu de deux). Les deux premières devaient emporter chacune un satellite pour Vénus (comme il était initialement prévu, ce satellite ayant pour principale fonction de relayer les informations émises par la nacelle du ballon vers la Terre), et les deux suivantes, à la fois le ballon et une sonde de survol qui continuerait ensuite son observation sur la comète de Halley avec une rencontre prévue neuf mois plus tard.

Ce projet était en fait trop cher, ce que ne tardèrent pas à réaliser les Soviétiques, qui finirent, au mois d'août 1980, par le revoir à la baisse : au lieu de quatre tirs, il y en aurait seulement deux, chacun emportant trois petits ballons, un atterrisseur classique et une sonde de survol qui continuerait jusqu'à la comète de Halley. Le C.N.E.S. accepta alors de coopérer au projet, uniquement en ce qui concernait l'atterrisseur vénusien et le module cométaire.

Le projet, rebaptisé enfin de son nom final, Véga (contraction de «Vénus» et «Halley», soit «Venera» et «Galley» dans la langue russe), fut défini en février 1981, un peu moins de quatre ans seulement avant son tir. L'atterrisseur vénusien devait emporter huit instruments destinés à des mesures de la composition chimique de l'atmosphère, des nuages et du sol vénusiens, cinq d'entre eux étant entièrement faits en Union soviétique et les trois derniers, à moitié en Union soviétique et à moitié en France. La nacelle du ballon largué dans l'atmosphère de Vénus devait se livrer à quatre expériences. Enfin, le module de rencontre avec la comète de Halley en effectuerait quatorze.

En ce qui concerne le module cométaire, l'Union soviétique se taillait la part du lion, bien sûr, dans la conception des différentes expériences. Les autres pays impliqués étaient principalement la France et la RFA, et aussi la Hongrie, la Bulgarie, la Pologne, la Tchécoslovaquie et l'Autriche. L'ESA participa également à la fabrication d'un instrument et il y eut même un morceau fourni par un scientifique américain isolé, John Simpson, de l'université de Chicago.

Fait nouveau dans les pratiques de préparation des missions spatiales en Union soviétique, il y eut création d'un Comité international scientifique et technique (MNTK, si on utilise les initiales du nom russe). Ce comité, qui représentait un progrès certain dans les liaisons entre les scientifiques étrangers et les industriels soviétiques, comportait des membres de tous les pays participant à la construction de la sonde, et possédait donc un caractère hybride, à la fois scientifique et politique. Il se réunit à peu près trois fois par an durant la préparation de la mission. Le travail de construction de la sonde et des différents instruments put donc commencer dès 1981, sous la supervision de l'IKI.

L'intégration des différents instruments, qui furent livrés dans le courant de 1984, eut lieu directement sur l'aire de lancement, à Baïkonour. Pour la partie française, la livraison des modules pour les expériences et la coordination des travaux d'intégration en U.R.S.S. furent effectuées sous la direction du groupe «Projet Véga» du C.N.E.S., dirigé par Josette Runavot. Il convient de noter l'intense travail nécessaire à la réalisation complète, en temps voulu, des deux sondes Véga, qui imposa de nombreuses contraintes aux scientifiques et ingénieurs engagés dans l'opération, souvent obligés de séjourner en U.R.S.S. de façon imprévue. Parmi les innombrables problèmes qui ne manquèrent pas de se poser, on peut citer celui des transferts de technologie entre les États-Unis et l'Union soviétique.

Par exemple, Jacques Blamont raconte que, ayant décrit au printemps 1981 la caméra qu'allait utiliser les Soviétiques lors d'un congrès aux États-Unis, caméra qui utilisait un capteur CCD (composant électronique raffiné que les Américains croyaient les Soviétiques incapables de fabriquer), l'ambassadeur de France fut convoqué à Washington pour expliquer pourquoi la France fournissait des CCD à l'Union soviétique... Le même type de problème se posa d'ailleurs pour un instrument français, un spectromètre tricanal conçu à l'observatoire de Besançon. Ses concepteurs durent en effet renoncer au dernier moment à l'emploi d'un CCD au profit d'une barrette Reticon, moins performante, car le CCD utilisé venait des États-Unis. L'expérience américaine a être effectuée à bord de Véga utilisait un analyseur de poussière dont la conception relevait d'une technologie rétrograde, sur injonction des autorités américaines... ce qui provoqua une certaine surprise chez les Soviétiques, à la réception de l'analyseur, qui se demandèrent pourquoi son concepteur, John Simpson, n'avait pas fait comme eux et utilisé des microprocesseurs.

En fin de compte, tout fut prêt à temps et les deux sondes, *Véga 1* et *Véga 2*, identiques, hautes de 9 m au total, avec le module vénusien (une boule de 2,40 m de diamètre), purent être tirées du cosmodrome de Baïkonour, en Union soviétique, respectivement les 14 et 21 décembre 1984. En ce qui concerne le module cométaire proprement dit, il faisait 4 m de hauteur pour un poids de 2,5 tonnes. La principale innovation résidait dans la présence d'un bras articulé prévu pour être pointé en permanence en direction du noyau de la comète, grâce à un système perfectionné de pointage, innovation possible car la sonde avait été conçue pour être stabilisée sur trois axes (avec une précision de l'ordre de 1°).

Sur ce bras articulé, il y avait trois instruments pour procéder à des expériences optiques : un système de télévision, un spectromètre tricanal (TKS) et un spectromètre infrarouge (IKS).

Le système de télévision. Il s'agissait sans conteste de l'instrument le plus «médiatique» de la sonde. Son objectif prioritaire était de donner la première image d'un noyau cométaire obtenue par des êtres humains (la sonde *Giotto* était aussi pourvue d'une caméra, mais les sondes Véga devaient passer avant elle). Ce fut Roald Sagdeev lui-même qui en fut le responsable. Sa fabrication fut partagée entre l'U.R.S.S., la France et la Hongrie. Les Français construisirent l'optique du télescope, l'IKI le détecteur CCD et le système électronique y étant associé, et les Hongrois, le calculateur, l'ensemble des systèmes logiques et ils virent à l'intégration des divers éléments de la caméra.

À la caméra à champ étroit (équipée d'un télescope de 1200 mm de distance focale, donnant un champ de 0,43° x 0,57°) était jumelée une caméra à grand champ (3,5° x 5,3°) destinée à centrer la plate-forme exactement sur le noyau cométaire, avec l'aide d'un calculateur électronique faisant automatiquement la manœuvre. Les deux caméras pesaient 32 kg.

Le spectromètre tricanal (TKS). Il s'agissait d'un spectromètre utilisable dans trois domaines différents de longueur d'onde : l'ultraviolet (de 120 à 350 nm), le proche ultraviolet-visible (de 275 à 710 nm) et l'infrarouge (de 900 à 1800 nm). Il était équipé d'un petit télescope Cassegrain de 100 mm de diamètre et de 350 mm de distance focale, pour collecter la lumière; les différents canaux se partageaient le même faisceau lumineux.

L'originalité de l'expérience reposait surtout sur un système d'asservissement du miroir secondaire, lequel était mobile et commandé pour balayer un champ rectangulaire composé de sept lignes de quinze spectres (l'acquisition de chaque spectre durant cinq secondes). Il a déjà été question, dans le chapitre précédent, de l'intérêt de l'étude spectroscopique des comètes; c'est elle qui permet de détecter les raies d'émission des différentes molécules qui sont fluorescentes dans la coma. L'intérêt de l'expérience TKS résidait dans la possibilité de reconstituer de véritables cartes monochromatiques de la coma interne de Halley, donnant ainsi une vision très fouillée sur le plan de la résolution spatiale, impossible à obtenir depuis des observations au sol ou en orbite terrestre.

La conception de cet instrument fut le fruit d'une collaboration entre la France, l'U.R.S.S. et la Bulgarie. Les canaux proche ultraviolet-visible et ultraviolet furent réalisés à l'observatoire de Besançon, sous la direction de Guy Moreels, le canal infrarouge à Moscou (IKI), sous la direction de V.A. Krasnopolsky, et certains éléments secondaires en Bulgarie. Au total, l'instrument pesait 14 kg.

Le spectromètre infrarouge (IKS). Il s'agissait d'un instrument utilisé pour une expérience destinée à mesurer, d'une part, le spectre infrarouge de la région centrale de la coma de Halley (dans les régions 2,5-5 et 6-12 µm, canaux spectroscopiques) et, d'autre part, la température de brillance et les dimensions du noyau selon deux directions perpendiculaires (canal imagerie).

Les détecteurs infrarouges était refroidis par un système cryogénique permettant d'abaisser la température à seulement 80 K (soit -193°C), ceci afin d'éviter des signaux parasites émis par l'instrument lui-même. Les spectres étaient obtenus avec l'aide de roues à filtres autorisant une résolution (rapport $\lambda/\Delta\lambda$, où λ désigne la longueur d'onde du signal étudié et $\Delta\lambda$ la différence minimale de longueurs d'onde pouvant être détectée pour deux raies distinctes) de quarante avec un champ de vue centré sur le noyau de 1° en diamètre. Le canal imagerie, quant à lui, utilisait deux grilles mobiles perpendiculaires, sur lesquelles se formait l'image de la comète, dans deux bandes spectrales différentes (7-10 et 9-14 μm), autorisant le calcul ultérieur des dimensions du noyau dans les deux dimensions et de sa température de brillance.

La conception de cette expérience française fut dirigée par Michel Combes, de l'observatoire de Paris. Le poids du matériel était de 18 kg.

L'équipement nécessaire à ces trois expériences était monté sur une plate-forme articulée pointée automatiquement vers le noyau, d'un poids de 82 kg. Elle fut conçue en Tchécoslovaquie, avec l'aide de l'U.R.S.S. et de la Hongrie.

Sur la partie principale des deux sondes Véga se trouvaient onze autres instruments pour des expériences dont cinq pour l'étude *in situ* de la poussière.

Un spectromètre de masse (PUMA). Il s'agissait d'un spectromètre donnant la proportion des différents atomes composant les poussières qui venaient frapper la cible de l'instrument. La rencontre entre les sondes Véga et la comète de Halley fut en effet extrêmement rapide, comme il sera expliqué plus loin (respectivement 79,2 et 76,8 km/s pour Véga 1 et Véga 2), ce qui permit de faire littéralement se volatiliser les grains de poussière sous la violence du choc avec la cible des instruments PUMA (une surface en argent de 5 cm^2). Les ions positifs dégagés par la désintégration des grains furent alors accélérés par un champ électrique et le temps mis pour arriver au détecteur final, automatiquement compté depuis l'impact, permettant de remonter au rapport m/q. Dans ce rapport, m est la masse de l'ion accéléré et q, sa charge ; plus il est élevé, plus le «temps de vol» nécessaire pour aller de la cible frappée par la poussière au détecteur est long.

Un instrument similaire, dénommé PIA, avec une cible en argent dopée au platine, fut également fabriqué pour la sonde *Giotto*. Les instruments PUMA furent construits par l'U.R.S.S. et la RFA, sous la direction de Roald Sagdeev et de Jochen Kissel. Le poids de chaque instrument était de 19 kg.

Un compteur de poussières (SP-1). Son objectif était de donner une distribution de la masse des grains (nombre d'impacts sur le détecteur en fonction de la masse de chaque grain) le long de la trajectoire des sondes Véga. La surface du détecteur était de 81 cm^2. L'impact de chaque particule de poussière créait un nuage de plasma chargé permettant de calculer sa masse. Les distributions étaient enregistrées toutes les deux secondes, ce qui donnait une résolution spatiale d'environ 160 km à l'intérieur de la zone traversée.

Cet instrument, d'un poids de 2 kg, fut fabriqué par l'U.R.S.S. sous la direction de O.L. Vaisberg.

Un compteur de poussières (SP-2). Son objectif était similaire au compteur SP-1, mais pour des poussières plus lourdes. Il se décomposait en deux compteurs complémentaires : un détecteur acoustique fait d'une fine plaque de 500 cm^2 de surface avec trois détecteurs piézo-électriques (grains de poussière entre 3.10^{-13} et 2.10^{-6} g) et un ensemble de quatre détecteurs d'ionisation des grains de poussière arrivant sur une cible de 40 cm^2 de surface (grains de poussière entre 10^{-16} et 10^{-11}g).

Cet instrument, d'un poids de 4 kg, fut également fabriqué en U.R.S.S., sous la direction de E.P. Mazets.

Un détecteur de poussières (DUCMA). Cet instrument pouvait donner les flux de poussières rencontrées pour quatre masses minimale de grains (de $1,5.10^{-13}$ à 9.10^{-11} g). Son principe était différent des compteurs SP-1 et SP-2, car il reposait sur la dépolarisation momentanée du matériau composant le détecteur.

C'est cet instrument qui fut fourni par le seul américain participant à la conception des sondes Véga, presque dans la clandestinité, John Simpson, avec la participation de Roald Sagdeev. Cet instrument pesait 3 kg.

Un détecteur de poussières (FOTON). D'un poids de 2 kg ce détecteur était conçu pour détecter les grosses particules, sous un blindage antipoussière.

Il y avait également six autres instruments destinés à l'étude *in situ* du gaz neutre et du plasma.

Un spectromètre de gaz neutre (ING). Composé de deux détecteurs indépendants ce spectromètre avait pour but de donner la distribution de masse des atomes et molécules rencontrés (par ionisation sur une cible et accélération dans un champ électrique).

D'un poids de 7 kg, cet instrument fut fabriqué en RFA en liaison avec l'U.R.S.S. et la Hongrie, sous la responsabilité de E. Keppler.

Un spectromètre de plasma (PLASMAG). Cet appareil était destiné à établir le spectre d'énergie des ions et des électrons rencontrés, ainsi que le flux des particules neutres. Il se décomposait en six détecteurs différents. D'un poids de 9 kg, il fut construit par l'U.R.S.S. et la Hongrie, sous la responsabilité de K.I. Gringauz.

Un spectromètre d'énergie des particules (TÜNDE-M). Cet instrument était destiné à mesurer les spectres d'énergie des ions rencontrés par les sondes Véga, c'est-à-dire le flux des ions détectés en fonction de leur énergie, exprimée en keV (kilo électron-Volt). D'un poids de 5 kg, la fabrication de cet instrument fut supervisée par A.J. Somogyi (Hongrie).

Un magnétomètre (MISCHA). Cet instrument était destiné à mesurer le champ magnétique de la comète et à étudier l'interaction entre les lignes de force du champ magnétique interplanétaire et les ions cométaires. Il se composait de quatre capteurs différents installés près des panneaux solaires.

D'un poids total de 4 kg, il fut construit en Autriche, sous la direction de W. Riedler.

Un analyseur d'ondes de plasma basses fréquences (APV-N). Son but était de mesurer les variations du champ électrique et du flux du plasma d'ions se produisant à de très basses fréquences (de 0,01 à 3000 Hz). Ces variations, ou ondes de plasma, sont causées par l'interaction entre le vent solaire et le plasma de la comète.

D'un poids de 5 kg, cet instrument fut construit conjointement par l'U.R.S.S., la Pologne et la Tchécoslovaquie, sous la direction de S. Klimov.

Un analyseur d'ondes de plasma hautes fréquences (APV -V). Son but était similaire à l'instrument précédent, mais pour des fréquences beaucoup plus élevées (de 8 Hz à 300 kHz). Il était destiné à mesurer les variations du champ électrique en utilisant deux antennes distantes de 11 m (une au bout de chaque panneau solaire), ainsi que la densité et la température du plasma, à l'aide de deux autres détecteurs.

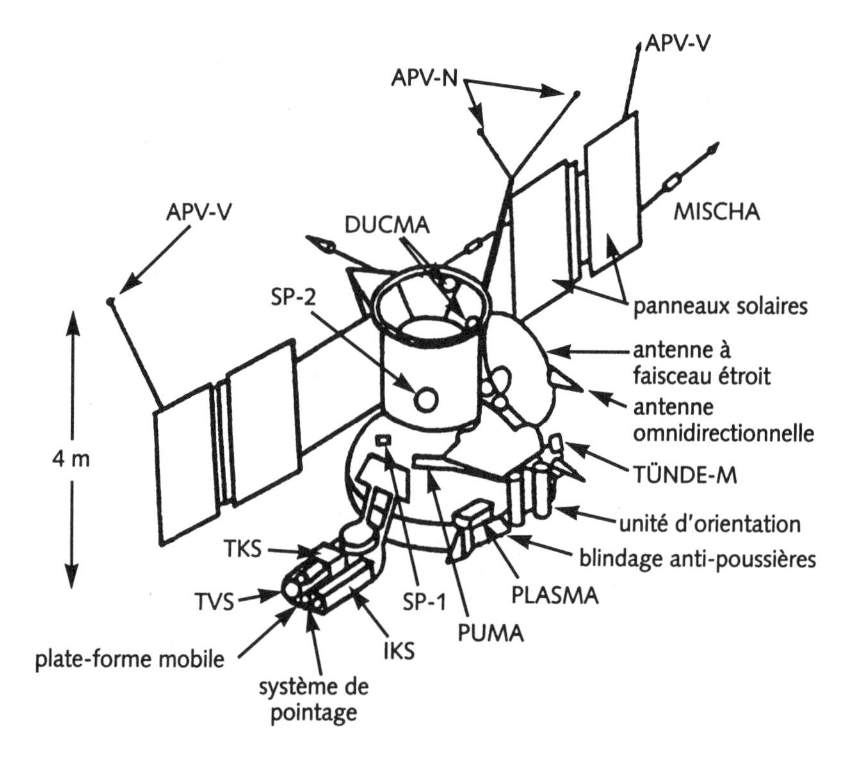

Figure 7. Représentation schématique d'une sonde Véga et des différents instruments scientifiques embarqués (d'après Sagdeev et *al.*, *Nature*, 1986)

D'un poids total de 3 kg, cet analyseur fut conçu par la France et l'ESA, sous la direction de R. Grard.

La figure 7 donne une vue schématique d'ensemble des sondes Véga, ainsi que de la localisation des divers instruments cités ci-dessus.

Les données recueillies par l'ensemble de ces instruments devaient être envoyées vers la Terre par télémétrie rapide, au taux de 65 536 bits/s, et être reçues par des antennes situées en Crimée (à Eupatoria, 70 m de diamètre) et près de Moscou (à Medvezy Ozera, 64 m). Il sera question plus loin de la façon dont se déroulèrent les deux survols des sondes *Véga 1* et *Véga 2*, mais une autre sonde importante doit être étudiée : *Giotto* de l'ESA.

Giotto

La genèse du projet *Giotto* vaut également la peine d'être contée, même si elle fut sans doute plus simple que celle des sondes Véga. L'idée originelle se trouve, en fait, de l'autre côté de l'Atlantique, aux États-Unis. Il sera question bientôt de la façon dont se déroulèrent les choses avec la NASA — qui ne fut pas, il faut le souligner, impliquée dans l'exploration spatiale de Halley. Qu'il suffise simplement ici de signaler qu'apparut à la fin des années soixante-dix un ambitieux projet de sonde. Ce projet prévoyait d'utiliser un système de propulsion original, dit SEPS (*Solar Electric Propulsion System*), qui consiste à éjecter des ions lourds en utilisant un champ électrique dont l'énergie est fournie par des panneaux solaires. L'éjection des ions permet alors de faire avancer le vaisseau spatial dans la direction opposée, comme n'importe quel système de propulsion à réaction. Utilisant ce système original qui avait l'avantage de pouvoir fonctionner durablement, contrairement aux systèmes classiques qui ne subissent une accélération qu'au départ, la sonde de la NASA devait rencontrer à la fois les comètes de Halley (en novembre 1985) et Tempel 2 (en 1988).

C'est dans ce contexte que les Allemands, sous l'impulsion d'Hugo Fechtig, de l'institut Max Planck de Heidelberg, demandèrent à l'ESA de participer à la mission américaine, lors d'une réunion à Darmstadt, en avril 1978. Initialement, cette demande ne reçut pas un accueil très favorable de la part des instances dirigeantes de l'ESA, forcées, il est vrai, de faire des choix drastiques parmi tous les projets présentés, compte tenu de ses ressources financières limitées. Selon Jacques Blamont, toujours dans son ouvrage *Vénus dévoilée*, on devrait indirectement à une vieille dame l'acceptation du projet.

En effet, le directeur scientifique de l'ESA de l'époque, Ernst Trendelenburg, un Allemand vétéran de la Deuxième Guerre mondiale, et fier de l'être (ce qui finira d'ailleurs par lui attirer des ennuis), avait une vieille mère toujours en vie. C'est, paraît-il, en lui rendant visite au cours de l'été 1978 que, au cours de la conversation, il finit par lui dire qu'il étudiait une proposition concernant la comète de Halley. Immédiatement, le visage de la vieille dame s'éclaira : «Mais la comète de Halley, je la connais très bien, je l'ai vue en 1910 ! C'est passionnant !» Une fois de plus, «l'effet Halley» avait joué, car Trendelenburg comprit alors que si la vieille dame était aussi intéressé par l'évocation de la comète de Halley, alors cette dernière intéresserait tout le monde... d'où un beau «coup de pub» pour l'ESA si elle participait à une mission sur Halley.

Si cette anecdote est difficile à vérifier — Jacques Blamont lui-même avoue ne connaître l'histoire que par ouï-dire — il est en tout cas certain que la comportement de l'ESA relativement à la mission Halley-Tempel 2 de la NASA devint ensuite très favorable. C'est ainsi qu'en octobre 1979 la NASA et l'ESA annoncèrent officiellement leur intention de collaborer à cette mission. Dans ce projet, l'ESA, pour la somme relativement minime de 50 millions de dollars, se voyait attribuer un morceau de choix : la sonde qui devait être larguée sur le noyau de Halley.

Tout allait donc pour le mieux dans le meilleur des mondes possibles entre les deux agences spatiales, et des scientifiques relevant des deux agences se mirent à étudier de près les instruments qui composeraient ce beau projet. Malheureusement, les Américains, empêtrés dans leur projet de navette spatiale qui nécessitait sans cesse plus d'argent, durent sacrifier des éléments secondaires de leur politique spatiale. C'est ainsi qu'en janvier 1980, un mois avant la remise des propositions d'expériences, le budget américain présenté par Jimmy Carter résulta en l'anulation de la mission Halley-Tempel 2.

Devant ce revirement, les Européens ne baissèrent pas les bras. Ils imaginèrent rapidement une sonde presque entièrement européenne, qu'ils baptisèrent du nom de *Giotto*, et demandèrent à la NASA d'y participer, en particulier pour le lancement avec une fusée Thor-Delta. Cependant, les négociations avec les Américains se passèrent mal, tant et si bien que, le 8 juillet 1980, l'ESA approuva officiellement le projet final : la sonde *Giotto*, la première sonde interplanétaire de l'agence, serait exclusivement européenne et tirée par une fusée européenne Ariane. Exit les Américains, qui ne participeraient donc à aucune mission vers Halley.

Un mot d'explication est ici nécessaire sur l'origine du nom *Giotto*. Ce nom fut choisi par Giuseppe Colombo, professeur à l'université de Padoue, en Italie, qui fut un des instigateurs du projet de sonde européenne. Il fait référence au peintre florentin Giotto di Bondone, auteur d'une fresque pour la chapelle des Arènes, à Padoue, représentant l'adoration des Mages. Sur cette fresque, qui date de 1303-1304, l'étoile de Bethléem, fait très rare, est représentée par une comète dessinée d'une façon particulièrement réaliste. Comme la brillante comète de Halley était passée dans les cieux à l'automne 1301 (il existe à ce propos plusieurs témoignages, aussi bien occidentaux que chinois), il est admis par les historiens de l'art qu'elle fut directement à l'origine de l'inspiration du peintre, qui fit pour ainsi dire la première représentation scientifique occidentale de la comète de Halley.

Les propositions d'expérience furent remises dès l'automne à l'ESA, qui annonça sa sélection en janvier 1981, ajoutant deux expériences supplémentaires quelques mois plus tard (un magnétomètre allemand et un compteur de particules énergétiques irlandais). Au total il y eut dix expériences de sélectionnées.

L'ESA choisit British Aerospace comme maître d'œuvre de *Giotto*, sous la direction du groupe-projet de l'ESTEC, le principal centre de l'ESA, installé aux Pays-Bas. Au début de l'année 1983, le premier modèle de la sonde, dit modèle de structure, fut achevé, et permit d'étudier l'assemblage des différents instruments ainsi que les problèmes mécaniques liés au tir et au voyage de la sonde à travers le système solaire jusqu'à Halley. Le second modèle de *Giotto*, dit modèle électrique, fut achevé à la fin 1983, permettant d'étudier les interactions électriques entre les différents instruments embarqués, les sous-systèmes de maintenance en vol et l'équipement de contrôle au sol.

Le modèle final de la sonde fut achevé, lui, durant l'été 1984. Il fut soigneusement testé durant le reste de l'année et au début de 1985, essentiellement à Bristol (dans les locaux de la British Aerospace) et à Toulouse (au C.N.E.S). La sonde fut transportée par avion jusqu'en Guyane au printemps 1985 et, le 2 juillet de la même année, alors que le jour se levait sur la forêt tropicale qui entoure Kourou, elle fut tirée par une fusée Ariane 1.

L'engin logé dans la coiffe de la fusée avait la forme d'un cylindre de 1,86 m de diamètre et de 2,96 m de hauteur largement couvert par des panneaux solaires (voir la figure 8). D'un poids total de 960 kg lors du tir d'Ariane, la sonde ne devait plus peser que 573,7 kg lors de l'approche finale sur Halley, un peu moins de neuf mois plus tard (la différence étant reliée au carburant utilisé pour le passage d'une orbite terrestre à une orbite solaire et pour les corrections ultérieures).

La conception générale de l'engin était très différente de celle des sondes Véga. En effet, au lieu d'être stabilisé sur trois axes, le cylindre qu'il formait devait tourner autour de son axe à la vitesse de 15 tours/mn, stabilisant ainsi la sonde, l'axe étant confondu avec la trajectoire suivie à travers la coma de Halley. La face «avant» du cylindre était donc recouverte d'un bouclier pour protéger la sonde des impacts des grains de poussière. La trajectoire de *Giotto* était en effet calculée pour un survol très rapproché du noyau, de l'ordre de 500 km (à comparer aux 10 000 km prévus pour les sondes Véga), ceci toujours pour une rencontre frontale à une vitesse relative de 68 km/s. Ce bouclier, d'une masse d'environ 50 kg, était constitué de deux écrans : un premier écran en aluminium de 1 mm d'épaisseur et un second, 23 cm plus loin, constitué d'un matériau composite de 13 mm d'épaisseur.

La face «arrière» de la sonde supportait l'antenne principale nécessaire à la transmission des données vers la Terre. D'un diamètre de 1,47 m, c'était évidemment un élément particulièrement vital et sensible, ainsi qu'une espèce de portique à trois supports, logeant un magnétomètre et une antenne à faible gain.

Le cœur du cylindre était composé d'un réservoir de propergol et d'un moteur fusée (type MAGE 1SB), destinés à faire passer la sonde d'une orbite circumterrestre à une orbite de

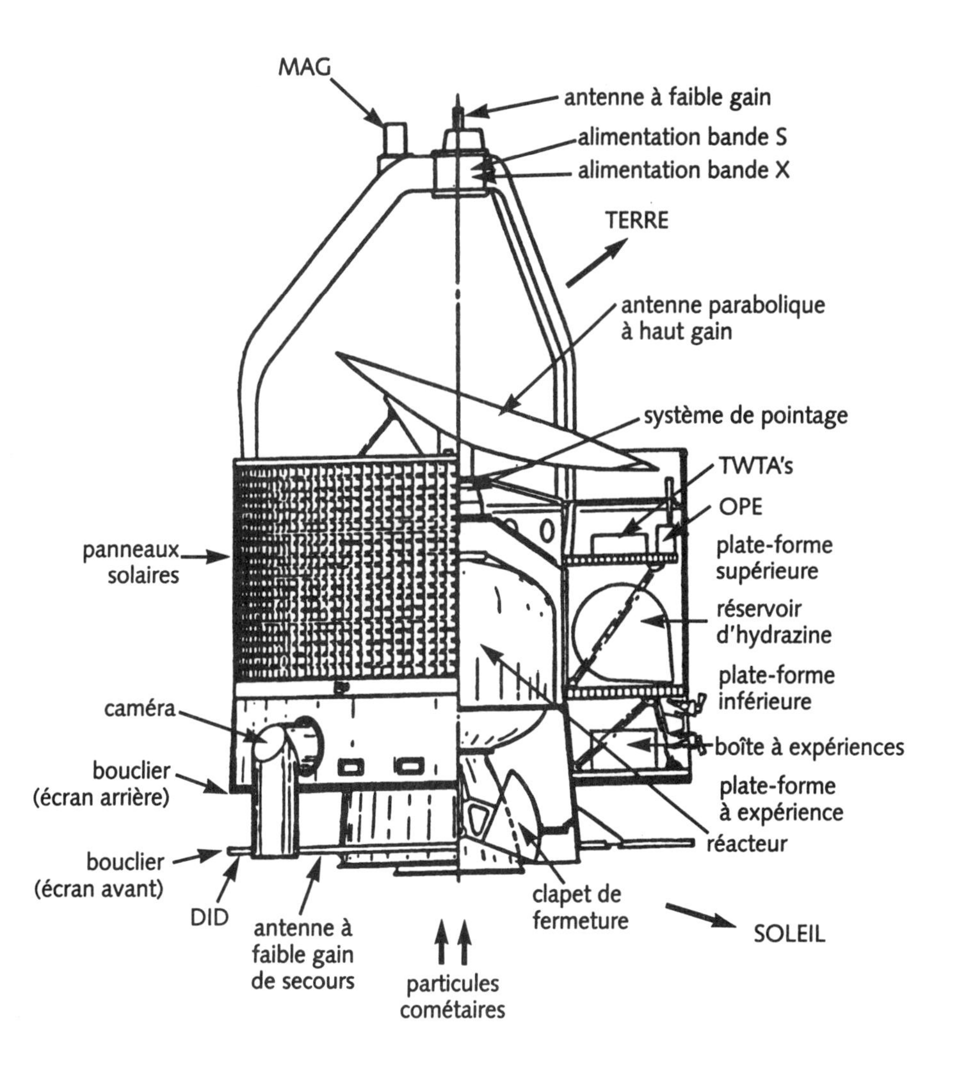

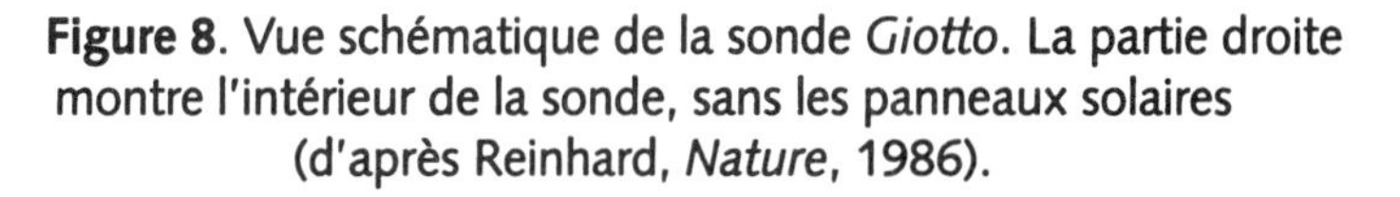
Figure 8. Vue schématique de la sonde *Giotto*. La partie droite montre l'intérieur de la sonde, sans les panneaux solaires (d'après Reinhard, *Nature*, 1986).

transfert héliocentrique. Ce type de moteur (MAGE est l'acronyme de «Moteur d'apogée géostationnaire européen») a été développé spécialement pour placer en orbite géostationnaire les satellites de l'ESA. Après usage, quand *Giotto* devait se trouver sur une orbite héliocentrique l'amenant à la rencontre de Halley, un mécanisme devait en fermer la tuyère et lui permettre ainsi de devenir une partie du bouclier. Les corrections de trajectoire ultérieures devaient s'effectuer à l'aide de quatre couples de petites fusées auxiliaires, alimentées par de l'hydrazine.

L'alimentation électrique des différents instruments placés à bord était assurée par quatre panneaux solaires placés sur les bords du cylindre, d'une puissance totale de 190 W, ainsi que par quatre batteries auxiliaires cadmium-argent. L'excédent d'énergie électrique avait pour but d'assurer l'alimentation en cas d'une éventuelle destruction des panneaux solaires lors du survol final.

Outre les différents systèmes de régulation thermique, indispensables dans toute sonde spatiale (le vide cosmique pouvant créer de formidables écarts de températures entre les différentes parties de la sonde selon son orientation par rapport au Soleil), et le sous-système de contrôle de l'attitude et de la trajectoire, la sonde comprenait également un sous-système de gestion de données contrôlé par un microprocesseur. Son but était d'assurer la bonne réception des ordres émis depuis la Terre ainsi que la bonne retransmission de toutes les données collectées par les instruments décrit ci-dessous.

Une caméra de télévision (HMC). Comme pour les sondes Véga, il s'agissait là de l'instrument le plus «médiatique». Cela était d'autant plus vrai que si le passage de *Giotto* devait se faire après celui des Véga, la résolution de sa caméra était conçue pour être nettement meilleure : de l'ordre de 11 m au niveau du noyau contre environ 200 m pour les sondes Véga, compte tenu de la différence de distance, lors de l'instant de la rencontre. Comme sur *Giotto* il n'existait pas de bras articulé pointant en permanence sur le noyau, il fallut imaginer un mode de fonctionnement s'accommodant de la rotation de la sonde. Placée sur la «face avant» de la sonde, à côté du bouclier, elle était constituée d'un télescope de type Ritchey-Chrétien de 130 mm de diamètre et de 998 mm de distance focale, équipé d'un miroir périscopique pour renvoyer le faisceau à angle droit à l'intérieur de la sonde.

Le système d'enregistrement de l'image était composé de deux CCD de deux rangées chacun, qui profitaient du mouvement de rotation de la sonde pour enregistrer les images suivant un balayage par ligne. Pour localiser le noyau au début des opérations, il y avait également une double rangée de diodes de 1,6° de champ.

L'observation du noyau pouvait se faire à travers une multitude de filtres, à bande large, à bande étroite, ou même polarisants (d'où le sigle HMC pour *Halley Multicolour Camera*).

La conception de cette caméra se fit sous la responsabilité d'Uwe Keller de l'institut Max Planck de Lindau, en RFA. Elle pesait 13,5 kg au total.

Un spectromètre de masse d'éléments neutres (NMS). Son but était l'analyse *in situ* de la composition du gaz neutre, et éventuellement des ions, en utilisant deux détecteurs différents : un «analyseur-M» et un «analyseur-E». Le premier était un spectromètre de masse proprement dit couvrant la gamme 1-36 uma (unités de masse atomique) et, le second, un spectromètre d'énergie électrostatique couvrant la gamme 8-86 uma (pour le gaz neutre) et 1-56 uma (pour les ions).

D'un poids de 12,70 kg, il fut également construit en RFA, sous la direction de D. Krankowsky de l'institut Max Planck de Heidelberg.

Un spectromètre de masse des ions (IMS). Son but était l'analyse *in situ* des ions de la coma de Halley. Il était également composé de deux détecteurs distincts : un spectromètre haute énergie (HERS), optimisé pour l'étude des abondances ioniques et de leur distribution de vitesse à l'extérieur de la surface de contact, et un spectromètre haute intensité (HIS), optimisé pour fournir les même informations que HERS mais à l'intérieur de la surface de contact. Cette surface, comme nous l'avons déjà vu, définit la zone entourant le noyau (environ 10 000 km de rayon) où les ions de la coma n'interagissent pas encore fortement avec le vent solaire. HERS couvrait la gamme 1-35 uma/q (unité de masse atomique / charge élémentaire, par exemple C^+ correspond à 12 uma/q, car il y a 12 uma et une charge élémentaire), et HIS, de 12 à 57 uma/q.

D'un poids de 9 kg, cet instrument fut construit en Suisse sous la responsabilité de H. Balsiger, de l'université de Berne.

Un spectromètre de masse de la poussière (PIA). Il s'agit, comme signalé lors de la présentation des intruments équipant les sondes Véga, d'un modèle similaire à l'instrument PUMA. Il fut fabriqué également en RFA, sous la responsabilité de Jochen Kissel, de l'institut Max Planck de Heidelberg, et pesait 9,9 kg.

Un système de détection d'impacts de poussières (DID). Composé de cinq détecteurs indépendants, l'objectif de ce système était de déterminer le spectre de masse des poussières, c'est-à-dire le flux de poussières croisées par la sonde en fonction de leur masse.

D'un poids total de 2,26 kg, il fut conçu en Grande-Bretagne sous la responsabilité de J.A.M. McDonnell, de l'université du Kent.

Un analyseur de plasma N 1 (JPA). Il était composé de deux détecteurs, un capteur d'ions rapides (FIS) et un capteur d'ions implantés (IIS). Le but du premier — un analyseur électrostatique pour détecter les ions positifs — était de suivre l'évolution du vent solaire, composé de particules chargées s'éloignant du soleil, pour connaître son interaction avec la comète. Le second capteur, quant à lui, devait suivre les ions cométaires «capturés» ou «implantés» dans le vent solaire.

D'un poids de 4,7 kg, cet instrument fut conçu en Grande Bretagne sous la responsabilité de A. Johnstone.

Un analyseur de plasma N 2 (RPA). Son objectif était similaire à celui de l'instrument précédent (soit l'étude de l'interaction entre le vent solaire et la comète). Il se composait de deux détecteurs : un analyseur électrostatique d'électrons (EESA) et un analyseur de composition des ions positifs (PICCA).

D'un poids de 3,2 kg, il fut construit en France, sous la direction d'Henri Rème, du Centre d'étude spatiale des rayonnements (C.E.S.R.) de Toulouse.

Un analyseur de particules énergétiques (EPA). Destiné à l'étude du flux et de l'énergie des électrons et des ions de grande énergie (supérieure à 20 keV), il comportait trois capteurs. Il fut construit en Irlande sous la direction de S. McKenna-Lawlor du collège St. Patrick de Maynooth, et pesait 0,9 kg.

Un magnétomètre (MAG). Son objectif était similaire à ceux embarqués sur les sondes Véga (étudier l'interaction entre le vent solaire et la comète du point de vue du champ magnétique). L'instrument se composait de deux capteurs.

D'un poids de 1,3 kg, il fut conçu en RFA sous la direction de F.M. Neubauer, de l'université de Cologne.

Un photopolarimètre optique (OPE). Cet instrument était destiné à mesurer l'intensité et le degré de polarisation de la lumière, dans la direction opposée au mouvement de la sonde. Il comportait sept filtres différents (pour observer la poussière dans le bleu, le vert et le rouge, et les émissions de OH, CN, CO^+ et C_2) tous équipés d'un polariseur (sauf celui pour le CO^+). Il était ainsi destiné à donner des informations aussi bien sur la poussière que sur la distribution des principales molécules filles de la coma de Halley.

D'un poids de 1,3 kg, il fut construit en France sous la direction d'Anny-Chantale Levasseur-Regourd, du Service d'aéronomie de Verrières-le-Buisson, dans la banlieue parisienne.

Les sondes japonaises

Les deux sondes japonaises, nettement moins perfectionnées que les précédentes, jouèrent un rôle relativement secondaire dans l'exploration spatiale de Halley. Il s'agissait en fait d'une «première» pour l'agence spatiale japonaise, l'ISAS (l'Institut des sciences astronautiques et spatiales), qui lança sa première sonde inter planétaire le 8 janvier 1985. Tirée par une fusée japonaise depuis la base de Kagoshima, elle s'appelait *MS-T5* et fut rebaptisée *Sakigake* après son départ de la Terre («sakigake» est un mot japonais qu'on pourrait traduire par «précurseur»).

MS-T5 / Sakigake était essentiellement une sonde-test destinée à vérifier le bon fonctionnement du nouveau lanceur japonais d'alors, le Mu-3SII, ainsi que le bon fonctionnement général d'une sonde interplanétaire. Cette sonde emportait néanmoins trois instruments destinés à l'étude du vent solaire et de son interaction avec la comète de Halley : une instrumentation pour étudier les ions du vent solaire (direction, densité, température, etc.), un magnétomètre et une sonde de mesure des ondes de plasma.

Cette première sonde devait passer à travers la queue de plasma de Halley, à quelque 6 millions de km de son noyau, en mars 1986. Elle ouvrit la voie à une sœur jumelle tirée le 18 août 1985, appelée *Planet A* et qui fut rebaptisée *Suisei* après son lancement (mot japonais signifiant «comète»).

Planet A / Suisei était équipée d'instruments différents dont le but était l'étude du taux de production d'eau du noyau, de ses sursauts d'intensité et de l'état du vent solaire lors du passage des autres sondes. Elle comportait deux instruments : un imageur ultraviolet pour l'observation du halo d'hydrogène entourant la coma et un analyseur d'énergie des particules chargées pour l'étude du vent solaire et des ions cométaires. Il est d'ailleurs à remarquer que le débit de transmission des données à la Terre était trop faible pour permettre aux deux instruments de fonctionner simultanément, ils devaient donc fonctionner en alternance.

Cette deuxième sonde devait traverser l'enveloppe d'hydrogène de Halley le 8 mars 1986, en passant à 100 000 km du noyau. Son allure générale, comme celle de *Sakigake*, était proche de celle de *Giotto*, soit un cylindre (de 140 cm de diamètre et de 70 cm de hauteur) recouvert de panneaux solaires. Ce cylindre était également mis en rotation pour stabiliser la sonde, avec une antenne de 70 cm de diamètre située sur le dessus pour la transmission des données vers la Terre. Les deux sondes, qui devaient passer à bonne distance du noyau, étaient toutes deux dépourvues de protection particulière contre les poussières cométaires. Leur poids total était de 139 kg chacune.

Et les Américains ?

La NASA, pourtant la principale agence spatiale au monde, n'envoya finalement aucune sonde à la rencontre de Halley. Ce ne furent cependant pas les scientifiques américains qui manquèrent pour réclamer une telle mission; il ne faut pas oublier en effet l'impressionnant potentiel de recherche en astronomie dont disposent les Américains (potentiel sans doute encore supérieur à celui de tous les Européens réunis). Les prochaines pages présenteront succinctement comment se passèrent les choses.

Les origines des projets américains d'exploration spatiale de la comète de Halley sont en fait liées à celles d'un mode de propulsion assez original : la voile solaire. Ce fut en effet en 1958 qu'eut lieu la première étude sérieuse de ce type de propulsion, réalisée par un certain Richard Garwin. En 1969, un ingénieur d'IBM, un expert en hélicoptères, du nom de Richard McNeal, imagina une voile solaire constituée de longues pales tournant autour d'un centre où serait situé le vaisseau à propulser. Il nomma son concept «héliogyro» et on raconte qu'il s'inspira des méthodes des fabricants de papier hygiénique pour résoudre le délicat problème du déploiement de larges surfaces de faible épaisseur.

Ces idées furent reprises par la NASA lorsque en 1972, son administrateur, James Fletcher, à la demande de Richard Garwin, commanda une petite étude sur le sujet. Ce fut durant cette étude qu'un ingénieur du nom de Jerry Wright, après avoir montré qu'il existait des matériaux modernes utilisables en pratique pour une telle propulsion, se rendit compte, en 1975, que ce type de propulsion permettrait d'organiser un rendez-vous entre une sonde et la comète de Halley.

Une petite explication technique est peut-être nécessaire ici. En effet, il convient de préciser que ce sont les photons de lumière émis par le Soleil (ainsi d'ailleurs que les particules du vent solaire, mais celles-ci jouent un rôle négligeable) qui exercent une pression sur la voile. Les photons, même s'ils n'ont pas de masse, possèdent une quantité de mouvement qu'ils peuvent transmettre à une voile solaire s'ils sont réfléchis par elle.

En utilisant simultanément le jeu des forces de gravitation, qui tendent à faire décrire une ellipse aux objets qui orbitent autour du Soleil (comme une sonde tirée depuis la Terre), et celui de la pression de radiation, on peut rejoindre n'importe quel point du système solaire. En effet, selon l'orientation de la voile, on peut soit faire décrire une spirale au vaisseau qui l'éloigne du Soleil, soit le freiner et lui faire décrire une spirale qui le rapproche du centre de son orbite. Il faut bien garder en mémoire que si la pression exercée sur la voile est très faible, elle est aussi continue, ce qui donne une accélération constante au vaisseau. Mois après mois, on peut ainsi atteindre des vitesses supérieures à celles qu'on aurait avec un propulseur classique ne fonctionnant que pour une impulsion initiale au moment de quitter l'orbite terrestre.

En utilisant au mieux les règles de la navigation à voile solaire, Jerry Wright montra ainsi qu'on pourrait organiser un rendez-vous avec la comète de Halley en seulement quatre ans au lieu des neuf ans nécessaires pour un voyage classique utilisant même l'assistance gravitationnelle de Jupiter. Il s'agissait bien d'un rendez-vous et non d'une rencontre : la sonde devait se retrouver, au terme d'une série de manœuvres compliquées, en passant près de l'orbite de Mercure, sur une orbite rétrograde et inclinée par rapport au plan de l'écliptique, où se meuvent les planètes, lui permettant de rejoindre et de suivre en douceur la comète de Halley.

Le projet était tellement beau, avec une cible si prestigieuse, qu'il eut rapidement du succès auprès de Bruce Murray, le nouveau directeur du JPL (*Jet Propulsion Laboratory*, un des principaux centres de la NASA, situé à Pasadena, dans la banlieue de Los Angeles). Les études techniques furent approfondies et, en septembre 1976, un budget de trois millions de dollars lui était réservé pour l'année fiscale à venir.

Cependant, en acceptant de financer des études poussées pour une mission à voile solaire vers Halley, James Fletcher, l'administrateur de la NASA, demanda également une étude parallèle prévoyant une propulsion du type SEPS (*Solar Electric Propulsion System*). Ce type de propulsion a déjà été évoqué lors de l'exposé sur *Giotto*, on sait donc que c'est ce système qui l'emporta.

En effet, lors de la confrontation entre les deux projets, en juillet 1977, au JPL, le système SEPS l'emporta haut la main. D'après Jacques Blamont, le fait que l'étude sur le SEPS ait été confiée au centre Marshall, dans l'Alabama, porteuse de fortes et probables conséquences sur l'emploi (le centre employait 17 000 employés à l'époque du programme Apollo) et que l'État de l'Alabama ait eu des représentants actifs au Congrès, ne fut pas étranger à la décision finale de la NASA... Quoi qu'il en soit, le beau projet de voile solaire était enterré (pour être ressorti un jour futur ?), mais le projet SEPS le fut aussi très rapidement, ne permettant pas, en fait, d'organiser le rendez-vous avec Halley !

Cependant, les défenseurs d'une mission vers Halley persévérèrent et finirent par obtenir l'étude d'une mission plus simple qui se ferait dans le sens direct : une rencontre avec Halley en novembre 1985, à une vitesse relative de 57 km/s et comprenant le largage d'un module sur son noyau, suivie d'un rendez-vous avec Tempel 2 en 1988 (dont l'orbite, elle, est directe). C'est à cette mission que l'ESA, comme expliqué précédemment, devait être associée pour la réalisation du module devant être largué sur le noyau de Halley. Cependant, en décembre 1979, Jimmy Carter, pour satisfaire les besoins d'un projet de navette spatiale de plus en plus gourmand, présentait un budget qui supprimait les crédits alloués au projet Halley-Tempel 2.

Cette décision fut à l'origine du choix de l'ESA de voler de ses propres ailes dans le projet de la sonde *Giotto*. Aux États-Unis, cependant, Bruce Murray, le directeur du JPL, ne désarma pas. Avant-même l'annonce officielle de la «mort» de la mission Halley-Tempel 2, il imaginait une mission encore plus simplifiée, dite HIM pour *Halley Intercept Mission*. Cette mission ressemblait aux projets soviétiques (mais sans la rencontre avec Vénus) et européens : une sonde stabilisée sur trois axes à propulsion classique tirée durant l'été 1985 pour une rencontre frontale avec Halley en mars 1986, à une distance de l'ordre de 800 km avec, évidemment, une caméra de bord.

Après l'échec des négociations avec les Européens, qui annoncèrent officiellement le projet Giotto en juillet 1980, Bruce Murray persista encore. Malheureusement, l'élection de Ronald Reagan, en novembre 1980, et sa prise de fonction en janvier 1981, aggrava la situation pour les projets spatiaux. Comme la navette spatiale était prioritaire, les autres projets furent élagués à la hache. Le projet HIM ne fut pas soutenu par la NASA. Malgré tout, durant encore un an, Bruce Murray tenta l'impossible. Un lobbyiste professionnel fut même engagé pour défendre HIM à Washington (ce qui n'était pas nécessairement du goût des grands chefs de la NASA !), avec même une nouvelle version de la mission, baptisée HER, où le retour d'un échantillon de poussières cométaires sur Terre était prévu.

Toutes ces tentatives furent balayées, une fois de plus, par l'encombrante navette qui réclama une fois encore davantage de crédits que prévus. Le budget préparé à l'automne par l'équipe du président diminua encore les sommes allouées aux projets de sondes d'exploration planétaire (du moins celles qui avaient survécu jusque-là...). Même les enfants chéris du JPL, les sondes Voyager, en route pour Uranus, devaient être désactivés (ce qui, heureusement, ne fut finalement pas le cas). Bruce Murray décida finalement de démissionner, en 1982, «coulant» avec son beau projet.

Les Américains eurent néanmoins deux lots de consolation, si l'on peut dire (ils auraient dû en avoir un troisième avec une mission de la navette spatiale, début 1986, dédiée à l'observation de Halley; malheureusement pour eux, la navette Challenger explosa au décollage, en janvier 1986, paralysant d'un seul coup tout le programme des navettes spatiales pour plus de deux années) : l'IHW et ICE.

L'IHW, pour *International Halley Watch* (qu'on pourrait traduire par «Surveillance internationale de Halley»), fut initiée par un Américain, Louis Friedman, en 1979. Son but était essentiel puisqu'il s'agissait de stimuler et de coordonner les observations, en s'assurant qu'elles soient aussi standardisées que possible, et également de les archiver et de permettre leur diffusion aux personnes intéressées. Les observations au sol furent réparties en huit disciplines, chacune animée par un spécialiste : (i) les études des phénomènes à grande échelle; (ii) les études du noyau; (iii) la spectroscopie et la spectrophotométrie; (iv) la photométrie et la polarimétrie; (v) les observations radio; (vi) la spectroscopie infrarouge; (vii) l'astrométrie; et (viii) l'observation des météores. En ce qui concerne la dernière discipline, elle s'intéressait spécialement à deux essaims de météores — les orionides en octobre et les aquarides en mai — associés à la comète de Halley, et dont l'étude peut apporter des renseignements indirects sur la comète. L'IHW était coordonnée à la fois depuis le JPL, en Californie, et depuis l'observatoire de Bamberg, en RFA. En France, elle était représentée par une Recherche coopérative sur programme du C.N.R.S. (RCP 639), qui assurait également la liaison avec les astronomes amateurs. L'IHW fut un succès et permit une publication relativement rapide des premiers résultats scientifiques.

Le deuxième lot de consolation fut *ICE* pour *International Cometary Explorer*. Il s'agissait, à l'origine, d'un satellite appelé *ISEE 3* (*International Sun-Earth Explorer 3*) placé en orbite autour du Soleil pour étudier l'interaction entre le vent solaire et le champ magnétique terrestre. Sa mission terminée, en 1982, ses concepteurs tentèrent une manœuvre ingénieuse (qui l'amena à passer cinq fois près de la Lune) pour permettre à la sonde de traverser la queue de la comète P/Giacobini-Zinner, le 11 septembre 1985, 8000 km derrière son noyau, par rapport au Soleil.

ICE disposait encore de huit instruments opérationnels lors de son survol de Giacobini-Zinner (sur les treize initialement utilisés), dont trois sous responsabilité européenne : un magnétomètre, un analyseur d'électrons, un analyseur d'ions, un analyseur d'ondes de plasma, un détecteur de rayons X, un analyseur de protons énergétiques, un analyseur d'ions énergétiques, et une instrumentation pour une expérience liée aux ondes radio. Ces instruments étaient, en fait, peu adaptés à l'étude d'une comète, si ce n'est à celle de l'interaction entre son plasma et le vent solaire.

Cette mission, si elle donna certains résultats scientifiques, ne put cependant masquer l'absence des Américains dans la «course» à Halley, malgré toute la publicité qu'ils firent autour de *ICE*, la première sonde spatiale à rencontrer une comète. Il est ainsi frappant de constater, par exemple, la place relative accordée à la description de *ICE* dans l'ouvrage américain de Carl Sagan et Ann Druyan (par ailleurs excellent) traduit en français sous le titre *Comète* en 1985. Dans le chapitre présentant les sondes à destination de Halley, les sondes *Giotto* et *Véga* sont décrites en deux paragraphes discrets, alors que la sonde *ICE* fait l'objet d'un encart spécial d'une page avec un dessin de la sonde et une photographie de la comète Giacobini-Zinner sur une autre page. En plus, les deux auteurs croient bon de faire taire les mauvaises langues qui parlent de «manœuvre purement politique» en faisant remarquer que *ISEE 3* avait fait son temps et qu'on ne pouvait rêver à un meilleur usage pour cette sonde.

On ne peut cependant manquer de s'interroger sur l'utilité qu'aurait eu une sixième mission vers Halley, du type HIM. Aurait-il été bien sage, à l'heure où il est difficile de trouver le financement nécessaire aux programe de sondes explorant le système solaire, d'envoyer une sixième sonde rencontrer un même objet que cinq autres sondes auraient croisé dans la même quinzaine ? La mission à voile solaire, conçue pour rejoindre Halley dans le même sens qu'elle, donc pour une durée d'étude beaucoup plus longue, aurait eu par contre un véritable sens, mais reposait-elle sur une technologie réellement au point ?

Le déroulement des opérations

Avant d'envisager tout tir réel d'une sonde, et de laisser se dérouler une mission d'exploration planifiée dans les moindres détails, on doit être sûr d'avoir quelque chose à observer. Depuis son dernier passage près du Soleil et de la Terre, en 1910, la comète de Halley était repartie vers les lointaines contrées du système solaire, au-delà de l'orbite de Neptune (à sa plus grande distance au Soleil, Halley en est à 35,3 UA), privée de toute activité. Elle avait ét perdue de vue par les astronomes, dépourvus alors de moyens d'observations suffisamment puissants pour détecter cette terne petite boule de glace.

Bien sûr, il n'y avait aucune raison pour qu'il soit arrivé quelque chose à cette comète, dont ce devait être au moins le trentième passage observé près du Soleil, mais il valait mieux être sûr. C'est ainsi que l'étude de Halley commença au sol, avec une «traque» des gros télescopes. Elle fut retrouvée le 16 octobre 1982, à seulement quelques secondes d'arc de la position calculée, grâce au télescope de 5 m du mont Palomar, en Californie. Les observations reposaient sur cinq poses CCD de huit minutes qui montraient le noyau de Halley avec une magnitude de 24,3 (soit 20 millions de fois plus faible que l'étoile la moins brillante visible à l'œil nu).

Elle fut ensuite régulièrement suivie, par exemple avec le télescope de 3,60 m géré par le Canada, la France, et l'université d'Hawaï (CFH) à Hawaï. Ces premières observations permettèrent d'affiner les calculs d'orbite, indispensable au bon déroulement des missions spatiales.

C'est ainsi que les différentes sondes purent être tirées en temps voulu : le 15 décembre 1984 (*Véga 1*), 21 décembre 1984 (*Véga 2*), 8 janvier 1985 (*Sakigake*), 2 juillet 1985 (*Giotto*), et le 18 août 1985 (*Suisei*). Comme un ballet cosmique finement réglé, les opérations prévues se déroulèrent les unes après les autres sous l'œil attentif des scientifiques et des ingénieurs responsables de la création des sondes. Il convient de signaler le remarquable fonctionnement général des engins qui approchèrent Halley : hormis quelques pannes d'instruments, difficilement évitables, les cinq sondes obtinrent des résultats scientifiques à la hauteur des espoirs qu'on avait placés en elles (ce qui est loin d'être toujours le cas dans le domaine spatial).

Premier rendez-vous important, pour les sondes Véga : Vénus. À la suite d'un accord avec les Américains, par le biais des Français, les sondes Véga furent suivies de très près par un vaste réseau d'antennes disséminées sur toute la planète et dont les informations étaient centralisées au JPL, en californie. Ce réseau d'antennes avait trois fonctions différentes : (i) recevoir les données scientifiques émises aussi bien par le ballon que par le module de descente vers Vénus (relayées par le reste de la sonde Véga); (ii) localiser le ballon par rapport à la sonde Véga; et (iii) localiser la sonde Véga avec une très grande précision.

Pour la première fonction, la réception des signaux, il était nécessaire de disposer d'au moins trois grandes antennes réparties de façon régulière en longitude autour du globe terrestre (tous les 120° environ). En effet, les opérations durant plusieurs jours, une seule antenne de réception aurait été périodiquement inutilisable à cause de la rotation terrestre. L'Union soviétique ne disposait que de deux antennes d'une taille suffisante (70 m de diamètre) pour capter les signaux des sondes Véga, une à Eupatoria, en Crimée, et une à l'autre extrémité du pays, en Mandchourie, à Oussourisk (terminée juste avant l'arrivée des sondes Véga près de Vénus). Ces deux antennes étaient donc insuffisantes pour assurer la réception permanente des signaux des engins Véga, elles auraient été «aveugles» durant le tiers du temps environ. Pour pallier cette insuffisance les trois antennes de poursuite des sondes planétaires de la NASA (*Deep Space Network, DSN*) étaient nécessaires. D'un diamètre de 64 m ces antennes sont commandées depuis le JPL et situées à Goldstone (Californie), Canberra (Australie) et Madrid (Espagne).

Pour la deuxième fonction, la localisation du ballon par rapport à la sonde Véga, ce fut la technique dite DVLBI (pour *Differential Very Long Baseline Interferometry*) qui fut utilisée. Cette technique repose sur l'observation simultanée d'un même signal par plusieurs radiotélescopes. Ceux-ci, grâce aux progrès réalisés dans les horloges atomiques, peuvent observer indépendamment l'un de l'autre à plusieurs milliers de kilomètres de distance et reconstituer ultérieurement les signaux reçus, enregistrés sur bande magnétique. Le traitement simultané de plusieurs signaux issus d'une même source mais reçus en différents points de la Terre, dont on connaît la localisation avec précision, permet de déterminer la position angulaire de la source avec une précision très grande si on travaille avec des antennes distantes de plusieurs milliers de kilomètres (précision de l'ordre du millième de seconde d'arc). Il existe cependant une source d'incertitude, c'est l'état du milieu entourant les antennes de réception. Pour s'en affranchir, on doit utiliser une deuxième source située près de la première, dont le signal subit les mêmes perturbations, et qui permet, si on travaille en différentiel, de donner l'écart angulaire précis entre les deux sources. Dans le cas présent, les deux sources étaient constituées du ballon et de la sonde Véga à qui il était associé.

Le réseau DVLBI utilisé doit être relativement dense et régulièrement réparti autour de la planète pour pouvoir donner des résultats satisfaisants. C'est ainsi qu'un appel général fut lancé aux radioastronomes, dont beaucoup acceptèrent, pour la durée de l'opération, de pointer leurs instruments vers Vénus. Au moment voulu ce furent ainsi vingt antennes différentes qui servirent à la localisation VLBI : six antennes soviétiques, les trois du DSN, et onze autres réparties dans divers pays autour du globe (Brésil, Afrique du Sud, Porto Rico, Grande-Bretagne, RFA, etc.).

Pour la troisième fonction, la localisation de la sonde Véga (pour permettre, avec les observations VLBI, de localiser le ballon avec précision), ce fut une technique semblable à la VLBI, baptisée delta-DOR (*Differential One way Range*) qui fut utilisée. Cette technique extrêmement sophistiquée, mise au point par le JPL, utilise un ensemble de quasars répartis sur l'ensemble de la voûte céleste. L'intérêt de ces sources radio lointaines est qu'elles sont extérieures au système solaire et même à notre Galaxie, assurant ainsi un repère parfaitement stable et déterminé avec précision. La technique delta-DOR est une technique VLBI qui utilise, dans le cas présent, un signal émis par la sonde Véga avec le quasar le plus proche, permettant la localisation absolue de la sonde. Les observations delta-DOR étaient relevées une fois toutes les douze heures par les antennes du DSN. Le but de toutes ces subtiles techniques était de pouvoir localiser, après coup, le ballon au mètre près dans l'atmosphère de Vénus, permettant ainsi de mesurer la vitesse du vent avec une grande précision (le ballon étant en effet supposé suivre fidèlement la masse d'air dans laquelle il flotte).

C'est ainsi que, sous l'œil attentif du réseau qui vient d'être décrit le samedi 8 juin 1985 au soir (à 19 heures, heure du JPL en Californie), la sonde *Véga 1* reçut l'ordre (depuis l'antenne soviétique d'Eupatoria) de se séparer de sa partie «Vénus». La partie sphérique éjectée de *Véga 1* entra alors dans l'atmosphère de Vénus, à la vitesse de 11 km/s. Une trentaine de secondes plus tard, à 64 km d'altitude, son parachute se déploya, freinant la vitesse de la capsule qui s'ouvrit une dizaine de secondes plus tard. L'atterrisseur quitta la capsule lorsqu'elle s'ouvrit suivi, vingt-trois secondes plus tard, de la boîte contenant le ballon. Le parachute principal de cette boîte fut ouvert deux minutes plus tard, puis le début du gonflage du ballon commença deux minutes après. Il fallut six minutes au ballon pour se gonfler et commencer sa mission d'exploration à 53 km d'altitude. À 19 h 21 mn 44 s, heure de Los Angeles, la nacelle du ballon envoya, comme prévu, sa première émission. Celle-ci fut suivie d'autres émissions à intervalles réguliers de trente minutes, contenant les paramètres atmosphériques mesurés par le ballon. Douze heures plus tard, l'intervalle entre les deux émissions passa à une heure, puis à trente minutes douze heures plus tard, et ainsi de suite. Au total, le ballon emporté par la sonde *Véga 1* vola et émit durant quarante-six heures et quelques minutes (ce qui correspond à 11 000 km de distance dans l'atmosphère de Vénus), ce qui couronna la mission de succès. L'atterrisseur, quant à lui, avait aussi réussi sa mission puisque après une heure de descente dans l'atmosphère, il avait touché le sol et émit encore pendant plusieurs dizaines de minutes.

Des opérations identiques furent effectuées par la sonde *Véga 2* le 14 juin au soir, à 19 heures également, heure de Los Angeles. Mêmes opérations et mêmes succès.

La deuxième partie des missions Véga, la rencontre avec la comète de Halley, pouvait donc débuter. Sur Terre, la sonde *Giotto* fut tirée quinze jours plus tard, le 2 juillet, et *Suisei*, deux mois plus tard, le 18 août. Les lois de la mécanique céleste rapprochaient donc lentement, jour après jour, les cinq sondes vers leur objectif cométaire pour des rencontres presque simultanées.

Pendant que les sondes spatiales approchaient de la comète de Halley, celle-ci devint enfin visible depuis la Terre, avec une chevelure active, à l'automne 1985. En effet, elle devint visible à l'œil nu durant le mois de novembre. Prévenus par les médias de nombreux curieux du ciel essayèrent de la voir, souvent en profitant des séances d'observation publiques qui s'organisaient un peu partout avec l'aide des associations d'astronomes amateurs. En fait, beaucoup de gens furent déçus : visible à l'œil nu, dans ce cas-là, signifiait plutôt visible avec des jumelles. En effet, l'aspect diffus d'une comète la rend moins facile à détecter et l'éclat total de Halley n'excéda pas la magnitude quatre à l'automne 1985, soit celle d'une étoile relativement faible (environ six fois moins brillante que l'étoile Polaire).

En fait, seuls quelques observateurs entraînés et disposant d'un ciel de campagne bien noir purent, à l'aide d'une carte, la distinguer à l'œil nu. Son aspect était assez semblable à la galaxie d'Andromède, bien connue des astronomes amateurs, également à la limite de visibilité à l'œil nu.

Le trentième passage sûr de la comète de Halley, et le dernier jusqu'à aujourd'hui, fut certainement, un des plus défavorables pour l'observation visuelle. Au mieux, en avril 1986, elle se situa entre les magnitudes deux et trois et encore, pas pour les observateurs de l'hémisphère Nord (les plus nombreux et les seuls à avoir laissé des archives des précédents passages jusqu'à une époque récente). En effet, après sa brève apparition dans le ciel du soir en novembre et décembre 1985, et début janvier 1986 (avec une distance Terre-Halley minimale à la mi-novembre et un éclat toujours croissant), la comète «disparut» derrière le Soleil. Elle «descendit» également de plus en plus vers l'hémisphère Sud, apparaissant de plus en plus près de l'horizon pour les observateurs de l'hémisphère Nord (elle franchit l'équateur céleste le 23 décembre).

Le 9 février, Halley passa au plus près du Soleil, à 0,58 UA. Malheureusement, elle était alors invisible pour les observateurs terrestres, car trop près du Soleil. Il fallut attendre fin février début mars pour que Halley redevienne visible dans le ciel du matin, du moins pour les observateurs de l'hémisphère Sud. En effet, sa déclinaison passa de -16° le 1er mars à -48° (le minimum) le 10 avril, date à laquelle eut lieu le deuxième rapprochement de Halley avec la Terre. L'éclat de la comète atteignit alors son maximum, entre les magnitudes deux et trois. Son éclat diminua ensuite rapidement ; elle cessa complètement d'être visible à l'œil nu dès la fin du mois d'avril.

En France, de nombreux astronomes amateurs n'hésitèrent pas à faire le voyage jusque dans l'hémisphère Sud. L'île de la Réunion fut ainsi une destination très prisée, permettant de mêler tourisme et observations cométaires.

De nombreux astronomes amateurs, désirant faire œuvre utile, participèrent à l'IHW. En France, comme mentionné auparavant, l'IHW était relayée par une Recherche coopérative sur programme du C.N.R.S. (RCP 639), un astronome professionnel étant chargé de coordonner les observations des amateurs qui souhaitaient participer à la RCP 639. C'est Jean-Louis Heudier, astronome à l'observatoire du CERGA, près de Grasse, qui avait accepté la responsabilité de ce secteur. Pour relayer les observations, la France fut partagée en quatorze régions (dont la Belgiqu), ayant chacune un responsable local chargé à la fois de recenser les observateurs intéressés, de leur fournir les documents nécessaires aux observations et de collecter celles-ci.

Même si l'action d'un seul astronome amateur est relativement limitée par rapport à un professionnel ayant accès à un gros télescope, elle n'est cependant pas négligeable pour autant. En effet, les astronomes amateurs, de par leur nombre et leur absence de contraintes dans le temps d'utilisation de leurs instruments, peuvent se révéler utiles. Ainsi, de simples estimations visuelles d'éclat, qui peuvent être faites presque en continu durant toute la période de visibilité de la comète, peuvent être profitables. De plus, certains amateurs outillés apportèrent des renseignements techniquement plus difficiles à fournir, par exemple dans le domaine astrométrique. À l'aide de clichés, il est en effet possible de mesurer la position du noyau avec une précision de l'ordre de la seconde d'arc, contribuant ainsi à apporter des données supplémentaires pour les calculs d'orbites et, éventuellement, pour la détermination des forces non gravitationnelles influençant le mouvement de la comète.

Les sondes, quant à elles, continuaient tranquillement leur voyage interplanétaire. En fait, pour être juste, il faut mentionner la première rencontre qui se fit entre une comète et une sonde *ICE,* qui traversa comme prévu la queue de la comète Giacobini-Zinner le 11 septembre 1985, à la grande joie des Américains. Ceux-ci furent plus amers, et ils ne furent pas les seuls, lorsque la navette Challenger explosa avec ses sept membres d'équipage dans le ciel de Floride, le 28 janvier 1986. Cette explosion, parmi les innombrables conséquences humaines, scientifiques, commerciales, militaires et psychologiques, priva les Américains du plaisir d'admirer Halley depuis l'orbite terrestre, comme ils l'avaient prévu.

Mais l'heure de la grande rencontre avait sonné. C'est *Véga 1* qui ouvrit le bal, le 6 mars 1986. Sur Terre, les opérations furent dirigées en Union soviétique par l'IKI, dans la banlieue de Moscou. Tous les scientifiques qui avait été engagés dans la conception des instruments à bord des sondes Véga étaient là, sous la houlette de Roald Sagdeev, le grand patron de la mission et le directeur de l'IKI depuis 1973. Une liaison directe fut établie avec l'antenne de 70 m d'Eupatoria, où se trouvait le centre de contrôle des opérations et où arrivaient les signaux reçus par une antenne de 64 m située à Medvezy Ozera, près de Moscou. Chacun des instruments embarqués sur *Véga 1* était relié à un terminal pour assurer le suivi de la réception des données par les responsables de l'expérience.

Il y avait même des centaines de journalistes étrangers invités pour l'occasion. Fait exceptionnel, ils eurent accès à des endroits interdits jusque-là aux étrangers, et ils purent même observer les scientifiques au travail (ce qui n'était pas forcément au goût de ces derniers). Bref, à l'événement strictement scientifique les Soviétiques greffèrent une opération de relations publiques, invitant également des officiels de la NASA et de l'ESA à participer à la fête.

La rencontre fut un succès. Deux heures avant l'instant de la rencontre, les instruments furent mis en route (ceux destinés à l'étude du plasma l'étaient déjà depuis deux jours). Ils furent arrêtés peu de temps après la rencontre, qui eut lieu à seulement 8900 km du noyau. Sauf quelques pannes, la plupart des instruments fonctionnèrent correctement, à commencer par la très médiatique caméra de télévision. Celle-ci montra presque en direct les premières images du noyau, traitées en fausses couleurs, avec une résolution de l'ordre de 130 m/pixel.

Comme pour la rencontre avec Vénus, la sonde *Véga 1* était suivie de près par les antennes du réseau DSN de la NASA, sous le nom de projet Pathfinder (Éclaireur); l'idée était d'utiliser les émetteurs VLBI des sondes Véga pour localiser celles-ci avec exactitude (toujours en utilisant un quasar proche, sur le plan angulaire). L'intérêt de localiser les sondes Véga avec soin consistait, en utilisant également les images de la caméra, à localiser avec précision le noyau de Halley (à environ 100 km près), permettant ainsi un passage précis de la sonde *Giotto* près de la comète quelques jours plus tard. Les observations au sol, même alliées à de fins calculs d'orbite, ne permettaient guère, au mieux, une localisation du noyau de Halley à 1500 km près, ce qui était évidemment insuffisant pour le passage de *Giotto*, prévu à seulement 500 km du noyau.

Deux jours après la sonde *Véga 1*, ce fut au tour de la sonde japonaise *Suisei*, tirée le 18 août 1985, de rencontrer la comète de

Halley. Rencontre plus discrète et à distance plus respectueuse (151 000 km du noyau), qui survint le 8 mars 1986 à 14 h 05 exactement, heure française. Cette rencontre, comme nous l'avons déjà mentionnée, ne permit pas la prise de clichés, la sonde étant dépourvue de caméra.

Le lendemain, le 9 mars 1986, ce fut au tour de *Véga 2*. Comme pour Vénus, le succès fut comparable à celui de *Véga 1* (*Véga 2* passa même un peu plus près de Halley, à 8030 km du noyau). Deux mois plus tard, lors de l'annonce des premiers résultats dans le numéro spécial de la revue scientifique *Nature*, Roald Sagdeev alla même jusqu'à écrire que les sondes Véga étaient toujours fonctionnelles, bien qu'un peu abîmées, et qu'elles pourraient parfaitement être utilisées pour rencontrer une autre cible, par exemple un astéroïde. Cette idée n'eut malheureusement pas de suite, contrairement à la sonde *Giotto* qui fut réactivée en 1992, comme il en sera question plus loin.

Deux jours après *Véga 2,* ce fut au tour de la deuxième sonde japonaise, *Sakigake*, tirée le 8 janvier 1985, de rencontrer Halley. Cette rencontre fut encore plus prudente que celle de sa compatriote, puisqu'elle se fit à une distance de sept millions de kilomètres.

Enfin, ce fut au tour de *Giotto*, dans la nuit du 13 au 14 mars 1986, de rencontrer Halley. Cette fois-ci, le centre névralgique des opérations se situait à Darmstadt, où se trouve le centre de contrôle de l'ESA, dans l'ex-RFA. Simultanément se déroula à Paris, dans la toute nouvelle cité des sciences de la Villette, inaugurée pour l'occasion par le président François Mitterrand, la «Nuit de la comète». Dans une espèce de grand show médiatique, sept mille invités (et presque autant de vigiles) découvrirent les bâtiments de la cité des sciences.

Sur un plateau de télévision spécialement monté pour l'occasion, des journalistes et des astronomes (tels Hubert Reeves et André Brahic) commentèrent en direct la rencontre Giotto-Halley. Sur un écran géant apparurent les images en fausses couleurs du noyau de Halley vu par *Giotto,* retransmises également en direct à la télévision. Elles aussi furent certainement un peu décevantes pour le grand public, mais qu'importe, le talent des gens de télévision avait réussi à placer toute une soirée sous le signe de la comète, ce qui vaut bien le énième épisode de *Dallas* ou un quelconque spectacle de variétés...

Grâce à Pathfinder, *Giotto* fut pilotée avec précision : prévue pour passer à 500±40 km du noyau, la sonde s'approcha finalement à 600 km. C'est à 1 h 03 min, heure de Paris, que l'engin passa le plus près de Halley. Seul problème : quatorze secondes avant l'instant de la rencontre, un grain de poussière un peu gros frappa la sonde et lui fit faire un mouvement de précession de 0,9° d'amplitude, faisant ainsi sortir le noyau du champ de la caméra, qui fut également abîmée par l'impact. À 68,4 km/s de vitesse relative, cet incident fit que les photos les plus proches ne furent prises qu'à 1700 km du noyau, diminuant ainsi le pouvoir de résolution attendu des clichés, qui ne fut que de 40 m environ.

Il convient également de signaler une expérience originale effectuée sur *Giotto* grâce aux signaux reçus par le réseau DSN de la NASA. Baptisée *Giotto radio-Science Experiment*, et dirigée par P. Edenhofer, de l'université de Bochum (en RFA), cette expérience était basée sur la mesure de l'effet Doppler. Les particules frappant *Giotto* ralentirent légèrement la sonde, provoquant une légère diminution de la fréquence des émissions reçues au moment du passage près du noyau (la Terre étant plutôt «en face» de la sonde). Cet effet permit de calculer la densité de masse des particules (électrons, molécules, poussières) de la coma. C'est ainsi qu'une variation de fréquence de 4,7 Hz fut décelée, survenant en une période de temps de cent secondes et permettant de déduire qu'une masse totale de 0,1 à 1 g de particules avait frappé la sonde.

Après *Giotto*, la flotille de sondes spatiales envoyée pour rencontrer Halley avait terminé son travail. Sur Terre, cependant, les observations n'étaient pas finies. En effet, que ce soit au sol ou, parfois, dans des avions ou à partir de satellites, une foule d'observations furent effectuées par les astronomes. Il existe sans doute peu d'instruments capables d'observer une comète qui n'aient, au moins une fois, été dirigés vers Halley. Même de gros télescopes, en général peu utilisés pour procéder à l'observation de ces «boules de neige sale», furent réquisitionnés et fournirent leur quota d'observations, tel le CFH à Hawaï. Ces observations avaient l'avantage principal de la durée par rapport à celles effectuées par les sondes spatiales, permettant ainsi de suivre tous les stades d'activité d'un astre hautement instable.

Après la rencontre avec les sondes, début mars, Halley se présenta sous un jour favorable aux observateurs terrestres au début d'avril, puis perdit rapidement de son éclat en s'enfonçant dans les lointaines contrées du système solaire. Cependant, pour la première fois depuis que des hommes observent Halley, on peut maintenant espérer suivre la comète jusqu'au bout de son orbite, là où, privé de toute activité, son noyau est tout juste décelable avec les plus puissants télescopes actuellement en service.

Février 1991 : la surprise

Presque cinq ans plus tard, alors que les astronomes ayant participé aux observations de Halley ne pensaient plus qu'à analyser leurs données, à se réunir dans de multiples congrès pour discuter de leurs résultats et à publier ceux-ci, Halley, refit la «une» de l'actualité astronomique.

En effet, durant des observations de routine effectuées à l'Observatoire européen austral (ESO), dans les Andes chiliennes, avec un télescope de 1,54 m, ce fut la surprise : au lieu d'un noyau ponctuel et particulièrement faible (de magnitude 25,3 environ, soit quarante-sept millions de fois plus faible que ce que peut distinguer l'œil nu), un halo lumineux trois cents fois plus brillant fut découvert par les observateurs. Ceux-ci, Olivier Hainaut et Alain Smette, qui observaient le ciel dans la nuit du 11 au 12 février 1991, ne comprirent pas ce que montrait leur écran d'ordinateur. Les nuits suivantes, ils reprirent d'autres clichés CCD et il fallut alors se rendre à l'évidence : à plus de 14 UA du Soleil, la comète de Halley avait un sursaut d'activité qui lui donnait une coma d'au moins 300 000 km de diamètre.

Dans les semaines et les mois qui suivirent, des observations furent effectuées par d'autres astronomes, confirmant celles de l'ESO, le sursaut d'activité se prolongeant plusieurs mois. On retrouva même une plaque photo prise avec un télescope de Schmidt de l'ESO le 16 janvier, pour une autre raison, qui montrait, à la limite du seuil de détection de la plaque, la condensation autour du noyau de Halley. En modélisant l'évolution passée du nuage de poussières observé, il fut possible de dater le début du sursaut d'activité au 20 décembre 1990, à quelques jours près.

Rapidement, passé le premier instant de surprise, les astronomes essayèrent de comprendre les causes de ce sursaut d'activité. Sursaut surprenant *a priori* mais, après tout, que savent les scientifiques de la vie des comètes loin du Soleil ? Les observations des noyaux inactifs sont en effet plutôt rares... Parmi les explications proposées, on peut distinguer les hypothèses faisant appel à une cause interne et celles faisant appel à une cause externe.

Il y eut principalement deux causes externes envisagées : (i) une collision avec un astéroïde; et (ii) une onde de choc du vent solaire causé par un sursaut d'activité du Soleil. La première hypothèse, qui fit l'objet de calculs précis de la part de David Hugues, de l'université de Sheffield, montrant qu'un astéroïde de 2,6 à 60 m de diamètre arrivant à 12 km/s sur le noyau de Halley pourrait apporter l'énergie nécessaire, souffrait de graves défauts. Tout d'abord, son caractère *ad hoc* ne plut guère et, surtout, les caculs de probabilité d'une collision dans la zone où s'était produit le sursaut (au-delà de l'orbite de Saturne) donnaient une chance infinitésimale qu'elle survienne. De plus, la vitesse d'éjection de la poussière, moins de 0,05 km/s, ne «collait» pas avec la vitesse de 12 km/s proposée par Hugues, de même que la durée du sursaut. La deuxième hypothèse, liée à un sursaut d'activité solaire, parut également peu réaliste. Le mécanisme imaginé paraissait peu crédible et, de plus, il n'y avait pas eu de sursaut d'activité solaire détectée à la bonne période.

La principale cause interne imaginée, et qui eut la faveur de la majorité des spécialistes, repose sur un changement de phase de la glace d'eau. En effet, on pense aujourd'hui que les comètes sont formées principalement, au début, de glace amorphe. C'est lors du passage près du Soleil qu'a lieu la transformation de la glace amorphe en une forme cristalline, réaction qui est exothermique. On peut alors parfaitement imaginer, même presque cinq ans après le passage près du Soleil, une telle réaction exothermique sous la surface du noyau (jusqu'à quelques dizaines de mètres). Une telle réaction, déclenchée par une onde de cristallisation, peut libérer suffisamment de gaz emprisonné dans la glace pour que la pression de celui-ci augmente jusqu'à atteindre brutalement la surface du noyau et provoquer le sursaut d'éclat observé. Une «poche» de monoxyde de carbone, supposé être la principale responsable du halo observé autour de Halley avec les poussières, serait libérée. Ce type de scénario a également l'avantage de pouvoir expliquer d'autres sursauts d'activité plus discrets observés précédemment.

Après ce brusque sursaut, le noyau de Halley semble avoir retrouvé son calme : une photo prise à l'ESO en avril 1992 le montre tout à fait «normal». Jusqu'à aujourd'hui (automne 1995), il n'a révélé aucun autre sursaut d'activité. Il semble donc probable qu'il continuera sa course le long de son orbite jusqu'à atteindre la magnitude record de 29, en 2024. À cette date, on devrait, pour la première fois, pouvoir encore l'observer puisqu'une telle magnitude est d'ores et déjà accessible aux gros télescopes en service aujourd'hui. Passé 2024, ce sera alors plus facile de suivre un noyau dont l'éclat sera croissant, et qui finira par redevenir actif une nouvelle fois en 2062...

Giotto toujours active

Avant de clore ce chapitre, il faut mentionner un dernier événement important qui, s'il ne concerne pas directement la comète de Halley, lui est tout de même étroitement lié. L'ESA, après avoir testé le bon fonctionnement général de *Giotto* à la suite de sa rencontre kamikaze avec Halley, décida de relancer la sonde à la rencontre d'une autre comète. En effet, même si tous les instruments n'étaient plus opérationnels, en particulier la caméra, cette extension de mission avait l'avantage d'être très bon marché.

On choisit la comète P/Grigg-Skjellerup. Observée pour la première fois en 1902, cette comète appartient à la famille des comètes de Jupiter, c'est-à-dire aux comètes «capturées» par la planète géante. Son aphélie (point le plus éloigné du Soleil le long de l'orbite) est de 4,94 UA, proche de la distance de Jupiter au Soleil (5,2 UA). Elle décrit son orbite en moins de cinq ans, et un passage près du Soleil était prévu pour le 22 juillet 1992, à 0,99 UA. Ses caractéristiques orbitales étaient favorables pour organiser une rencontre avec *Giotto*. La sonde fut donc réactivée (elle avait été mise en hibernation après son passage près de Halley) en février 1990 et dirigée... vers la Terre. Les lois de la mécanique céleste permettent en effet des manœuvres assez originales; *Giotto* utilisa l'assistance gravitationnelle de la Terre, qu'elle survola le 2 juillet 1990, pour se placer sur une orbite de transfert devant l'amener à passer près de P/Grigg-Skjellerup.

Giotto rencontra sa deuxième comète douze jours avant que celle-ci ne passe à son périhélie, soit le 10 juillet 1992 à 17 h 30, heure française. La rencontre se fit très près du noyau, à seulement 200 km de celui-ci, mais le danger était moindre que lors de la rencontre avec Halley, car la vitesse relative Giotto/Grigg-Skjellerup était plus faible (14 km/s au lieu de 68), l'activité de la comète était moins intense et la sonde passa dans la région antisolaire.

Sur les dix instruments embarqués, sept furent encore en état de fonctionner et de donner des résultats scientifiques : le spectromètre de masse des ions, le spectromètre de masse de la poussière, les deux analyseurs de plasma, l'analyseur de particules énergétiques, le magnétomètre et le photopolarimètre optique. Comme pour le passage près de Halley, le signal émis par la sonde fut suivi par les antennes du DSN pour suivre ses variations de fréquence. Le premier instrument à détecter un signal fut l'analyseur de plasma N°1 qui identifia la présence d'ions cométaires douze heures avant le passage au plus près du noyau, soit à 600 000 km de celui-ci.

Après un survol réussi, la sonde fut placée, le 21 juillet, sur une orbite qui l'amènera à proximité de la Terre en juillet 1999. Le 23 juillet, elle fut mise en hibernation pour la deuxième fois. Il est encore trop tôt pour dire si elle sera encore utilisée, mais une contrainte importante est la masse limitée de carburant encore disponible pour les manœuvres orbitales (seulement 4 kg).

Cest ainsi que s'achève la description, sommaire, de l'intense activité déployée autour du dernier passage de Halley. Au-delà de l'aspect spectaculaire et médiatique des moyens engagés, et alors que toute cette agitation est retombée depuis longtemps, il est maintenant temps d'essayer de dresser un bilan véritablement scientifique de cette rencontre.

Chapitre 7

L'ère post-Halley

L'exploration de la comète de Halley lors de son dernier passage près du Soleil a incontestablement marqué une rupture dans l'étude scientifique des comètes. Ce fut en effet la première fois que des instruments d'observation scientifiques pouvaient observer d'aussi près une comète (sans, toutefois, toucher le cœur de l'astre : son noyau) et cela restera sans doute la seule fois pendant encore au moins dix à quinze ans. Pourtant les résultats scientifiques obtenus ne sont peut-être pas aussi spectaculaires que ce qu'aurait souhaité le grand public. En fait, autant le dire tout de suite, les sondes qui ont frôlé le noyau de Halley n'ont révélé aucune surprise majeure aux scientifiques qui ont analysé leurs observations. Disons que, pour l'essentiel, elles ont confirmé ce que l'on savait déjà ou supposait (par des modèles théoriques), en livrant des éléments précis de la réalité d'une comète dont certains aspects surprirent tout de même un peu, parfois.

Les nouveautés apportées par le passage des sondes portent principalement sur les points ci-dessous :

- Le noyau. Il est le seul dont on ait obtenu des images rapprochées jusqu'à présent. Sa morphologie accidentée, sa surface sombre et ses dimensions surprirent un peu les spécialistes.
- Les grains de poussières. L'existence d'éléments organiques légers surprit également, puisque ne figurant pas dans les grains collectés dans l'atmosphère terrestre. Ils correspondaient pourtant aux modèles élaborés par J.M. Greenberg.
- Les molécules mères. Certaines molécules pressenties furent effectivement détectées, complétant ainsi la connaissance du noyau.
- La distribution du gaz. Elle surprit également un peu en révélant l'existence de sources étendues, probablement issues de la fragmentation de grains dans la chevelure et non pas directement du noyau.

- L'interaction avec le vent solaire. Les modèles théoriques, globalement, sortirent renforcés de leur confrontation avec les observations obtenues.

Il ne faut pas négliger, également, les observations effectuées au sol après le passage de Halley. En effet, grâce aux détecteurs plus sensibles, aux chercheurs plus nombreux et à des modélisations théoriques stimulées par les résultats des observations sur Halley, la recherche cométaire a continué à progresser de façon significative. On pourrait citer, en particulier, les observations de nouvelles molécules mères par des radiotélescopes de plus en plus performants. Mais il est temps maintenant d'analyser en détail ces nouvelles connaissances.

Le noyau

Les images du noyau transmises par les trois sondes *Vega 1*, *Vega 2* et *Giotto*, les 6, 9 et 13 mars 1986, révèlent toutes un spectacle quelque peu surréaliste, digne d'un film de science-fiction. En effet, même l'aspect statique des images obtenues ne peut manquer de donner l'impression d'un spectacle naturel extrêmement violent et actif, un peu comme l'éruption d'un volcan. Ce ne fut pas seulement l'image proprement dite d'un noyau cométaire que révélèrent les clichés obtenus, mais aussi les sources d'éjection violente des particules qui donnent naissance à toutes les sructures géantes caractéristiques des comètes (chevelure et queues en particulier). Il faut rappeler que les vitesses d'éjection du gaz (environ 1 km/s) ou même des poussières (0,2 ou 0,3 km/s) sont du même ordre de grandeur que celles d'une balle de fusil.

Les structures du noyau en lui-même apparurent donc légèrement masquées par sa propre activité, ce qui entraîna un certain travail de la part des spécialistes pour le décrire avec précision. Les modèles calculés ultérieurement furent basés sur les éléments ci-dessous.

Le noyau présente une forme générale ressemblant fort à celle d'une pomme de terre géante particulièrement allongée. Ses dimensions limites, dans les trois directions de l'espace (basées sur l'axe traversant la longueur du noyau) furent estimées à 15,3 x 7,2 x 7,2 km à 0,5 km près. L'imprécision sur ces dimensions vient principalement de la couche de poussières entourant la surface, qui rend impossible la détermination du bord projeté du noyau à mieux que deux ou trois pixels d'image. Comme nous le verrons plus loin, cette forme irrégulière rend assez complexe la question de la rotation du noyau, soumis à des effets de précession particulièrement intenses. Le volume global déduit des dimensions du noyau est de 65 km^3, à 15 % près, ce qui est nettement supérieur à ce qu'on supposait avant d'avoir vu ces photos. À noter que les diverses déterminations de la densité, basées sur des méthodes indirectes (par exemple, l'analyse des forces non gravitationnelles), donnèrent une fourchette assez large allant de 0,1 à 0,6 g/cm^3. Sur la forme générale évoquée ci-dessus apparaissent un certain nombre de structures dont la hauteur ne dépasse pas 100 m environ et qui s'étendent typiquement sur une distance approximative de 1 km.

L'aspect général de la surface du noyau de Halley a pour principale caractéristique son aspect sombre. Cet aspect, apparent sur les clichés obtenus, ne permit cependant pas de calculer l'albédo de la surface avec précision. En effet, l'importance des jets, du côté exposé au Soleil, brouillait trop les images et masquait souvent, presque totalement ou partiellement, la surface du noyau. Pour calculer l'albédo global il fallut utiliser les données photométriques obtenues alors que le noyau était loin du Soleil, donc sans activité connue. Il a été expliqué que la quantité de lumière réémise par la comète lorsqu'elle est sans activité et que son noyau est «nu» dépend du produit de deux paramètres : la surface exposée au Soleil et la fraction de lumière reçue qui est reflétée. Connaissant donc, à peu près, la surface exposée au Soleil, grâce aux photos du noyau, il fut alors possible pour les scientifiques de réexaminer les données photométriques obtenues avant le passage de Halley près du Soleil et de remonter à son albédo. L'usage direct de cette méthode donna un albédo de 0,04, soit 4 %, ce qui est vraiment très faible (à titre de comparaison, c'est l'équivalent de l'albédo de la lave de l'Etna). Cette valeur de 4 % semble cependant plutôt une valeur maximale compte tenu de certaines incertitudes liées à son calcul (surface exacte du noyau exposée, au Soleil, activité possible, même très faible, du noyau à grande distance du Soleil). Une valeur de 2 % serait peut-être plus près de la vérité.

Les zones actives, où des jets de poussières apparaissent sous la pression du gaz, représentent globalement une très faible proportion de la surface. L'analyse fine des clichés donne en effet seulement 10 % environ de surface active pour l'ensemble du noyau. Les zones d'activité détectées semblent avoir chacune une surface faible, de l'ordre de 1 km^2, et elles sont toutes situées du côté exposé au Soleil, ou dans des zones très proches. L'analyse des images obtenues avec *Giotto* a révélé l'existence de sept jets de poussières, apparaissant plus rouges que le noyau.

L'étude fine des jets de poussières, surtout avec les images des sondes Véga, a révélé un phénomène très intéressant. En effet, les idées généralement admises avant le passage de Halley sur l'éjection des grains du noyau suggéraient que la grande majorité de ces grains restaient intacts lors de l'opération. Or, il est facile de montrer, par un raisonnement géométrique assez simple, que si le nombre de grains se maintient, la quantité observée par les caméras des Véga ou de *Giotto*, qui observent une quantité intégrée le long de la ligne de visée, doit montrer une décroissance de la lumière diffusée, inversement proportionnelle à la distance r du noyau (loi en 1/r). Mais une entorse notable à cette règle apparut pour plusieurs jets dans une zone proche du noyau, située entre 30 et 40 km de celui-ci. Un excès de lumière diffusée fut clairement mis en évidence.

Pour comprendre ce phénomène, il y a trois explications possibles : (i) un mélange avec de la poussière libérée par un ou des jets situés près du jet observé; (ii) un mécanisme de fragmentation des grains; (iii) une formation de grains de glace. Le premier mécanisme est controversé quant à son importance relative, les éléments observationnels sur lesquels les modèles sont basés sont en effet en nombre limité. Ce phénomène, cependant, ne paraît pas suffisant pour expliquer l'excès d'intensité observé. Le second mécanisme serait basé sur un choc thermique subi par des grains de poussières. Lorsque les grains sont à la surface du noyau, la chaleur qu'ils reçoivent du Soleil est dissipée avec la matière environnante, par contact direct; on estime la température des régions actives à guère plus de 200 K (soit -70 °C environ). Une fois éjectés, les grains ne peuvent plus évacuer la chaleur reçue du Soleil de la même façon, ils passeraient alors à une température de l'ordre de 400 K en moins de 1 s (environ 130 °C). Sous l'effet de ce choc thermique, ainsi que des collisions fréquentes avec le gaz environnant, il y aurait fragmentation des grains. Enfin, le troisième mécanisme envisagé est différent puisqu'il est basé sur la dynamique des molécules de gaz dont la température, elle, chute brutalement jusqu'à 10 K à une trentaine de kilomètres du noyau. On pense ainsi qu'environ 10 % du gaz émis pourrait se recondenser, formant des petits grains de 500 à 1000 molécules (principalement des molécules d'eau). Ces petits grains seraient ensuite dissociés assez rapidement par réévaporation (à quelques centaines de kilomètres du noyau).

Il est difficile, vu les incertitudes régnant sur ces trois modèles et sur les observations, d'avoir une idée précise de l'importance relative de ces différents phénomènes. Peut-être même en existe-t-il d'autres qui ne sont pas encore découverts. Quoi qu'il en soit, il est probable que l'excès d'intensité détecté dans l'évolution des jets de poussières est dû à plusieurs causes qui agissent simultanément.

Une autre question délicate soulevée par les observations du noyau de Halley concerne sa période de rotation. Les différentes sessions de prises de clichés tenues par les sondes Véga ou la sonde *Giotto* ne permettent pas d'avoir des informations directes. Ceci n'a rien d'étonnant si on considère la brièveté des sessions d'observation (le noyau n'étant clairement résolu que durant la vingtaine de minutes précédant la rencontre). En ce qui concerne la possibilité de suivre l'évolution d'une même zone sur différents clichés il n'est possible d'utiliser cette méthode que dans la mesure où on fait des suppositions sur la période de rotation.

En fait, la majeure partie des informations concernant la rotation du noyau provient des observations effectuées au sol qui avaient l'énorme avantage de la durée par rapport aux sondes spatiales. Plusieurs types d'observations purent ainsi être utilisés, dont le suivi de la luminosité globale de la comète. Les zones actives étant peu nombreuses et n'étant fonctionnelles que lorsqu'elles sont exposées au Soleil, on peut s'attendre à ce que l'ensemble de la coma, qui est alimentée par le noyau, présente des variations cycliques d'activité qui ont un impact sur la luminosité globale de la comète. Il y eut effectivement des variations périodiques détectées. Il y en eut même deux : une d'une durée de 2,2 jours (52 heures) et une autre de 7,4 jours.

Un autre moyen d'essayer de mesurer une période de rotation tient dans l'utilisation de la courbure des jets de poussières détectés (depuis la Terre). Cette courbure dépend d'un certain nombre de paramètres, dont la vitesse de rotation du noyau (et également de la vitesse d'éjection des grains, de la direction de leur éjection, etc.). Il est donc plus délicat de tirer des informations à partir de cette source d'observations. Leur analyse semble cependant confirmer une période de rotation d'environ deux jours.

Il est également possible d'essayer de retrouver des jets de poussières ou de gaz ayant des structures semblables se répétant avec le temps. Même depuis le sol, il fut possible de détecter des jets de gaz, en particulier du CN. Là encore, il semble bien, d'après les observations des jets de poussières, y avoir une certaine périodicité d'environ 7,4 jours. Les structures liées au CN, elles, révèlent également les deux périodes, celle de 2,2 jours et celle de 7,4 jours.

La sonde japonaise *Suisei*, équipée d'un imageur ultraviolet destiné à suivre l'évolution du halo d'hydrogène (grâce à son émission Lyman α), révéla également un phénomène de «respiration» de ce halo. Les responsables de cette expérience en déduisirent une période de rotation d'environ 53 heures.

Ainsi, il semble bien qu'il existe une période de rotation du noyau, assez rapide, couplée à une période de précession du même ordre de grandeur. Les photos du noyau, en fournissant des informations sur la distribution de masse à l'intérieur de celui-ci (donc, la valeur des différents moments d'inertie et leur orientation par rapport au Soleil), permettent d'élaborer des modèles théoriques de la rotation du noyau (en utilisant les deux périodes mentionnées). L'interprétation exacte des observations, dans toute sa complexité, semble alors possible. Bien que les différents modèles élaborés présentent des différences sensibles, la période de 2,2 jours est toujours retenue pour un axe de rotation perpendiculaire au sens de la longueur du noyau, l'autre axe, dans le sens de la longueur, ayant une période de rotation différentes suivant les modèles.

Les grains de poussière

Outre les premières photos du noyau, les premières analyses *in situ* des grains cométaires, ces «briques» du noyau, étaient également très attendues par les spécialistes. Si les résultats furent certainement moins spectaculaires que ceux des photos (un spectre de masse n'ayant rien pour exciter le grand public), ils n'en furent pas moins fondamentaux pour la connaissance des comètes.

Les différents instruments embarqués sur les sondes Véga et *Giotto* pour étudier la poussière ont en effet apporté une moisson d'informations sans équivalent jusqu'à présent, autorisant même des comparaisons entre les mesures effectuées par les trois sondes. Les deux types de paramètres mesurés par les instruments étaient constitués de la mesure du flux de particules croisées en fonction de leur masse et du spectre de masse atomique des différents constituants. Il n'y eut donc pas, chose difficilement réalisable sur le plan technique, compte tenu de la vitesse relative entre la sonde et les grains de poussière, d'analyse de la composition moléculaire des grains. C'est évidemment bien dommage, mais cela n'empêche pas de disposer d'éléments qui précisent beaucoup les modèles de grains.

La composition atomique, donnée par les spectromètres PUMA (sur les sondes Véga) et PIA (sur *Giotto*), a révélé l'existence de deux types de grains. Les premiers sont des grains «classiques» dominés par le silicium (Si), le carbone (C), le magnésium (Mg), le souffre (S), le calcium (Ca) et le fer (Fe). Les seconds sont des grains «CHON» dominés par les éléments légers contenus dans ce sigle : le carbone (C), l'hydrogène (H), l'oxygène (O) et l'azote (N). Le deuxième type de grains, vu les poussières collectées dans l'atmosphère terrestre, constitua plutôt une surprise. En effet, c'est un type de grains qui ne parvient pas jusqu'à la Terre. Les éléments volatils que les grains CHON contiennent sont donc certainement dispersés, dans la coma externe des comètes ou durant leur voyage à travers le système solaire. Il convient cependant de noter que cette surprise, la principale due à l'analyse des grains, confirma plutôt les modèles théoriques des grains cométaires, basés sur les observations du milieu interstellaire, évoqués dans le chapitre cinq.

L'étude quantitative des analyses *in situ* révéla des éléments intéressants sur les abondances relatives des atome détectés. La comparaison avec les abondances globales observées dans le système solaire montre, par exemple, une similitude relativement bonne (à mieux qu'un facteur deux). L'analyse du rapport isotopique 12C/13C dans les grains a, par contre, surpris les spécialistes. En effet il a révélé des valeurs très dispersées suivant les grains analyses. Cette nouveauté indiquerait que ces grains se sont formes avant d'arriver dans la nébuleuse primitive solaire homogénéisée. Le rapport isotopique deuterium/hydrogène, relativement élevé, correspond lui assez bien aux meteorites «primitives».

Il fut possible d'obtenir des informations complémentaires sur ces grains, par exemple sur leur densité. Ainsi il fut déduit une densité de 2,5 g/cm^3 pour les grains de silicate (qui étaient plutôt des petits grains) et 1 g/cm^3 pour les grains CHON. Ces densités, assez faibles, confirment l'aspect «pelucheux» ou poreux de ces grains. Il y eut par ailleurs, découverte d'une émission infrarouge à 3,4 µm (découverte d'abord par le spectromètre infrarouge IKS embarqué sur les sondes Véga, puis observée ensuite depuis le sol), émission qui fut attribuée à la liaison carbone-hydrogène (C-H). Cette liaison est la caractéristique de composés organiques, sans doute abondants vu l'intensité de l'émission observée. En utilisant également l'émission infrarouge située à 9,7 µm et attribuée aux silicates (liaison SiO), les chercheurs ont pu affiner leur connaissance des grains. Ainsi, J.M. Greenberg put démontrer que les grains de silicate ne dépassaient pas 1 µm de diamètre et que les grains de poussières de la cµ avaient un très haut degré de porosité, de l'ordre de 0,97 (c'est à dire que 97% du volume des grains de la coma est constitué de vide). Cette porosité est sans doute plus faible pour les grains du noyau qui n'ont pas encore perdu leurs éléments volatils (en particulier le H_2O); elle serait sans doute de l'ordre de 0,6-0,8, donnant une densité globale de 0,26 à 0,6 g/cm^3 pour le noyau de Halley, en corrélation avec les autres estimations. Il sera question plus loin des détails du modèle de grains actuellement admis pour les comètes, modèle qui s'est trouvé sensiblement confirmé et affiné par les observations effectuées sur Halley.

Les analyses *in situ* faites sur Halley portaient également sur la distribution de masse des grains situés sur la trajectoire des sondes. Ce deuxième type d'information est également fondamental pour une bonne compréhension des mécanismes d'émission des grains de poussière et de l'état dans lequel ils se trouvent dans le noyau.

L'analyse comparée des trois rencontres avec Halley a montré des différences sensibles dans les flux de poussières mesurés. Ces différences affectent cependant essentiellement la quantité globale de grains observés et peu leur distribution relative de masse. Cette observation est essentiellement une conséquence logique de l'aspect très hétérogène du noyau et de sa rotation, entraînant des variations temporelles du taux de production des poussières.

En ce qui concerne la distribution relative de masse, elle put être obtenue pour une gamme allant de 10^{-19} à 10^{-5} kg. Elle portait donc, en particulier pour les tout petits grains, sur des domaines de tailles de grains qui diffusent très peu de lumière et qui sont donc difficiles à détecter depuis la Terre. C'est ainsi qu'un des principaux éléments nouveaux apporté par l'analyse des résultats fut une abondance plus élevée que prévue des tout petits grains (moins de 0,1 µm de diamètre). À l'opposé, les gros grains détectés (plus de 10^{-9} kg) furent également un peu plus nombreux que prévus, surtout lors du passage de *Giotto*, qui semble être passée près du noyau à un instant d'activité un peu particulier.

En ce qui concerne les variations spatiales à l'intérieur de la coma, mises en évidence par les différentes distributions de masse rencontrées lors de sa traversée par les sondes, on peut distinguer deux zones. La première concerne les zones externes de la ccoma (jusqu'à 250 000 km du noyau). C'est dans cette zone (principalement entre 100 000 et 200 000 km du noyau) qu'un phénomène intéressant a été noté (en particulier par le détecteur de poussières DUCMA à bord des sondes Véga). Il s'agit d'amas de poussières, c'est-à-dire des groupes de poussières distincts mais voyageant à travers la coma très près les unes des autres au moment de leur détection. Ce phénomène est interprété comme étant un lent processus de désintégration des grains, qui libéreraient ainsi de toutes petites particules et sans doute les molécules de gaz contenues dans leurs couches externes.

Il est intéressant de noter que les détecteurs de poussières SP-1 embarqués sur les sondes *Véga 1* et *Véga 2* ont perçu un phénomène qui aurait une origine assez semblable. O.L. Vaisberg, de l'IKI, à Moscou, a en effet démontré que dans des zones proches du noyau (un peu moins de 10 000 km et au-delà) la densité des grains de taille moyenne décroît à mesure que l'on s'éloigne du noyau, alors que les petits grains, eux, ont tendance à devenir de plus en plus nombreux. Ces observations appuient donc l'hypothèse d'un processus de fragmentation des grains.

Ces résultats présentent un grand intérêt car ils sont cohérents avec d'autres observations, faites au sol ou depuis les sondes, identifiant des jets de gaz à une bonne distance du noyau.

La deuxième zone traversée par les sondes, celle proche du noyau, est apparue dominée par la traversée des différents jets de poussières issus du noyau. Il es cependant difficile de corréler les variations de flux détectées avec la rotation du noyau, de nombreuses incertitudes intervenant dans ce type d'analyse (telle la forme exacte des jets).

Les travaux de laboratoire et les calculs théoriques effectués après le passage de Halley ont également permis d'avoir une idée plus précise de l'albédo des grains cométaires. Celui-ci semble assez faible, de l'ordre de 0,02 à 0,1, confirmant ainsi l'aspect sombre du noyau de Halley, qui est sans doute assez représentatif de l'ensemble des comètes. La modélisation des courbes de polarisation de la lumière reflétée par la poussière de Halley et par d'autres comètes a également permis de mettre en évidence l'aspect particulièrement «rugueux» et irrégulier de la surface des grains.

Les jets de gaz

Une observation également fort intéressante faite sur Halley fut obtenue principalement par des observations au sol. L'Américain Mike A'Hearn, de l'université du Maryland, réussit à mettre en évidence des jets de gaz dans la chevelure de Halley. Ces jets ne furent révélés qu'à la suite d'un traitement fin des images obtenues depuis la surface terrestre, car il s'agit là d'un phénomène très délicat à mettre en évidence. C'est ainsi qu'il fut détecté pour deux molécules filles particulièrement abondantes et possédant d'intenses raies d'émission dans le domaine visible : CN et C_2.

Les jets de gaz mis en évidence par A'Hearn étaient indépendants des jets de poussières, ils s'étendaient jusqu'à plus de 50 000 km du noyau et étaient restés visibles plusieurs semaines. Leur importance est telle qu'on estime qu'environ 50 % du CN observé dans la chevelure serait contenu dans ces jets.

L'examen des résultats obtenus sur les grains de poussières, évoqués ci-dessus, permit de donner rapidement une explication convaincante à ces jets de gaz. Il semblerait en effet que les grains CHON puissent se fragmenter à l'intérieur de la chevelure et libérer des molécules qui seraient des molécules mères pour les radicaux CN et C_2 formant les jets de gaz observés, à moins que ces radicaux ne soient eux-mêmes directement issus des grains, par photodissociation des molécules mères à leur surface.

Un tel mécanisme de dégazage, tout à fait nouveau pour expliquer la répartition du gaz à l'intérieur de la chevelure, fut appuyé rapidement par un certain nombre d'autres observations indépendantes. Tout d'abord, l'analyse de la répartition du monoxyde de carbone (CO) dans la coma révéla l'existence d'une source étendue. En effet, le taux de production de cette molécule (qui est sans doute, au moins en partie, une molécule mère présente dans les comètes) montra d'étranges variations. De 7 % par rapport aux molécules d'eau à 1000 km du noyau, son taux de production passe à environ 20 % vers 20 000 km. Les calculs de distribution radiale montrèrent en fait que le monoxyde de carbone était majoritairement produit à une distance d'environ 9000 km du noyau, et non à sa surface.

La source étendue détectée par le monoxyde de carbone semble aller de pair avec un processus de fragmentation et de dégazage des grains, compte tenu des observations *in situ* faites par les détecteurs SP-1 embarqués sur les sondes Véga, (l'augmentation du nombre de petits grains au détriment des grains de taille moyenne lorsque la distance au noyau augmente aux alentours de 10 000 km). L'analyse des observations effectuées sur une molécule plus complexe, le formaldéhyde (H_2CO), détectée pour la première fois en infrarouge sur Halley, révéla également l'existence d'une source diffuse, confirmant ainsi les observations déjà mentionnées.

L'étude effectuée par l'équipe de Guy Moreels, à l'Observatoire de Besançon, sur les spectres obtenus avec le spectromètre tricanal TKS, embarqué sur les sondes *Véga 1* et *Véga 2* (mais dont seul l'exemplaire embarqué sur *Véga 2* fonctionna correctement pour les canaux infrarouge et proche ultraviolet-visible) donna encore plus de poids à l'hypothèse des sources de gaz étendues. En effet, les images construites avec les émissions visibles sur les spectres (essentiellement avec OH, CN, C_2 et C_3), qui donnaient la quantité intégrée sur la ligne de visée du spectromètre de ces molécules, révélèrent également des jets de gaz. Ceux-ci, dans la zone limitée couverte par les mille spectres obtenus le jour de la rencontre, se forment à environ 10 000 km du noyau et s'étendent jusqu'au bord du champ couvert, vers 40 000 km. Ils révèlent la même structure pour les différentes émissions moléculaires utilisées. Par ailleurs une analyse fine des raies d'émission du C_2, telles qu'elles apparaissent sur les spectres obtenus dans les jets et sur ceux obtenus dans des zones «normales», révèle des différences dans les conditions d'excitation. Ces différences peuvent être interprétées comme étant dues à des molécules mères distinctes entre le C_2 «normal» issu du noyau et le C_2 des jets de gaz, sans doute issu du dégazage des grains CHON. Il est cependant difficile, en fonction des informations collectées, d'être plus précis sur l'origine du C_2 contenu dans les jets de gaz.

Ce problème, commun à toutes les molécules détectées dans des jets de gaz ou dans une source étendue, a fait l'objet de quelques tentatives d'explication. Parmi celles-ci on trouve l'explication par les POM. Ce sigle, qui identifie le polyoxyméthylène, désigne du formaldéhyde polymérisé ($(H_2CO)_n$). Ce type de molécule expliquerait assez bien les observations effectuées par l'analyseur de composition des ions positifs PICCA (formant une partie de l'analyseur de plasma N°2 (RPA) de la sonde *Giotto*; voir le chapitre précédent). Certains théoriciens pensent que les POM pourraient constituer la «colle» des particules CHON, qui provoquerait la désintégration de ces grains en s'évaporant. La photodissociation de ces molécules après la désintégration des grains CHON serait susceptible d'expliquer les sources étendues de monoxyde de carbone et de formaldéhyde. Cette théorie séduisante semble cependant se heurter à des problèmes quantitatifs, ce qui ne l'empêcherait pas, par contre, d'être en partie responsable des sources étendues observées et de suggérer d'autres mécanismes semblables plus en corrélation avec la réalité des observations.

La détection des molécules mères

L'analyse spectroscopique des comètes, et en particulier son but essentiel, la détection des molécules mères issues du noyau, a également grandement profité du dernier passage de Halley. C'est aussi une des disciplines liées aux sciences cométaires qui a obtenu le plus de résultats intéressants après Halley en ce qui concerne les autres comètes qui sont passées depuis près du Soleil. Ces résultats sont dus à l'amélioration constante de la sensibilité des détecteurs utilisés, en particulier en radioastronomie.

Sur Halley, en utilisant des observations dans le domaine infrarouge, il y eut trois molécules mères détectées sans ambiguïté : l'eau (H_2O), le dioxyde de carbone (CO_2) et le formaldéhyde (H_2CO). L'utilisation de cette gamme de longueur d'onde permet de détecter des transitions correspondant à des variations de l'énergie vibratoire de la molécule, ce qui simplifie son identification (d'autant plus que la plupart des molécules mères connues ou supposées sont peu fluorescentes dans les domaines visibles ou ultraviolet, liés aux transitions électroniques).

Le principal instrument responsable de ces détections fut le spectromètre infrarouge IKS embarqué sur les sondes Véga et conçu à l'observatoire de Paris sous la responsabilité de Michel Combes (voir le chapitre précédent). Ce résultat est d'autant plus remarquable que seul l'exemplaire embarqué sur *Véga 1* fonctionna correctement. Il fut capable d'identifier les trois molécules mentionnées ci-dessus. Pour l'eau, ce n'était évidemment pas une surprise, mais ce fut la première détection directe et considérée comme vraiment fiable (à l'inverse des précédentes tentatives). Cette molécule fut détectée par une émission située à 2,7 μm, le dioxyde de carbone par une émission à 4,3 μm et le formaldéhyde, à 3,6 μm. Sur les spectres d'IKS apparaissent également des bandes plus douteuses, éventuellement émises par du CO et du OCS. La primeur de l'identification de l'émission infrarouge de l'eau revint cependant à un Américain travaillant à la NASA, Michael Mumma, qui l'identifia dès le mois de décembre 1985 à l'aide d'un observatoire infrarouge embarqué sur un avion, le Kuiper Airborne Observatory (l'altitude de l'avion permet de s'affranchir de 99 % de la vapeur d'eau contenue dans l'atmosphère terrestre). Cet avion permit également des observations similaires sur la comète Wilson deux ans plus tard.

Les spectres obtenus avec IKS révélèrent également une émission très intéressante à 3,4 μm. Cette émission a déjà été mentionnée lors de la présentation des résultats obtenus sur les grains, en disant qu'elle était attribuée à une liaison C-H caractéristique des molécules organiques. La structure complexe de cette émission, qui s'étend de 3,3 à 3,5 µm, permet difficilement d'en dire plus, même si elle fut observée ultérieurement par plusieurs autres observateurs travaillant au sol, autant sur Halley que sur d'autres comètes apparues depuis (observations qui permirent d'en déterminer sa structure avec une précision relativement bonne). Il est probable, en fait, que cette émission est provoqué par plusieurs composés, ce qui complique évidemment le travail relatif à son identification. Le jeu en vaut cependant la chandelle, car l'intensité même de la bande fait qu'elle est sans doute créée par des composés abondants, ce qui paraît cohérent avec la tendance du carbone à former des composés dans une liaison C-H.

La comparaison entre le profil des émissions à 3,4 µm observées sur Halley et sur d'autres comètes montre une grande similitude. Ce point est important, car il tendrait à indiquer une proportion semblable des éléments organiques dans les différentes comètes, les unes étant nouvelles (par exemple Wilson et Bradfield) et les autres anciennes (Halley). Les composés détectés, issus de la surface du noyau, seraient alors liés à la composition originale de la comète, dans tout le noyau, et non pas à un mécanisme de surface dû à l'irradiation prolongée des rayons cosmiques.

Une analyse plus globale des émissions situées autour de 3,4 µm, basée sur un bilan des quantités de carbone observées, semble indiquer que ces émission seraient probablement dues à des petits grains ou à de grosses molécules. Parmi celles-ci, les hydrocarbures polycycliques aromatiques (PAHs en anglais, qui sont des cycles hexagonaux d'atomes de carbone entourés d'atomes d'hydrogène) seraient à considérer, mais ils ne sont pas les seuls.

Il convient également de mentionner le cas de deux molécules : l'ammoniac (NH_3) et l'azote moléculaire (N_2). L'ammoniac présente des raies d'émission dans le domaine radio (environ 1 cm de longueur d'onde) et son identification a été annoncée par les observateurs de la comète IRAS-Araki-Alcock, en 1983. Cette détection semble cependant incertaine. Sur Halley, l'instrument IMS embarqué sur *Giotto* a identifié des ions correspondant à un rapport m/q (masse sur charge électrique) de NH_3^+. Ces observations sont toutefois délicates à interpréter, car d'autres ions ont le même rapport m/q, en particulier OH^+, et il n'est pas toujours facile de différencier ces deux ions. Si la quantité exacte de NH_3^+ détectée prête aussi à discussion, sa détection ne fait cependant guère de doute, confirmant ainsi la présence du NH_3 (fortement soupçonnée, depuis longtemps, d'être la molécule mère du NH et du NH_2). Le cas du N_2 est également un peu «flou» (surtout au niveau quantitatif), même si sa détection indirecte par les instruments NMS et IMS de *Giotto* ne laisse guère de doute quant à sa présence.

D'autres molécules mères furent également détectées sur Halley, en particulier le monoxyde de carbone (CO, observé dans l'ultraviolet ou à partir du spectromètre de masse NMS embarqué sur *Giotto*) et le cyanure d'hydrogène (HCN, observé dans la domaine radio millimétrique, ou déduit des données fournie par l'instrument IMS embarqué sur *Giotto*). Ces détections présentent cependant un intérêt plus limité puisque ces molécules avaient déjà été détectées auparavant sur d'autres comètes. Le méthane (CH_4), bien que présentant des raies d'émission en infrarouge et fortement supposé exister dans les comètes, ne put pas être identifié formellement par ses raies d'émission. Sa présence fut cependant confirmée de façon indirecte par une analyse fine des résultats obtenus par l'instrument IMS embarqué sur *Giotto*.

Plus récemment (en 1992), l'analyse des spectres obtenus par le spectromètre TKS embarqué sur la sonde *Véga 2*, instrument déjà mentionné pour ses observations des jets de gaz, a montré l'existence de raies d'émission intéressantes dans le proche ultraviolet. Ces raies, en effet, ne correspondent à aucun des radicaux simples identifiés dans les spectres cométaires. Par ailleurs, l'étude de la distribution de leur intensité montre qu'elles n'apparaissent clairement que dans les zones proches du noyau (distance projetée de la ligne de visée du spectromètre de l'ordre de quelques centaines de kilomètres), comme le ferait une molécule mère. Une étude spectroscopique de ces raies, apparaissant à 347, 356, 364 et 374 nm, montre une ressemblance frappante avec les raies d'émission du phénanthrène, obtenues pour l'occasion au Laboratoire de photophysique moléculaire d'Orsay (sur la demande de l'équipe de Guy Moreels, de l'observatoire de Besançon). Le phénanthrène est un PAH comportant trois cycles aromatiques d'atomes de carbone ; il s'agit donc d'une molécule relativement complexe qui devrait également être fluorescente vers 3,3 µm, ce qui est cohérent avec l'émission infrarouge découverte par l'instrument IKS, dont il a été question.

La détection de nouvelles molécules mères ne s'est pas arrêtée avec Halley et d'autres succès furent obtenus par la suite. Dans ce domaine, ce sont les radiotélescopes, observant en particulier dans le domaine millimétrique qui se sont illustrés. Dans ce domaine de longueur d'onde, on détecte des transitions correspondant à des variations de l'énergie de rotation (voir chapitre cinq) ; on obtient donc des émissions correspondant à un nombre très restreint de raies dont le profil propre (principalement lié à un effet Doppler sur les molécules en mouvement désordonné dans la coma) peut être mesuré. Des observations aussi fines de raies d'émission sont, elles, pratiquement impossibles à réaliser dans le visible, où le pouvoir de résolution des spectromètres utilisés est beaucoup plus limité (mais il s'agit évidemment de techniques d'observations totalement différentes de celles utilisées en radioastronomie).

Les comètes Austin (1990 V) et Lévy (1990 XX) ont permis d'identifier deux nouvelles molécules mères, le sulfure d'hydrogène (H2S) et le méthanol (CH3OH), et ont permis également une détection radio (et non plus seulement infrarouge) du formaldéhyde (H2CO). De même le monoxyde de carbone et l'eau ont fait l'objet de détections radio récentes (respectivement dans les comètes P/Schwassman-Wachmann 1 et Hale-Bopp). Il convient de noter la part prépondérante prise dans ces détections par une équipe francaise active dirigée par Jacques Crovisier, de l'observatoire de Meudon.

L'interaction avec le vent solaire

Cet aspect des comètes a également grandement profité du passage des sondes spatiales près de Halley et également de celui de la sonde *ICE* près de Giacobini-Zinner. En fait, les observations effectuées pour mesurer le champ magnétique ou la densité des électrons ou des ions le long de la trajectoire des sondes ont plutôt confirmé les modèles existants. Les données expérimentales obtenues révélèrent, tout de même, une réalité un peu plus complexe que prévue, avec parfois des détails difficiles à interpréter avec précision.

Il faut rappeler, pour commencer (voir le chapitre cinq), les grandes structures pressenties. Tout d'abord, un onde de choc, à grande distance du noyau (de l'ordre de 1 million de km), qui représente le premier contact du vent solaire avec la comète. La vitesse des particules chargées composant le vent solaire décroît alors brusquement, passant d'une vitesse supersonique à une vitesse subsonique. Après la traversée de l'onde de choc, le vent solaire entre dans une zone intermédiaire où se fait l'essentiel de l'interaction vent solaire / comète. C'est sans doute cette zone qui est la plus difficile à modéliser correctement. Il y a d'abord des collisions entre les particules neutres éjectées par la coma et les particules chargées du vent solaire. Ces collisions augmentent de fréquence quand le vent se rapproche du noyau, jusqu'à transférer une fraction significative de la quantité de mouvement des particules cométaires à celles du vent solaire.

La zone où les collisions deviennent importantes, provoquant une décélération rapide du vent solaire et son refroidissement, ainsi qu'une compression des lignes du champ magnétique interplanétaire «gelées» dans le plasma du vent solaire, est appelée la «cométopause». Cette cométopause se termine brusquement par la surface de contact qui sépare le plasma purement cométaire issu du noyau du plasma issu du vent solaire interagissant avec la coma. Il existe à cet endroit une véritable barrière magnétique. L'analyse des données transmises par *Giotto*, les plus intéressantes car c'est la sonde qui est passée le plus près du noyau, à 600 km du côté du Soleil, montra clairement le passage de la sonde à travers les différentes zones qui viennent d'être évoquées. L'analyseur de plasma N°2 (RPA) détecta le premier passage dans l'onde de choc à une distance de 1,15 million de km, ce passage se traduisant par une brusque augmentation du nombre d'électrons rencontrés par la sonde. Le flux d'électrons resta ensuite assez élevé et également assez fluctuant. À 850 000 km du noyau, la sonde entra dans une zone encore mal expliquée sur le plan théorique et d'ailleurs baptisée fort opportunément «la région mystérieuse». La principale caractéristique relevée lors de l'entrée dans cette zone fut un flux élevé d'électrons énergétiques. Cette zone se termina à 550 000 km du noyau, le flux des électrons énergétiques chutant brusquement ainsi que la densité et la vitesse totale des ions.

La comètopause fut atteinte vers 139 000 km, lorsque les appareils embarqués sur *Giotto* détectèrent une soudaine décroissance de la densité des électrons et, à l'inverse, une forte augmentation de la densité des ions «froids» (250-500 eV). Dans cette zone, comme on pouvait s'y attendre, l'intensité du champ magnétique augmenta brusquement (de 6 à 26 nT). Arrivée à 4700 km du noyau, *Giotto* enregistra une brusque chute de la température des ions (qui passa d'environ 2600 à 450 K), une augmentation de leur flux de vitesse ainsi qu'une chute brutale de l'intensité du champ magnétique. À noter également, l'existence d'un curieux pic dans la densité des ions à 10 000 km du noyau, avant la traversée de la surface de contact.

Il est intéressant de souligner que la «région mystérieuse» fut également détectée par *Giotto* lorsque la sonde s'éloigna de la comète, à l'opposé donc de la coma, ainsi que par *Véga 2* avant son passage près du noyau. Le pic de densité détecté à 10 000 km le fut aussi par *Véga 1*, aussi bien avant qu'après son passage près du noyau. Ces éléments éliminèrent donc l'hypothèse du caractère accidentel de ces structures, ce qui les rend d'autant plus intéressantes à comprendre sur le plan théorique.

Les différents modèles rendant compte de l'interaction entre le vent solaire et une comète furent donc sensiblement confirmés et affinés par les observations qui sont ici mentionnées. Ils arrivent à bien expliquer les grandes structures détectées, même si certains aspects secondaires mériteraient sans doute une analyse plus approfondie.

Synthèse des résultats

Arrivé à ce point de l'exposé, l'esprit du lecteur risque sans doute d'être un peu confus devant tous les aspects des sciences cométaires qui ont été évoqués. Le propos est sans doute un peu technique, mais il s'agit là d'un aspect des choses étroitement lié à l'étude des comètes et même à la science en général. En effet, devant un problème compliqué à résoudre (l'origine et la description physique des noyaux cométaires), on essaie de le décomposer en une multitude de problèmes plus faciles à traiter séparément. Les quelques éléments d'information arrachés finalement aux comètes dans chaque domaine d'étude permettent alors de remonter à la source du problème posé et d'essayer d'élaborer un modèle d'ensemble. Ce modèle synthétique de la genèse et de la composition des noyaux cométaires, qui sera maintenant présenté dans ses grandes lignes, pose évidemment encore des énigmes dont la nature même peut orienter les recherches futures.

Le tout début de l'histoire d'un noyau cométaire se passe quelque part dans la Galaxie, sans doute à la périphérie d'une étoile géante rouge. Ce sont en effet les éléments lourds créés par la nucléosynthèse s'effectuant dans l'étoile qui pourront se condenser à sa périphérie et être expulsés vers l'espace interstellaire par le «vent solaire» de l'étoile. Ces éléments condensés sont des réfractaires (silicates, métaux, graphites) qui formeront le cœur des futurs grains cométaires. Il faut rappeler que parmi les quatre-vingt-douze espèces atomiques connues dans la nature, seules deux, les plus simples, l'hydrogène et l'hélium, étaient présentes au tout début de la formation de l'univers, dans les minutes qui ont suivi l'hypothétique big bang créateur. Les quatre-vingt-dix autres éléments restant ont pratiquement tous été créés bien plus tard dans l'histoire de l'univers, dans le cœur des étoiles qui se sont formées par la suite, grâce à la condensation des nuages d'hydrogène et d'hélium. C'est en effet la fusion des atomes d'hydrogène (de simples protons) qui crée, par étapes successives, tous les autres éléments atomiques. Cette fusion demande de plus en plus d'énergie au fur et à mesure qu'elle crée des éléments de plus en plus lourds. C'est pourquoi les futurs grains cométaires ne peuvent venir que d'étoiles massives du type géante rouge (même si des étoiles plus petites peuvent aussi posséder en leur sein des éléments lourds provenant du nuage de gaz qui les a formées, enrichi des éléments synthétisés dans des étoiles mortes auparavant).

Une fois éjectés de l'étoile qui leur a donné naissance, les embryons de grains cométaires commencent alors un long périple à travers la Galaxie (de l'ordre de plusieurs centaines de millions d'années). Il leur arrive ainsi bien des choses; par exemple, ils traversent, à l'occasion, des nuages de gaz eux aussi en orbite dans la Galaxie. Les molécules contenues dans ces nuages (qui se sont formées dans le nuage même, lors des collisions entre les différents atomes) vont alors entrer en collision avec les petits grains de poussières réfractaires. Ceux-ci pourront s'entourer d'une espèce de manteau de glace d'eau contenant des éléments volatils (CO, NH_3, CH_4, H_2CO, etc.).

Mais le passage dans un nuage moléculaire, relativement sombre à cause des particules environnantes qui absorbent le rayonnement des étoiles alentour, ne dure pas indéfiniment. Quand ils en sortent, les futurs grains cométaires sont suceptibles de subir le rayonnement ultraviolet des étoiles, dont ils peuvent éventuellement se rapprocher. Ce rayonnement peut aussi commencer à casser certaines molécules prises dans le manteau de glace du grain, créant ainsi des radicaux libres semblables à ceux détectés dans les chevelures cométaires (OH, NH_2, CN, CH, CD, HCO, etc.). Dans un premier temps, vu la faible température du grain, les réactions chimiques potentielles sont bloquées. À l'occasion du passage dans une zone où la température est plus élevée, des réactions chimiques se produisent alors dans le manteau de glace et génèrent une couche de substances carbonées relativement réfractaire.

Ce type de processus (présenté ici d'une façon assez simplifiée) peut se répéter plusieurs fois. Il prend fin lorsque les grains se retrouvent encore une fois pris dans un nuage moléculaire, celui qui a donné naissance à notre système solaire. Dans ce nuage, il s'entoure encore une fois d'une couche de glaces, sans doute assez épaisse.

On estime en effet que le système solaire est issu d'un gros nuage moléculaire, de plusieurs centaines de masses solaires. Ce nuage se serait contracté sous l'effet de l'attraction gravitationnelle et se serait scindé en un certain nombre de nuages plus petits. Ces derniers, en continuant leur contraction, donc leur échauffement, auraient fini par donner chacun naissance à une étoile entourée sans doute d'un disque protoplanétaire. Parmi les étoiles ainsi créées se trouve notre Soleil, qui était donc entouré, dans les premiers instants de son histoire, du gaz du nuage moléculaire originel et des grains que nous venons de décrire.

Ces grains vont bientôt se «coller» les uns aux autres, par collisions dans le disque protoplanétaire. Cependant, durant le processus de formation de ce disque et du Soleil, leur évolution n'était pas terminée. On estime qu'ils ont continué leur processus de différenciation chimique, dû principalement aux photons ultraviolets reçus des étoiles voisines (particulièrement des plus massives d'entre elles). Ce rayonnement ultraviolet entraîne des réactions du même type que celles qui ont déjà été mentionnées. On obtient alors des grains allongés qui ont la structure suivante : un cœur réfractaire dense formé principalement de silicates et de métaux (environ 20 % en masse du grain), une couche de matériaux organiques et réfractaires (environ 20 % en masse du grain) et, à la surface, un manteau de glaces volatiles dominées par les molécules d'eau (environ 60 % en masse du grain, dont 55 % pour l'eau).

La figure 9 représente ce type de structure, qui correspond au modèle de grains proposé par J.M. Greenberg, que nous avons déjà mentionné. C'est principalement la couche de matériaux organiques et réfractaires qui a subi le plus d'évolution chimique durant le voyage des grains à travers la Galaxie. C'est une matière enrichie en carbone et appauvrie en oxygène, qui contient de nombreuses molécules organiques différentes. Dans le manteau de glaces se trouvent sans doute de minuscules grains de silicate, ou peut-être des hydrocarbures polycycliques aromatiques, ceux-ci ayant également été détectés dans le milieu interstellaire. Le principal constituant de ce manteau, l'eau, se trouve également sous forme amorphe. Cette forme, comme ce fut expliqué lorsqu'il a été question du sursaut d'activité de Halley observé au début de 1991, ne peut exister qu'à très basse température. Dès que celle-ci atteint 125 K (-148 °C), les molécules d'eau s'organisent de façon irréversible en une structure cristalline, lors d'une réaction exothermique. Ce point est important pour la suite des opérations.

Durant la phase du disque protoplanétaire, ou lors de la contraction de la nébuleuse protosolaire, il est possible qu'une supernova ait éclaté à proximité du Soleil. Ce type d'étoile est le même que celui qu'avait observé Tycho Brahé en 1572 (mais, heureusement pour lui, à bonne distance). Il s'agit d'une étoile massive (au moins 1,4 fois la masse du Soleil) qui termine sa vie dans une gigantesque explosion, libérant ainsi une bonne partie des éléments qui la constituent (mais pas tous, car un astre, où la densité de matière, formé de neutrons collés les uns aux autres, devient fantastiquement élevée, se forme à la place de l'étoile).

Parmi les éléments dispersés par l'explosion supposée de la supernova dans le voisinage des grains, lors de la formation du système solaire, se trouvent des isotopes radioactifs. Parmi ceux-ci figure, par exemple, ^{26}Al, qui est un isotope instable de l'aluminium (sa forme stable contenant 13 protons et 14 neutrons et non 13 neutrons comme dans ^{26}Al). Certains éléments radioactifs émis par la supernova se retrouvent ainsi incorporés aux grains de la nébuleuse protoplanétaire, constituant une source d'énergie future par leur désintégration en d'autres éléments plus stables.

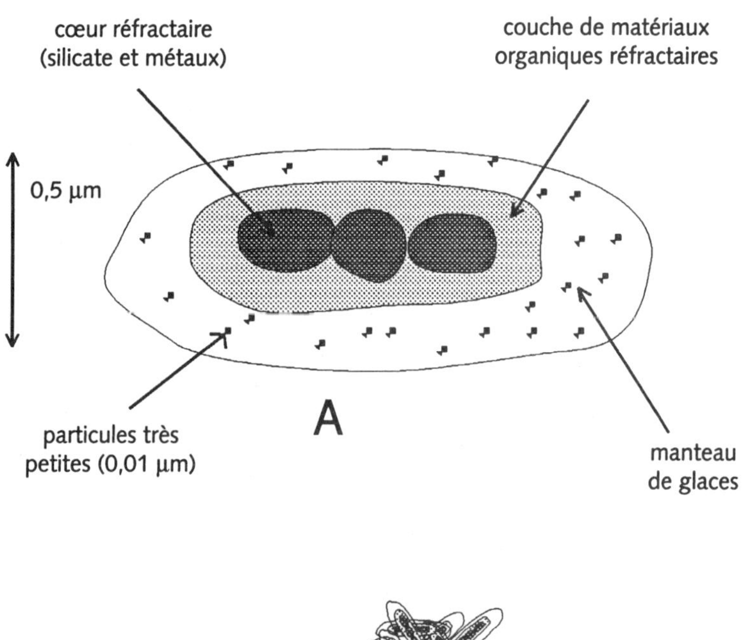

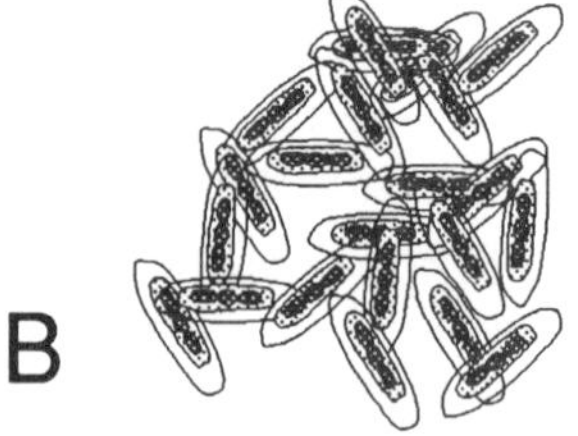

Figure 9. Modèle des grains précométaires (A) tels qu'ils se présentent peu avant leur assemblage en agrégats dont la structure est en «nid d'oiseau» (B).

Les grains formant la nébuleuse protoplanétaire vont donc s'agglomérer les uns aux autres par collisions successives. Dans un premier temps, cela produit des sortes d'agrégats assez lâches, à la structure dite de «nid d'oiseau» (voir la figure 9). Ces agrégats finissent par avoir une taille semblable à celle des flocons de neige. Ils rencontrent d'autres agrégats, par collision, et deviennent ainsi des objets de plus en plus gros, dans le plan central de la nébuleuse protoplanétaire, formant un disque où naîtront les planètes. Il y a ainsi formation de ce qu'on appelle des planétésimaux : des objets poreux, peu dense et homogènes, de quelques kilomètres de diamètre.

Dans les zones proches du Soleil, où la densité de planétésimaux est élevée et les collisions fréquentes, ils finissent par former les planètes que nous connaissons actuellement. Dans les zones plus lointaines, par contre, la croissance des planétésimaux s'arrête au bout de quelques millions d'années, faute de collisions suffisament fréquentes. Ce sont ces planétésimaux, témoins directs des origines du système solaire, qui formeront les futurs noyaux cométaires.

À partir de ce moment, les théories élaborées sur les comètes deviennent plus incertaines. Le lieu exact de formation, en particulier, n'est pas connu avec certitude. On pense généralement que les futurs noyaux cométaires se sont formés avec le système solaire, au-delà des orbites de Neptune et de Pluton, ce que semblerait indiquer l'étude comparative de certains rapports isotopiques dans les différents objets du système solaire (par exemple, le rapport deutérium/hydrogène, D/H, analyse finement dans Halley). Il faut en tout cas une faible température pour garder les éléments volatils des grains (en particulier le CO) et la glace d'eau sous une forme amorphe. La formation dans une zone proche du système solaire, si elle semble cohérente sur le plan physique, nécessite cependant un mécanisme ultérieur d'éjection des noyaux cométaires vers le nuage de Oort.

Des modèles théoriques de la formation du sytème solaire suggèrent l'existence d'un disque trans-neptunien, s'étendant entre 50 et 500 UA, voire plus, et qui contiendrait encore une grande partie des comètes. Un tel disque aurait l'avantage d'être à la fois assez près du Soleil pour avoir vu se former les planétésimaux (la densité de matière lors de la formation du système solaire y aurait été suffisante, contrairement au nuage de Oort), et suffisamment éloigné pour que ceux-ci n'évoluent pas et conservent leurs éléments volatils. L'existence d'un tel disque, essentiellement théorique jusqu'à maintenant, a entrainé récemment la chasse aux objets trans-neptuniens. Ce travail, actuellement en cours, semble donner des résultats prometteurs.

Un autre élément essentiel de l'évolution ultérieure des planétésimaux formant les futurs noyaux cométaires concerne leur évolution physico-chimique. Deux aspects importants interviennent : l'évolution de la structure globale de ces objets, particulièrement au centre, et celle de leur surface.

En ce qui concerne l'évolution de la structure globale des noyaux cométaires, elle est surtout liée à l'énergie interne disponible. Il y a deux sources potentielles d'énergie : la glace amorphe susceptible de se cristalliser et les éléments radioactifs. Pour certains théoriciens la chaleur radioactive, dégagée principalement par les isotopes ^{26}Al au centre, serait suffisante pour provoquer une migration des gaz vers les couches externes du noyau, où ils pourraient se recondenser. Le cas extrême envisagé serait constitué d'une fusion de la glace et d'une migration des éléments lourds vers le centre du planétésimal. On aurait ainsi un processus de différenciation marqué du planétésimal. Ce genre de phénomène, confronté à des calculs quantitatifs et aux obsevations de Halley, paraît cependant peu probable. Il faudrait, en effet, un noyau de plusieurs dizaines de kilomètres de diamètre (soit nettement plus gros que celui de Halley) pour qu'il puisse avoir lieu. Ainsi, il ne se serait produit, peut-être, que pour quelques rares noyaux cométaires géants, les autres conservant globalement une structure homogène lors de leur séjour dans le nuage de Oort.

La question de l'évolution de la surface des noyaux cométaires durant leur long séjour dans le nuage de Oort (4,5 milliards d'années jusqu'à aujourd'hui), est, elle, différente. En effet, cette surface est exposée à l'agression de multiples particules de haute énergie (noyaux atomiques, électrons, photons γ) qui se trouvent dans le milieu interstellaire. Ces particules, dont on a étudié les effets lors d'expériences de laboratoire, interagissent avec les éléments volatils contenus dans les grains cométaires situés à la surface du planétésimal. Les réactions produites ont pour effet de créer des éléments encore plus volatils qui pourront s'échapper facilement du noyau en laissant des résidus solides très sombres (des réfractaires carbonés) à la surface. Cet effet est très important pour comprendre les comètes. C'est lui qui explique la relative surprise des spécialistes lorsqu'ils découvrirent le noyau sombre de Halley, ainsi que le fait que la majeure partie de la surface de cet objet est inactive.

Les mécanismes affectant la surface des noyaux cométaires ont pour effet de créer une différenciation des couches superficielles. À la surface et immédiatement en dessous ne restent que les cœurs réfractaires des grains, créant la surface sombre mentionnée ci-dessus. Un peu au-dessous, les grains ont conservé leurs glaces, mais pas leurs éléments les plus volatils (en particulier le CO et le CO_2). Il faut aller encore plus en profondeur pour retrouver les grains entiers qui composent l'essentiel des noyaux sans doute homogènes.

Protégés des phénomènes affectant leur surface, ces noyaux cométaires restent donc des planétésimaux presque parfaits qui orbitent tranquillement loin du Soleil, dans le nuage de Oort ou peut-être dans le disque trans-neptunien. Cette vie tranquille peut parfois être affectée par le passage d'une étoile ou d'un nuage moléculaire à proximité, dont l'influence gravitationnelle, même faible, peut suffire à changer l'orbite d'un noyau cométaire (sans doute assez allongée) et à le rapprocher du Soleil. Dès que le noyau arrive vers 40-50 UA du Soleil, il peut être influencé dans son mouvement par l'attraction gravitationnelle des planètes et, progressivement, passer sur une orbite l'amenant à passer de 1-2 UA du Soleil à 5 UA, comme les comètes de la famille de Jupiter, dont il était question dans le chapitre quatre. Parfois, pour les noyaux les plus éloignés du Soleil surtout, les choses peuvent être plus directes si la perturbation gravitationnelle initiale les amène tout près du Soleil.

Le rapprochement du Soleil finit par produire un dégazage se manifestant tout d'abord par l'éjection des éléments les plus volatils situés près de la surface. Pour la plupart des comètes, ce phénomène de dégazage, qui se traduit par le début de l'apparition de la chevelure, survient à environ 3 UA du Soleil, avec, essentiellement, l'éjection de molécules d'eau. Il peut arriver cependant, pour les comètes nouvelles arrivant directement du fin fond du nuage de Oort (qui conservent tous leurs éléments les plus volatils, même près de la surface), qu'on observe un dégazage à des distances plus élevées du Soleil. Le record en la matière semble être détenu par la comète Bowell (1982 I), directement issue du nuage de Oort, qui montra une activité à 13,6 UA du Soleil. Fait significatif, cette activité semblait dominée par le CO_2, connu pour être un des éléments les plus volatils composant les comètes.

Le rapprochement du Soleil produit de profonds changements pour le noyau cométaire, habitué à couler des jours paisibles dans le vide interstellaire. Tout d'abord, l'échauffement de la surface va rapidement faire cristalliser la glace amorphe des couches superficielles. Comme cette réaction, à son tour, dégage de la chaleur, les couches sous-jacentes cristallisent également, libérant à leur tour de la chaleur. Il se forme ainsi un véritable front de cristallisation. Ce front progresse de plus en plus profondément à l'intérieur du noyau. Le fait que la glace d'eau contienne de nombreuses «impuretés» doit sans doute ralentir assez vite le phénomène et le stopper (l'énergie étant utilisée pour chauffer la matière réfractaire des grains, par exemple).

La chaleur apparue dans les couches externes du noyau, sous l'action conjuguée des radiations du Soleil et de la cristallisation de la glace amorphe, libère le gaz volatil contenu dans les grains (à des profondeurs d'autant plus grandes que le composé considéré est volatil). Ce gaz circule alors à l'intérieur des couches chauffées, qui sont très poreuses, et crée un véritable flux gazeux qui gagne la surface en emportant avec lui les petits grains de matériaux réfractaires libérés par la disparition de leur manteau de glace.

Certains grains de poussières restent cependant à la surface et s'agglomèrent entre eux pour former de plus grosses particules. Ces particules peuvent finir par former des plaques à la surface du noyau, gênant ainsi partiellement ou totalement l'éjection du gaz et des petites poussières des couches sous-jacentes. On obtient ainsi des zones inactives, qui dominaient nettement la surface de Halley, par exemple. Par opposition, les zones actives restantes créent les jets de gaz et de poussières, bien visibles sur les photos du noyau de Halley. Ce jeu de zones actives et de zones inactives affecte profondément la morphologie du noyau, car les zones actives se creusent plus vite que les zones inactives, formant ainsi une multitude de creux et de bosses plus ou moins marqués sur toute la surface. L'éjection de matière localisée dans certains jets situés sur la face exposée au Soleil crée également des effets de réaction qui peuvent finir par affecter aussi bien le mouvement de rotation du noyau que son orbite autour du Soleil (ce qu'on appelle les forces non gravitationnelles, évidemment difficiles à calculer, traitées au chapitre quatre).

L'évolution à long terme des comètes est principalement régie par le jeu des surfaces actives et des surfaces inactives. S'il existe peu d'endroits où l'éjection de gaz et de poussière est bloquée, le noyau finit par se sublimer presque complètement au bout d'un certain nombre de passages près du Soleil (s'il s'agit d'une comète périodique bien sûr). À la fin de sa vie, il peut éventuellement se scinder en plusieurs morceaux. À l'inverse, si les surfaces inactives dominent et qu'une croûte bloquant toute éjection de gaz et de poussières finit par recouvrir tout le noyau, celui-ci peut être progressivement «étouffé». Une telle évolution, qui semble plus courante que la première, peut ne pas être définitive. Un événement fortuit (passage plus près du Soleil après une perturbation orbitale, collision, etc.) peut éventuellement provoquer de nouveaux sursauts d'activité.

Voici donc résumées dans leurs grandes lignes les idées aujourd'hui admises sur les comètes. On peut voir qu'elles semblent relativement cohérentes et développées. Pourtant, il reste encore beaucoup de travail à effectuer pour prétendre avoir percé tous leurs mystères, d'autant plus qu'il s'agit d'une catégorie d'objets pouvant regrouper des cas très variés de par leur dimension et leur composition chimique. Les grandes questions posées peuvent se résumer de la façon suivante :

- tout d'abord, qu'elle est la composition chimique exacte du noyau et sous quelle forme se trouvent les éléments qui le composent ? C'est évidemment la question essentielle, celle qui nous donnera une idée précise du degré de complexité moléculaire atteint lors de la création du sytème solaire (donc de la création de la planète Terre, où un phénomène curieux appelé la vie est apparu). Vu l'évolution récente des travaux en ce domaine (la forte présomption en faveur de l'existence de PAHs, par exemple), il se pourrait bien que nous soyons surpris par le niveau de complexité atteint par certaines molécules situées dans les noyaux cométaires;

- quel est le lieu exact de formation des comètes ? Si, comme il est probable, il n'est pas dans le nuage de Oort, quel est alors le mécanisme responsable de l'éjection des comètes vers le nuage de Oort ? Par alleurs le disque trans-neptunien existe-t-il vraiment ? Il serait également intéressant de connaître la quantité globale de noyaux cométaires en sommeil et leur répartition spatiale ;
- quelle est la structure globale des noyaux cométaires ? Ont-ils subi une différenciation chimique importante lors des premiers temps de leur existence, causée par la radioactivité de certains éléments les composant ?
- Comment les comètes finissent-elles leur vie ? Quel est le mécanisme dominant (désintégration totale ou étouffement) ? Y a-t-il d'autres mécanismes qui gouvernent la fin de la vie d'une comète ?

À ces questions générales, on pourrait sans doute en ajouter beaucoup d'autres, portant sur tel ou tel détail secondaire encore mal compris. Il existe donc encore beaucoup de pain sur la planche pour les scientifiques qui tentent de comprendre ces objets étranges que sont les comètes, astres qui intriguent les hommes depuis tant de millénaires.

Collision céleste

Ces pages ont mis en lumière toute l'énergie dépensée par les astronomes pour analyser la comète de Halley de près, avec des sondes spatiales bardées d'instruments d'observation qui, chacun à leur manière, constituent des petites expériences de physique en miniature. Mais la nature est imprévisible et peut parfois se mettre à faire elle-même des expériences de physique à son échelle, offrant ainsi une chance unique aux scientifiques cloués à la surface terrestre. C'est ansi qu'eut lieu récemment, en juillet 1994, une collision particulièrement spectaculaire entre une comète et Jupiter.

Tout a commencé par la découverte, presque classique, d'une nouvelle comète. Cette découverte eut lieu en Californie, le 25 mars 1993, lorsque Carolyn Shoemaker, une habituée des observations des comètes et des astéroïdes qui travaille avec son mari, Gene

Shoemaker, examina deux clichés pris la nuit précédente. Sur ces clichés, obtenus avec un télescope de Schmidt de l'observatoire du mont Palomar (c'est-à-dire un télescope à grand champ destiné uniquement à la photographie), figurait une trace diffuse caractéristique d'une comète. Quatre personnes, au total, avaient participé aux observations puisque, outre les Shoemaker, astronomes professionnels, deux autres personnes se trouvaient sur place : David Levy, un astronome amateur canadien habitué à observer avec les Shoemaker (et à découvrir des comètes...) et un universitaire français, Philippe Bendjoya, travaillant habituellement à l'observatoire de Nice. Pourtant, la comète qui venait d'être ainsi découverte (les clichés du Palomar furent confirmés dès le lendemain par des observations CCD effectuées à l'observatoire de Kitt Peak, en Arizona) ne porta que deux noms : Shoemaker-Levy 1993e.

Cette appellation provisoire fut justifiée par une tradition récente qui veut qu'on ne donne pas plus de deux noms de découvreurs pour un même lieu d'observation. Elle signifie également qu'il s'agissait de la cinquième comète découverte en 1993. Le nom définitif fut Shoemaker-Levy 9 (SL-9 en abrégé), car il s'agissait de la neuvième comète périodique découverte par les Shoemaker et Levy.

Dans les semaines qui suivirent cette découverte, il y eut, comme à l'accoutumée dans ce type de situation, de nombreuses autres observations effectuées par divers observatoires. Ces observations avaient principalement pour but de faire des relevés astrométriques pour pouvoir calculer l'orbite de la comète. Cependant, cette comète fut l'objet de soins particuliers car elle révéla rapidement deux élément très inhabituels. Le premier apparut clairement grâce aux observations faites à l'aide du télescope spatial Hubble : SL-9 était composée non pas d'un noyau unique, comme toutes les comètes «normales», mais d'une vingtaine de petits noyaux voyageant l'un derrière l'autre. Le deuxième élément troublant fut déduit des calculs d'orbite : la comète n'était pas en orbite autour du Soleil, mais autour de Jupiter.

On put ainsi calculer que cette comète, qui cessa d'être visible depuis la Terre vers la mi-juillet 1993 (car trop proche du Soleil dans la sphère céleste), allait passer à sa plus grande distance de Jupiter (0,33 UA, 50 millions de km), le 16 juillet 1993. Mais les calculs ne s'arrêtèrent pas là. D'abord, ils montrèrent que, vu l'extrême allongement de l'orbite, la comète avait frôlé Jupiter lorsqu'elle en était passée au plus près la dernière fois, le 8 juillet 1992, tellement près de sa surface (40 000 km environ) que c'est sans doute à cette occasion qu'elle s'était brisée en petits morceaux. Les comètes sont des astres très poreux et relativement friables; or, le passage à proximité d'un astre massif comme Jupiter peut provoquer des effets de marée, les zones du noyau de la comète les plus proches par rapport à Jupiter ne subissant pas tout à fait la même force gravitationnelle que les zones les plus éloignées. Ces effets de marée peuvent être suffisants pour briser un corps en plusieurs morceaux si celui-ci, comme SL-9, passe en dessous de ce qu'on appelle la «limite de Roche» (du nom d'un astronome français du siècle dernier), qui vaut environ 2,5 fois le rayon de l'astre massif. L'extrapolation du mouvement orbital de SL-9, ou plutôt de ce qu'il en restait, montra cependant quelque chose d'encore plus surprenant que son histoire passée : les morceaux de la comète allaient passer tellement près de Jupiter à leur prochain passage, en juillet 1994, qu'il y avait 99 % de chance qu'ils entrent en collision avec Jupiter.

Ce qui n'était qu'une quasi-certitude devint une certitude dès le 9 décembre 1993, lorsque la comète fut retrouvée et que les calculs d'orbite purent être affinés. Les observations qui suivirent permirent d'améliorer encore les calculs et d'établir avec précision le programme du spectacle à venir. Les vingt morceaux allaient entrer en collision avec Jupiter entre le 16 et le 22 juillet 1994, l'impact le plus important étant prévu pour le 20 à 19 h 50 T.U. En effet, avec le temps, les différents morceaux s'éloignaient progressivement les uns des autres, jusqu'à s'étaler sur une distance de 5 millions de km avant la rencontre avec Jupiter. Celle-ci devait avoir lieu à une vitesse relative de 60 km/s à 44° au sud de l'équateur jovien, dans une zone située derrière Jupiter observée de la Terre (celle-ci devenant visible en seulement 15 minutes grâce à la rotation de la planète).

Les détails du programme étant connus la plupart des grands observatoires purent alors se mobiliser et se préparer à braquer leurs instruments vers Jupiter au moment opportun. La situation dans la communauté astronomique avant l'impact était en fait assez curieuse. Il était évident qu'il s'agissait d'un événement unique à ne pas rater. On pouvait prévoir, en effet, vu l'énergie développée (de l'ordre d'un million de mégatonnes de TNT pour les plus gros impacts), qu'il ne resterait pas grand chose des morceaux de la comète après la collision. Ces morceaux devaient disperser leurs constituants dans l'atmosphère jovienne lors d'un gigantesque cataclysme. Personne, cependant, ne pouvait savoir avec précision ce qui serait réellement visible pour les observateurs présents au rendez-vous.

De simples moyens d'observation d'amateur, tel un télescope de 10 cm de diamètre, suffirent en fait pour assister au spectacle. À la surprise générale, en effet, alors qu'on s'attendait à de petits points blancs, éventuellement à la limite de visibilité des plus gros télescopes d'amateur, les impacts les plus importants produisirent immédiatement des points noirs plus visibles que la grande tache rouge. Au quartier général de l'Observatoire européen austral (ESO), dans la banlieue de Munich, Richard West, le «Monsieur comète» de l'ESO, avait organisé une coordination générale des observations, devant de nombreux journalistes. Instrument de communication privilégié pour l'événement : le réseau Internet. Ce réseau mondial permettant aux ordinateurs de se transmettre des informations presque en direct est utilisé depuis longtemps par les astronomes et en particulier par l'ESO, qui dispose depuis plusieurs années de son propre serveur. C'est ainsi que les images de la collision purent très rapidement être transmises des quatre coins de la planète à l'ESO, qui les rendit immédiatement accessibles à tous par Internet.

Jour après jour, on vit ainsi de magnifiques images des points sombres des différents impacts se succéder sur Jupiter. Au sol, pratiquement tous les télescopes et radiotélescopes professionnels firent des observations (avec des équipes particulièrement actives à l'observatoire de l'ESO au Chili, à l'observatoire de Calar Alto en Espagne (avec des Allemands), à Hawaï, aux Canaries, etc.). Dans l'espace le télescope spatial Hubble fut longuement utilisé ainsi que le télescope ultraviolet IUE en orbite autour de la Terre, et les sondes *Ulysse* et *Voyager,* quelque part dans le système solaire, ainsi, surtout, que *Galileo*, en route pour Jupiter et qui était le seul instrument à pouvoir observer les impacts directement (étant situé du bon côté de Jupiter).

Le gros des observations terminé, quelques jours après les impacts, il fallut alors penser à interpréter l'abondante moisson de données obtenues (tout en continuant à faire, de temps à autre, des observations pour suivre l'évolution des traces laissées par les impacts). Un peu plus d'un an après l'événement, au moment d'écrire ces lignes (automne 1995), il est sans doute encore trop tôt pour en dresser un bilan scientifique exhaustif. Le traitement et la modélisation théorique de données scientifiques complexes peut en effet durer des années (il suffit, par exemple, de voir tous les articles scientifiques basés sur des observations de Halley en 1985-86 qui paraissent encore aujourd'hui). Il y a cependant déjà eu plusieurs rencontres entre les scientifiques travaillant sur cette collision (d'abord lors de l'assemblée générale de l'Union astronomique internationale [UAI] en août 1994 en Hollande, puis à Washington en octobre [réunion de la division des sciences planétaires de l'American Astronomical Society], lors d'une réunion spéciale tenue au siège de l'ESO près de Munich en février 1995, puis lors d'un colloque de l'UAI à Baltimore en mai 1995). Il y a donc moyen de présenter déjà un premier bilan scientifique, même s'il n'est encore que provisoire et n'exclut pas des surprises ultérieures.

En regroupant les différentes observations effectuées aussi bien au sol que dans l'espace (en particulier par *Galileo*, qui eut le privilège d'observer directement les impacts sans avoir à attendre que la planète tourne sur elle-même), un premier scénario d'un impact type a pu être établi. Ce scénario est cependant très grossier et de nombreuses inconnues demeurent, en particulier la profondeur atteinte par les impacts.

Un morceau de la comète SL-9 arrivant vers Jupiter, sous une incidence de 45° par rapport à la verticale et une vitesse relative de 60 km/s, entre d'abord en contact avec l'atmosphère jovienne par sa chevelure. Celle-ci, même si elle est peu développée, contient tout de même les habituelles poussières, qui s'étirent sur plusieurs milliers de kilomètres sous l'influence de la force de gravité de Jupiter. En entrant dans les couches supérieures de l'atmosphère jovienne, ces poussières provoquent un gigantesque éclat de lumière lors de leur désintégration (comme autant d'étoiles filantes); cet éclat dure environ 1 min et sa réflexion sur les couches supérieures de l'atmosphère de Jupiter a pu être détectée depuis le sol en infrarouge. Le morceau de la comète disparaît ensuite derrière le limbe de Jupiter pour les observateurs terrestres.

Cinq secondes après le pic d'éclat atteint par la lumière due à l'entrée des poussières de la chevelure dans l'atmosphère, il se produit un brusque sursaut d'éclat causé par le contact du noyau cométaire avec la stratosphère de Jupiter. Ce sursaut atteint son maximum encore cinq secondes plus tard. C'est alors que se développe une gigantesque boule de feu, semblable à un champignon atomique, d'une température au moins égale à 10 000 K. Pendant que cette boule de feu apparaît, le noyau (ou ce qu'il en reste) continue sa descente dans la troposphère de Jupiter. L'évolution de la boule de feu put être suivie en direct depuis *Galileo*. Depuis la Terre elle fut détectée une minute plus tard lorsqu'elle dépassa le limbe de Jupiter (ce qui suppose une vitesse de 17 km/s le long de sa trajectoire). Les observations faites au sol, plus sensibles, virent décroître cette boule de feu durant environ 5 min.

C'est après ces cinq minutes que se produit «l'événement principal» de la collision. La matière du noyau dispersée par la boule de feu retombe, au terme de sa trajectoire balistique, dans la stratosphère de Jupiter. Cette retombée s'étend sur une zone large à environ 5 km/s et chauffe la stratosphère aux alentours de 2 000 K. C'est cette retombée qui créa une énorme augmentation de l'émission infrarouge détectée au sol, ainsi que l'aspect sombre des taches observées à l'endroit des impacts (visibles avec les plus petits instruments d'amateur pour les plus gros impacts, et qui persistèrent plusieurs mois en s'étirant progressivement en longitude et en latitude). La matière responsable de l'aspect sombre des zones d'impact, élément qui surprit les spécialistes, est cependant encore un sujet de discussion important. Elle est sans doute composée de plusieurs ingrédients issus des couches profondes de l'atmosphère jovienne ou de la comète elle-même, dont les éléments auraient éventuellement réagi avec le milieu environnant lors de l'impact.

La question principale que se posent les spécialistes concerne la profondeur maximale de pénétration atteinte par les fragments lors de leur entrée dans Jupiter. On estime actuellement (mais les connaissances en la matière sont assez limitées et devraient sans doute être affinées par les observations de la mission *Galileo* en 1996) que l'atmosphère jovienne, constituée essentiellement d'hélium et d'hydrogène moléculaire, se compose des principales couches suivantes (par ordre décroissant d'altitude) : une stratosphère où la température croît avec l'altitude (comme sur Terre, c'est donc une zone stable) et, immédiatement en dessous, une troposphère où la température décroît avec l'altitude (comme sur Terre également, c'est donc une zone plus turbulente). Il y aurait trois couches principales de nuages dans la troposphère ; au-dessus des nuages constitués essentiellement de cristaux de glace d'ammoniac (NH_3), en dessous, des nuages dominés par des cristaux de glace d'hydrosulfite d'ammonium (NH_4SH) et encore en dessous des nuages dominés par des cristaux de glace d'eau (H_2O).

Jupiter n'a sans doute pas de surface bien définie (même si l'hydrogène est peut-être dans un état métallique à grande profondeur), ce qui fait qu'on exprime les altitudes plutôt en pression atmosphérique qu'en kilomètres (la transition troposphère / stratosphère se situerait ainsi vers 0,1 bar, les nuages d'ammoniac 20 km plus bas, vers 0,5 bar, et ceux de glace d'eau, vers 4 bars). On estime ainsi que la profondeur maximale atteinte se situerait entre 0,3 et 3 bars, ce qui laisse une fourchette assez large (une cinquantaine de kilomètres au moins), mais elle semble néanmoins avoir une valeur trop faible pour que SL-9 puisse avoir atteint les nuages d'eau.

Les analyses spectroscopiques révélèrent, dans les différentes longueurs d'onde, de multiples raies d'émission correspondant essentiellement aux éléments suivants : NH_3, CO, H_2O, HCN, H_2CO, H_2S, CS, OCS, CS_2, S_2, CH_4, C_2H_2, C_2H_6, ainsi qu'aux atomes H, Li, Na, Mg, Si, S, K, Ca, Mn et Fe, et aux liaisons O-H et C-H. Le lecteur aura remarqué, d'après ce qui a été expliqué dans cet ouvrage, que la plupart de ces éléments sont connus pour être des constituants des comètes. L'analyse au cas par cas de ces éléments n'est cependant pas facile car les constituants de l'atmosphère de Jupiter peuvent avoir «contaminés» les observations. Le cas de l'ammoniac (NH_3) est typique : provient-il de la comète ou des nuages de Jupiter ? Sans doute des deux en fait, mais comment quantifier les deux sources ?

Une observation surprenante fut faite le 26 juillet : des perturbations atmosphériques situées à 44° de latitude Nord, soit dans une zone symétrique à celle des impacts (44° de latitude Sud). Vues dans l'infrarouge (émissions de H_2 et de H_2^+), elles furent interprétées comme étant dues à un transfert de particules d'un hémisphère à l'autre par les lignes de force du champ magnétique jovien. Une augmentation sensible du rayonnement radio décimétrique de Jupiter fut également détectée pendant et après les impacts. Ce phénomène fut également interprété comme étant lié aux lignes de champ magnétique de Jupiter, qui piègent les électrons circulant à grande vitesse et créent un rayonnement dit synchrotron (effet classique en astronomie). L'interprétation détaillée de ces observations risque cependant d'occuper les spécialistes un certain temps.

L'ensemble des phénomènes observés lors des impacts permettra peut-être d'améliorer encore les connaissances sur les comètes, en complémentarité aux informations obtenues grâce au passage de Halley. Une question importante demeure, à laquelle seul cet événement pourrait peut-être répondre, et qui concerne la structure interne des noyaux cométaires : ceux-ci sont ils homogènes, comme on aurait tendance à le croire, ou ont-ils subi une différenciation ? Le fait que SL-9 ait été fragmentée en plusieurs morceaux permettrait peut-être d'en savoir plus sur cette question en comparant le comportement respectif de ces morceaux et les raies d'émission lors de l'impact.

Pour conclure sur cette collision, on ne peut faire autrement que de se poser une question cruciale : et si ce genre de collision se produisait sur Terre ? Les scientifiques s'intéressant aux comètes seraient certainement ravis de pouvoir étudier leurs astres favoris d'aussi près, mais les populations concernées par l'impact seraient sans doute décimées... En définitive, il est tout de même préférable parfois d'observer les choses de loin.

Chapitre 8

L'avenir

Dans le domaine des sciences cométaires, comme d'ailleurs dans n'importe quelle autre discipline scientifique, il est évidemment difficile de se livrer à des prédictions précises. Le propre de la recherche scientifique, en général, est en effet d'essayer de combiner aussi bien que possible un phénomène largement aléatoire et irrationnel de «création d'idées» avec un processus aussi rationnel et rigoureux que possible destiné à donner les moyens à ces idées d'être confrontées à la réalité.

Tout au long de l'histoire des sciences cométaires, on est confronté à des scientifiques aux personnalités souvent très différentes, et on se pose fréquemment la question suivante : s'ils n'avaient pas existé, combien de temps aurait-il fallu pour qu'un ou plusieurs autres scientifiques fassent un travail équivalent ? Ainsi, quand Tycho Brahé fit la première mesure précise d'une parallaxe de comète, montrant que celle-ci se situait bien au-delà du monde sublunaire d'Aristote, on sait que d'autres avant lui avaient déjà tenté l'expérience. Pourtant, bien que pouvant disposer d'instruments équivalents, ils n'arrivèrent pas à en tirer une conclusion significative.

De même, quand Newton effectua la vaste synthèse des idées de son temps sur la physique et l'astronomie, posant du même coup les bases de la mécanique classique et de la mécanique céleste, d'autres esprits brillants commençaient aussi à se poser des questions sur l'existence d'une force émise par le Soleil et gouvernant le mouvement des planètes par une loi en carré inverse de la distance. Mais combien de temps leur aurait-il fallut pour faire un travail équivalent à celui de Newton ? Et il existe ainsi toute une série d'autres exemples.

À regarder de plus près l'évolution des connaissances sur les comètes, trois tendances significatives apparaissent. Tout d'abord, il y a une première tendance qui consiste à utiliser des moyens de plus en plus perfectionnés, donc coûteux. On arrive aujourd'hui à une recherche souvent dominée par la science lourde. Si Tycho Brahé pouvait encore obtenir un résultat important de l'étude des comètes (la première mesure d'une parallaxe) avec un instrument fabriqué par ses soins et installé dans sa maison, on voit mal aujourd'hui un astronome amateur, même bien outillé, effectuer une découverte d'importance comparable. Aujourd'hui, la recherche de base sur les comètes se fait à partir de données obtenues grâce à des télescopes coûteux installés dans des site isolés, parfois très éloignés du lieu de résidence habituel de l'astronome qui les utilise, et surtout payés par des instituts, publics ou privés, disposant de fonds importants.

Une deuxième tendance, liée à la première, est celle qui consiste à travailler en équipe. Il est bien rare en effet aujourd'hui qu'un article publié dans une revue scientifique soit signé par un seul chercheur. La norme serait plutôt de trois ou quatre coauteurs, voire plus, même si l'essentiel du travail est souvent fait par un ou deux chercheurs. Étroitement lié à cette tendance est le fait que les progrès significatifs sont rarement dus à une figure scientifique dominante. Certes, il existe quelques exceptions notables pour les comètes, par exemple les cas de Fred Whipple et de Jan Oort, tous deux auteurs uniques d'articles parus en 1950 et ayant acquis une notoriété durable dans le domaine. Cependant, de tels cas, presque un demi-siècle plus tard, sont de plus en plus rares.

Enfin, la troisième tendance des recherches cométaires moderne, et sans doute la principale, est la nécessité d'utiliser des sondes spatiales. Ce livre tout entier est en effet articulé autour des moyens déployés lors du dernier passage de Halley, et on a pu constater les progrès notables accomplis grâce aux cinq sondes qui ont survolé de près cette comète. Même si certains aspects de l'étude des comètes ont sensiblement progressé ces dix dernières années indépendamment du survol de Halley par les sondes spatiales, des limites certaines leurs sont imposées. Parmi ces domaines, on peut citer la recherche des molécules mères avec les radiotélescopes, basée sur l'amélioration constante de ces derniers, la modélisation dynamique du (ou des) lointain(s) réservoir(s) de comètes (grâce aux progrès effectués dans la puissance de calcul des ordinateurs et dans les programmes qui sont appliqués), ou encore les travaux de spectroscopie (en laboratoire ou théoriques) permettant d'identifier des raies d'émission en visible ou dans des domaines proches. Cependant, aucune des activités de recherches actuelles sur les comètes, même en utilisant les données obtenues de Halley ou par des télescopes sans cesse plus perfectionnés, ne peut percer les mystères de l'élément clé de ces astres : leur noyau.

Rosetta

L'analyse du noyau constitue l'élément incontournable de tout progrès majeur dans les sciences cométaires. Or, cet objectif, bien sûr, ne peut être atteint que par une analyse *in situ* utilisant une sonde spatiale. Ceci a parfaitement été compris par les scientifiques qui n'ont cessé, depuis le passage de Halley, de demander à leur agence spatiale respective d'organiser une nouvelle mission d'exploration spatiale. L'inconvénient majeur de ce type de mission réside dans son coût très élevé, ce qui fait que les projets, aujourd'hui, ne sont pas légion.

Il y eut, en fait, deux grands projets. L'un américain, baptisé CRAF (pour *Comet Rendez-vous and Asteroid Flyby*), et l'autre européen, baptisé Rosetta. CRAF, comme son nom l'indique, avait pour objectif de lancer un satellite à la rencontre d'une comète et d'un astéroïde. Ce projet semble malheureusement avoir sombré corps et âme, avalé par le déficit budgétaire de l'État américain. Dès l'automne 1991, l'attitude des membres du Congrès ne lui avait guère laissé de chance de voir le jour. L'ingéniosité des scientifiques américains est telle qu'ils ont cependant reussi à faire approuver tout récemment (novembre 1995) une mission «format de poche» vers une comète. Cette mission, environ quatre fois moins coûteuse que le projet Rosetta, a été baptisée «Stardust». Elle devrait être construite en un temps record puisque la date de lancement est prévue en février 1999 et la rencontre, avec la comète P/Wild 2, en janvier 2004.

À l'inverse, l'Agence spatiale européenne (ESA), dont le mode de financement du programme scientifique est moins dépendant des humeurs des politiciens, a maintenu son projet Rosetta. il est même devenu une des pierres angulaires du programme de l'agence, ce qui veut dire que des crédits importants lui sont alloués.

Ce projet remonte en fait au mois de mai 1985, avant même le tir de la sonde *Giotto* vers Halley, lorsque le groupe de travail de l'ESA sur le système solaire recommanda l'étude plus poussée d'une éventuelle mission destinée à ramener un échantillon de noyau cométaire sur Terre, pour en faire la base du programme horizon 2000 de l'agence. C'est cet élément central, le prélèvement d'un échantillon de noyau pour l'analyser, qui inspira le nom du projet : Rosetta fait en effet référence à la fameuse pierre de Rosette que Champollion utilisa pour déchiffrer les hiéroglyphes égyptiens, un peu comme si le noyau des comètes pouvait nous aider d'une façon similaire, à déchiffrer les origines du système solaire. Les premiers travaux d'études sérieux furent effectués assez rapidement, en collaboration avec la NASA. En 1992, après que celle-ci ait vu ses fonds destinés à l'étude des comètes brutalement réduits, l'ESA se vit obligée à la fois de ne compter que sur ses propres forces et de réduire ses ambitions. Le projet initial fut alors revu à la baisse, le noyau cométaire devant être analysé sur place par un module se déposant à sa surface (et la sonde effectuant un ou deux survols rapprochés d'astéroïdes).

Le processus de sélection interne de l'ESA a permis une approbation définitive du projet Rosetta à l'automne 1993. Un appel d'offre a donc été lancé à tous les scientifiques européens, éventuellement appuyés par des collaborateurs étrangers (certaines équipes de la NASA, par exemple, sont prêtes à participer au projet, voire à financer une partie de la sonde), pour qu'ils proposent des expériences. Ces propositions ont été remises cet été (1995) à l'ESA, qui procède actuellement à leur sélection. Il est donc inutile d'essayer ici de décrire avec précision un projet qui n'est pas encore définitivement arrêté. On peut cependant essayer d'en présenter quelques aspects qui semblent désormais acquis.

Les dates de lancement et de rencontre, tout d'abord : ces dates dépendent des cibles choisies (astéroïde(s) et comète); elles devraient cependant se situer autour de 2003-2004 pour le lancement et 2010 pour la rencontre avec la comète (après un passage rapproché près de Mars puis près de la Terre pour gagner de l'énergie gravitationnelle, et après un survol d'astéroïde). La cible choisie, elle, doit être une comète périodique à courte période, avec une orbite directe faiblement inclinée par rapport à l'écliptique. Ces caractéristiques sont en effet nécessaires si on veut accomplir les différentes étapes de la mission, soit une approche progressive de la sonde par rapport au noyau cométaire, lorsque celui-ci est inactif, une satellisation progressive autour de ce noyau (jusqu'à quelques dizaines de kilomètres) et un suivi de longue durée pour le voir devenir actif lorsqu'il se rapproche du Soleil. Le largage d'un module d'analyse à la surface du noyau, pour une étude *in situ* directe durant plusieurs dizaines d'heures, constitue l'élément essentiel de la mission.

Compte tenu des impératifs de la mission et de la nécessité de bien connaître l'objectif visé, le nombre de comètes cibles potentielles est assez limité. La première envisagée était la comète P/Schwassmann-Wachmann 3, mais une étude plus attentive de son cas a montré qu'elle subissait l'action de forces non gravitationnelles importantes, élément peu favorable pour une mission du type Rosetta, car rendant son orbite instable. Aujourd'hui la comète P/Wirtanen semble la candidate idéale, classée première en ordre de priorité par l'ESA. Cette comète a été observée pour la première fois en 1947 et pour la dernière fois en 1991 (du moins à son périhélie, car elle fait actuellement l'objet de recherches loin de celui-ci). Sa période est actuellement d'environ 5,5 ans, son inclinaison orbitale est de 11,7°, sa distance au périhélie, de 1,06 UA et à l'aphélie, de 5,13 UA. Son passage au périhélie, au cours duquel elle serait suivie de près par la sonde Rosetta, est prévu pour le 21 octobre 2013. On comprend mieux, au regard de ces dates, pourquoi les astronomes doivent se montrer patients lorsqu'ils participent à des projets spatiaux. Et pourquoi, également, il est souhaitable qu'il y ait des jeunes dans les équipes qui proposent des expériences.

L'ensemble de la sonde Rosetta, module d'atterrissage et carburant inclus, devrait peser environ 2200 kg lors du décollage. Celui-ci aura lieu, bien sûr, avec une fusée Ariane, depuis la base de Kourou.

Voici donc les grandes lignes de ce qui devrait constituer le prochain temps fort de l'exploration cométaire. Il ne faut cependant pas oublier tout le travail qui pourra être fait d'ici là avec les moyens d'observation au sol ou en orbite terrestre et les modèles théoriques élaborés dans différents laboratoires. Enfin, et surtout, il faut aussi compter avec l'aspect imprévisible des phénomènes cométaires. Un spectacle aussi surprenant que la rencontre entre SL-9 et Jupiter peut parfaitement se reproduire. Des comètes particulièrement spectaculaires peuvent également se manifester sans prévenir. On peut d'ailleurs signaler, à ce propos, la détection récente d'une comète assez particulière : Hale-Bopp.

Cette comète a été découverte le 23 juillet 1995 (par deux astronomes amateurs américains indépendants, Alan Hale et Thomas Bopp) et a très vite manifesté un éclat anormalement intense. Les calculs d'orbite ont montré qu'elle se situait encore bien au-delà de l'orbite de Jupiter (sur une orbite elliptique avec une période voisine de 3000 ans) et qu'elle était déjà de magnitude 10,5, ce qui est 250 fois plus lumineux que Halley observée à la même distance. Les spécialistes sont donc intrigués et certains n'hésitent pas à parler d'un noyau géant, de l'ordre de 100 km de diamètre. Dans une telle hypothèse, son passage au périhélie, prévu autour du 31 mars 1997 à 140 millions de kilomètres du Soleil et à 200 millions de kilomètres de la Terre (voir les éphémérides en annexe 2), pourrait s'avérer particulièrement spectaculaire et faire oublier au grand public la déception de la faible luminosité de Halley. Il convient cependant de rester prudent en ce qui concerne des prédictions d'éclat, toujours très incertaines, d'autant plus que l'excès d'intensité observé peut aussi être dû à une éruption exceptionnelle, du type de celle de Halley en 1991.

Annexe 1

Indications bibliographiques

Les comètes ont suscité la parution d'un certain nombre d'ouvrages en France ces dernières années, tout particulièrement avant le passage des sondes près de Halley.

Dans les ouvrages généraux, on peut citer :

- *Halley, le roman des comètes,* d'Anny-Chantale Levasseur-Regourd et Philippe de la Cotardière, Denoël (1985).
- *Les comètes. Mythes et réalités*, de Michel Festou, Philippe Véron et Jean-Claude Ribes, Flammarion (1985).
- *Mémoires d'une comète*, d'Albert Ducrocq, Plon (1985).
- *Le retour de la comète,* de Jean-Marie Homet, Imago (1985).
- *Comète,* de Carl Sagan et Ann Druyan, Calmann-Levy (1985). Il s'agit de la traduction d'un ouvrage paru aux États-Unis.
- *La comète de Halley,* de Paolo Maffei, Fayard (1985). Il s'agit également d'une traduction.

À ces livres, sensiblement dépassés aujourd'hui, et peut-être difficiles à se procurer en librairie, on peut ajouter certains ouvrages plus récents :

- *Les comètes,* d'André Brahic, Que-sais-je ? n°1236 (dernière édition en 1993).

Et, surtout, un ouvrage qui sort au moment de conclure la rédaction de ce livre :

- *Les comètes,* de Jacques Crovisier et Thérèse Encrenaz, CNRS/Belin (1995). Cet ouvrage, assez technique et d'un bon niveau, s'intéresse essentiellement à la recherche scientifique pure sur les comètes.

Les astronomes amateurs désirant approfondir les techniques des observations cométaires (dessins, estimations d'éclat, photographie, recherche de nouvelles comètes, etc.) pourront consulter avec profit :

- *Astronomie, le guide de l'amateur*. Ouvrage collectif rédigé sous la direction de Patrick Martinez. Deux tomes édités par la Société d'astronomie populaire (1987).

Le chapitre VIII de cet ouvrage (tome 1) contient plus de cent cinquante pages uniquement consacrées aux observations cométaires d'amateurs, sous la plume de Jean-Claude Merlin.

Pour le lecteur lisant l'anglais et ayant de bonnes connaissances en physique, on peut également citer quelques ouvrages spécialisés en anglais :

- *Introduction to comets*, de J.C. Brandt et R.D. Chapman, Cambridge University Press (1981).
- *Physics of comets* de K.S. Krishna Swamy, World Scientific (1986).
- *Comets*. Ouvrage collectif sous la direction de Laurel L. Wilkening, University of Arizona Press (colloque UAI n° 61) (1982).
- *Comets in the Post-Halley Era*, R.L. Newburn Jr, M. Neugebauer et J. Rahe (editors), Kluwer Academic Publishers (1991). Volumineux ouvrage collectif en deux tomes, contenant un ensemble d'articles «de revue» écrits par des scientifiques, chacun décrivant l'état des connaissances dans sa spécialité.

Annexe 2

Éphémérides de comètes périodiques

(1996-2000)

On trouvera ci-dessous les éléments orbitaux d'un certain nombre de comètes périodiques dont le retour est prévu entre les années 1996 et 2000 (données extraites d'un article de D.K. Yeomans et R.N. Wimberly dans l'ouvrage *Comets in Post-Halley Era* mentionné dans l'annexe 1). Seules les comètes ayant une distance au périhélie inférieure à 1,5 UA, donc *a priori* susceptible, d'être relativement brillantes, ont été mentionnées.

Les six éléments orbitaux donnés correspondent aux paramètres suivants :

- **T** : instant de passage au périhélie, donné avec la date du jour et les fractions de jour (JJ,fraction/MM/AA).
- ω : argument du périhélie
- Ω : longitude du nœud ascendant
- **i** : inclinaison du plan de l'orbite par rapport à l'écliptique
- **q** : distance au périhélie
- **e** : excentricité de l'orbite

On trouvera une explication plus détaillée de la signification de ces différents termes au début du chapitre quatre. L'utilisation de ces éphémérides peut se faire de deux façons. Soit, cas idéal, avec un ordinateur et un logiciel qui permettent d'en déduire les positions dans le ciel, soit en regardant la date de passage au périhélie et en s'en servant pour surveiller les éphémérides plus précises publiées dans certaines revues (telle la revue *Ciel et Espace*, publiée tous les mois par l'Association française d'astronomie). Il convient cependant de garder en mémoire que la plupart des comètes mentionnées ne pourront sans doute pas être observées sans télescope. Seule la comète Hale-Bopp, découverte très récemment et dont des éphémérides plus détaillées sont données à la fin de cette annexe, pourra certainement faire l'objet d'observations à l'œil nu.

Comète	T	ω	Ω	i	q	e
Pons-Winnecke	02,46/01/96	172,296	92,745	22,302	1,255	0,634
Churyumov-Gerasimenko	17,65/01/96	11,343	50,350	7,109	1,300	0,630
Denning-Fujikawa	02,09/06/96	337,561	35,722	9,130	0,789	0,817
Machholz	15,13/10/96	14,578	93,837	60,075	0,124	0,958
Tritton	05,01/11/96	147,628	299,972	7,045	1,436	0,580
Wirtanen	14,33/03/97	356,318	81,525	11,723	1,063	0,656
Boethin	17,76/04/97	22,308	13,740	4,870	1,158	0,774
Encke	23,57/05/97	186,281	354,013	11,923	0,331	0,850
Haneda-Campos	15,79/08/97	306,979	65,982	4,945	1,266	0,631
Grigg-Skjellerup	30,30/08/97	359,342	212,600	21,092	0,996	0,663
du Toit-Hartley	14,52/11/97	251,708	308,447	2,934	1,200	0,600
Hartley 2	07,57/01/98	180,990	219,204	13,543	1,034	0,700
Tempel-Tuttle	28,01/02/98	172,523	234,582	162,491	0,976	0,905
Tsuchinshan 1	18,94/04/98	22,733	96,146	10,497	1,495	0,576
Kowal 2	08,84/05/98	194,123	242,987	14,511	1,349	0,599
Arend-Rigaux	12,59/07/98	330,544	121,046	18,294	1,368	0,611
Howell	28,39/09/98	235,126	56,769	4,382	1,405	0,552
Giacobini-Zinner	21,31/11/98	172,546	194,696	31,864	1,033	0,706
Forbes	03,86/05/99	310,713	333,663	7,156	1,445	0,568
Tempel 2	08,42/09/99	194,997	117,538	11,979	1,481	0,522
Urata-Niijima	03,77/03/00	21,447	31,254	24,199	1,457	0,587
Lovas 2	14,11/03/00	71,784	282,644	1,527	1,454	0,592
Swift-Gehrels	21,58/04/00	92,447	305,410	8,433	1,338	0,694
Shoemaker 2	15,53/06/00	317,745	54,678	21,593	1,319	0,665
Encke	09,64/09/00	186,492	333,892	11,749	0,339	0,846

Les six éléments précédents permettent de calculer d'autres paramètres intéressants : la période P (en années), la distance à l'aphélie Q (en UA) et la longueur du demi-grand axe de l'orbite a (en UA). On a :

$$P = (q/(1-e))^{3/2}$$
$$Q = q(1+e)/(1-e)$$
$$a = q/(1-e)$$

À ces comètes périodiques, pour la plupart connues depuis longtemps, on peut ajouter une comète découverte très récemment, le 23 juillet 1995, et qui semble très prometteuse au niveau de l'éclat (voit chapitre huit). Voici des éphémérides publiées en septembre 1995 dans une circulaire de l'UAI, pour la période entourant son passage au périhélie (prévu le 31 mars 1997 vers 23h) :

Éphémérides de la comète Hale-Bopp

date (1997)	α	δ	Δ	**r**	ε	**m**
01/02	19h40,62mn	+15°32,1'	2,002	1,366	37,9°	0,9
11/02	20h08,00mn	+20°54,0'	1,805	1,250	41,5°	0,2
21/02	20h43,91mn	+27°26,5'	1,617	1,142	44,3°	-0,4
03/03	21h33,91mn	+34°53,2'	1,458	1,049	46,0°	-1,0
13/03	22h45,56mn	+41°54,5'	1,350	0,975	46,1°	-1,5
23/03	0h20,05mn	+45°42,1'	1,315	0,928	44,8°	-1,7
02/04	1h57,42mn	+44°06,3'	1,359	0,915	42,3°	-1,7
12/04	3h13,80mn	+38°32,1'	1,469	0,935	39,0°	-1,5
22/04	4h06,90mn	+31°45,6'	1,620	0,988	35,3°	-1,0
02/05	4h44,35mn	+25°17,8'	1,789	1,067	31,4°	-0,5
12/05	5h12,53mn	+19°33,7'	1,960	1,164	27,6°	0,1
22/05	5h35,20mn	+14°31,2'	2,123	1,273	24,5°	0,7
01/06	5h54,46mn	+10°01,4'	2,274	1,390	22,3°	1,2

La signification des différents symboles est la suivante :

α : ascension droite de la comète (en coordonnées 2000)
δ : déclinaison de la comète (en coordonnées 2000)
Δ : distance comète - Terre (en UA)
r : distance comète - Soleil (en UA)
ε : élongation (angle entre la comète et le Soleil sur la sphère céleste)
m : magnitude globale prévue (Attention ! Celle-ci est très imprécise et peut diverger sensiblement de la réalité, jusqu'à deux magnitudes ou plus).

Index

• Cap-Saint-Ignace
• Sainte-Marie (Beauce)
Québec, Canada
1996